UNIVERSALE
ECONOMICA
FELTRINELLI / SAGGI

Donne si diventa

Antologia del pensiero femminista

A cura di Eleonora Missana

Stampa Nuovo Istituto Italiano d'Arti Grafiche - BG

ISBN 978-88-07-88357-6

FSC
www.fsc.org
MISTO
Carta
da fonti gestite in
maniera responsabile
FSC® C015216

www.feltrinellieditore.it
Libri in uscita, interviste, reading,
commenti e percorsi di lettura.
Aggiornamenti quotidiani

razzismobruttastoria.net

Donne si diventa

Introduzione

di Eleonora Missana

Di femminismi ce ne sono stati e ce ne sono molti. Solo nella raffigurazione caricaturale dei suoi detrattori il femminismo viene rappresentato come fenomeno unitario, per lo più come l'opposto di *maschilismo*, come l'espressione un po' fanatica di donne che vogliono fare a meno degli uomini o prendere il loro posto. Dovendo offrire una formulazione sintetica del termine, lo si potrebbe definire, molto in generale, come la contestazione dell'organizzazione sociale *patriarcale* e dell'ordine culturale e simbolico fondato sulla distinzione gerarchica e sul dominio del *maschile* sul *femminile*. Nel corso della storia si sono dati casi più o meno isolati di donne e uomini che hanno nelle loro vite e nelle loro opere contestato quel regime di oppressione, ma la rivendicazione pubblica e collettiva, nell'età moderna, di un diverso sistema di riconoscimento delle donne nella realtà sociale, giuridica, politica e culturale si afferma solo con la Rivoluzione francese.[1] Da allora, il femminismo come movimento politico ha conosciuto molte stagioni, interpretazioni, contesti, declinandosi in modi differenti, talvolta in conflitto tra loro. Questi hanno promosso nel Novecento una generale trasformazione, almeno sul piano giuridico-formale, della condizione femminile, anche se non in modo uniforme e univoco nelle varie aree del mondo.

Un'esplosione dei movimenti femministi si ha con il '68 e i primi anni settanta. In un momento di generale "presa di parola" e di desiderio di liberazione iniziano a diffondersi, in molti paesi europei, negli USA e in America Latina, gruppi di donne decise ad affermare, potremmo dire, un diritto al *desiderio*. Da tale istanza nasce l'esigenza di un confronto sull'esperienza del corpo, della sessualità, dell'affettività, riconosciuti come i principali luoghi reali e simbolici dell'espropriazione e dell'*assoggettamento*. È a partire da quella fondamentale stagione politica e dall'invenzione di nuove pratiche politiche e di confronto teorico, attuate *in primis* dai gruppi femministi, che si afferma l'esigenza di decostruzione e reinvenzione dei saperi ufficiali – dalla storia all'antropologia, dalla psicanalisi alle scienze sociali – che condurrà alla nascita, nel corso degli anni settanta, in primo luogo nelle università statunitensi, dei *Women's Studies*, gli studi delle donne, cui faranno seguito i *Gender Studies*, gli studi di genere.

È in tale contesto che il femminismo investe il sapere filosofico per metterlo in questione, avvia cioè un'opera di critica e analisi decostruttiva del linguaggio e delle grandi narrazioni della filosofia antica e moderna. In senso generale, tale indagine svela come dietro ai paradigmi universali e neutrali dominanti del pensiero occidentale si celi una più o meno esplicita metafisica dei sessi che ha costruito il "femminile" come l'altro dalla ragione, espellendo concretamente le donne dai luoghi ufficiali della formazione del sapere. Emergono allora alcune domande: che cosa può significare per le donne e la filosofia la messa in questione dell'ordine che negava loro l'accesso a pieno titolo al mondo della creazione filosofica e del pensiero? Che cosa significa per la filosofia, nella sua vocazione di riflessione *universale*, l'ingresso, o il non ingresso, di un punto di vista femminista o *di genere*, come molte e molti preferirebbero dire?

È da questo tipo di domande che muove il percorso proposto in questa antologia – uno dei tanti possibili, inevitabilmente e inesorabilmente parziale – nella costellazione delle pensatrici che, in modi diversi, si riconoscono come femministe e/o postfemministe. Un problema fondamentale e insistente fa da filo conduttore a queste pagine: la questione del "soggetto" e l'esplorazione della soggettività femminile e femminista. In estrema sintesi, i testi raccolti nell'antologia sono attraversati dal desiderio di comprendere in che modo l'assunzione di un punto di vista femminile, femminista, di genere – coniugato magari con altri assi che determinano la costruzione dell'identità, come la "razza", la classe o l'orientamento sessuale –, consenta di schiudere nuove prospettive ontologiche, epistemologiche, etiche e politiche su molte delle questioni che travagliano la società contemporanea.

Questa introduzione alla sezione antologica aspira a offrire un quadro storico-teorico di alcuni degli snodi fondamentali dell'esplorazione della soggettività e dell'identità nel pensiero femminista contemporaneo. Poiché il suo fine è agevolare la lettura dei testi antologizzati,[2] tale quadro si concentra naturalmente sul contributo dato dalle autrici di tali testi, ma considera anche i percorsi di Simone de Beauvoir e Carla Lonzi, intese come due pioniere e indicatrici di cammino, non presenti nella sezione antologica.

1. "Donna non si nasce, lo si diventa": la discussa eredità di Simone de Beauvoir

Un testo precede di oltre due decenni l'avvio della riflessione filosofica femminista contemporanea: *Il secondo sesso* di Simone de Beauvoir, una delle figure intellettuali in ascesa nella scena parigina del secondo dopoguerra. Al momento della sua pubblicazione (1949), l'opera suscita un grande scalpore, con reazioni anche violente da parte di molti intellettuali del tempo, per lo più uomini. Ciononostante, anche grazie alle sue tesi "scandalose" (basti pensare alla presa di posizione sulla questione del controllo delle nascite e dell'aborto), il testo avrà larga diffusione, soprattutto tra le lettrici, fino a diventare nei decenni successivi una delle pietre miliari della letteratura femminista e oggetto di contesa tra correnti diverse del femminismo.[3]

Nell'introduzione all'opera, Beauvoir espone le giustificazioni teoriche dell'indagine intrapresa e solleva quella messa in questione del Soggetto che diventerà centrale nel pensiero femminista contemporaneo. Beauvoir formula una prima domanda – "Che cos'è una donna?" –, il cui carattere stridente emerge quando la si confronta con la domanda apparentemente simmetrica "Che cos'è un uomo?". In questa seconda domanda, infatti, il termine "uomo" viene inteso in prima battuta con un significato universale e neutrale rispetto alle differenze specifiche tra esseri umani: l'Uomo è, ad esempio, secondo la celebre definizione aristotelica, "un animale che possiede il *logos*"[4] (linguaggio, ragione). In tale accezione *universale* del termine, quindi, la differenza sessuale tra gli esseri umani appare irrilevante. E alla domanda Che cos'è una donna si dovrebbe, in base a tale premessa, rispondere che la donna è un Uomo, animale razionale, di sesso femminile. Ma le cose stanno davvero così? In effetti, a partire da Aristotele, per arrivare almeno a Hegel, a questa conclusione, logicamente conseguente, non si perviene. Fiumi d'inchiostro sono colati nelle pagine dei filosofi, apparentemente a margine del discorso sull'Uomo,[5] per mostrare che gli esseri umani non sono tutti umani nello stesso modo e che esiste una distinzione, quella tra maschile e femminile, che pesa a un livello *ontologico*. La distinzione dei generi viene così a rappresentare una grammatica dell'essere secondo la quale il "femminile" stabilisce che le donne sono umane in un senso particolare, non posseggono la ragione allo stesso modo degli uomini, perché ancorate in modo irrevocabile al loro corpo sessuato, votato *per natura* alla riproduzione della specie con tutti gli annessi e connessi che questo comporta. Se l'Uomo, in quanto animale razionale, si caratterizza come capace di trascendere i vincoli posti dal suo essere corporeo, incarnato e sessuato, alle donne viene negata tale capacità ed esse vengono quindi destinate a occupare una posizione, nell'organizzazione sociale, di complemento e subordinazione. A questo punto però ci si può chiedere: ma è l'essere che decide della grammatica o la grammatica che decide dell'essere? È il sesso biologico che decide il *genere* o è il genere che determina il carattere perentorio della differenza sessuale, ponendola come base *naturale* di un'organizzazione e divisione sociale tra uomini e donne?

Anche se detto con altre parole, questo è il problema fondamentale che il testo di Beauvoir solleva e che attraverserà la riflessione femminista contemporanea. La convinzione che la filosofa matura nel corso dell'opera – opera che si presenta come storia delle rappresentazioni storico-sociali, culturali, filosofiche, scientifiche del "femminile" – è che "donna non si nasce, si diventa"[6] e che quelle rappresentazioni sono state costruite per rafforzare e giustificare un'organizzazione della sessualità e della riproduzione fondata su una divisione dualistica tra "maschile" e "femminile" – tesa ad assicurare agli uomini una posizione di dominio sulle donne.

Per tornare al linguaggio filosofico adottato da Beauvoir, la pensatrice francese constata come in generale ciò che emerge dal repertorio delle definizioni del femminile sia il carattere irrevocabilmente "relativo" della donna. "La donna," scrive Beauvoir, "si determina e si differenzia in relazione all'uomo, non l'uomo in relazione a lei; è l'inessenziale di fronte all'essenziale. Egli è il Soggetto, l'Assoluto: lei è l'Altro."[7]

Se la divisione sessuale, osserva Beauvoir, può essere intesa come dato biologico originario, se uomini e donne si determinano come distinti e legati gli uni alle altre nel desiderio sessuale e per la perpetuazione della specie, occorre però comprendere perché tale distinzione si sia tradotta in una spartizione di ruoli e di poteri socialmente inuguale. Confinata all'ambito del privato, della vita domestica e familiare, la "donna" è stata assegnata in modo indissolubile al proprio corpo nella sua funzione sessuale di *femmina*, oggetto del desiderio maschile, e di genitrice, complemento indispensabile all'esercizio del dominio del maschio, che proprio in tale dominio mostra e rivela la sua sovranità, la sua capacità di "Trascendenza" e autonomia.

Nelle ultime righe dell'introduzione al *Secondo sesso*, Beauvoir si chiedeva se fosse possibile per le donne mutare una situazione tanto consolidata. Perché ciò possa accadere, suggeriva, occorre che le donne si liberino dalla "donna" e divengano soggetti a pieno titolo, guadagnando quella libertà alla quale per tanti secoli sono state costrette a rinunciare.

2. Dall'"alterità" alla "differenza". Luce Irigaray e il pensiero della differenza sessuale

La questione del soggetto è al centro di uno dei primi e più significativi testi che negli anni settanta inaugurano il confronto del femminismo con la filosofia: *Speculum. L'altra donna*, di Luce Irigaray, filosofa e psicanalista di origine belga.

Il libro viene pubblicato nel 1974, quando Irigaray è una giovane assistente di Jacques Lacan all'Università di Vincennes. Esso riprende in modo più radicale la critica del Soggetto delineata da Beauvoir affinandola mediante un esame tanto rigoroso quanto dissacrante di alcuni dei testi portanti della tradizione filosofica, da Platone a Hegel, e psicanalitica, da Freud allo stesso Lacan. Esposti mediante un ironico mosaico di citazioni, spesso senza commenti, quei testi rivelano come nella costruzione dei concetti o paradigmi filosofici fondamentali (*logos*, Spirito, Soggetto) sia all'opera una metafisica dell'Uno e del Medesimo che agisce attraverso la produzione di un Altro da dominare e sottomettere. Dietro tale ossessione della filosofia occidentale si cela, e neanche troppo, una metafisica della differenza sessuale fondata sulla distinzione di un polo dominante, rappresentato da un maschile che occupa la parte dell'universale, della ragione, del Soggetto, e un polo femminile destinato a occupare la parte dell'Altro, materia, natura, oggetto. Metafisica del potere del *logos* che si origina forse dalla competizione con la potenza femminile di generare. Il "femminile" disponibile all'interno di quel sistema è quindi invenzione e funzione di un pensiero monologico unilaterale maschile, e il Medesimo, lungi dall'incontrare l'Altro, incontra sempre e soltanto se stesso. Si chiede allora Irigaray: "Ma se l'"oggetto' si mettesse a parlare? Intendiamo anche: a 'vedere' ecc. A quale disgregazione del 'soggetto' assisteremmo?".[8] La voce che qui entra in scena, e che fatica ad articolarsi sulla scena di un *logos* dove giunge inaudita e terrorizzante, è quella dell'"Altra donna", di un femminile eccedente e precedente il sistema.[9]

Ciò che Irigaray esprime già in questo primo testo è quindi l'esigenza di un pensiero della "differenza" femminile in cui l'esperienza delle donne prenda *corpo* nel linguaggio. Situandosi fuori dal sistema binario in cui il soggetto maschile e l'alterità femminile risultavano pensati e scritti da una voce unica, la differenza che qui si intende far emergere è plurale e singolare insieme, come mette in luce il modo scelto da Irigaray per indicare il soggetto che qui prende la parola: la/una donna. La differenza qui evocata è tale che nel dirsi rompe l'ordine tradizionale del discorso: non solo eccede il sistema, ma ne provoca in qualche modo l'esplosione. Che tale differenza sia, che possa essere "inventata" dalle donne, *in primis* mediante il riconoscimento delle "genealogie femminili", non può essere posto in dubbio, ma come sia e quali conseguenze avrà tale pensiero della differenza sessuale, fuori e oltre l'economia binaria, è ciò che resta da pensare. Come Irigaray scrive all'inizio di un altro suo celebre testo, *Etica della differenza sessuale*, parafrasando una celebre affermazione heideggeriana: "La differenza sessuale rappresenta uno dei problemi o il problema che la nostra epoca ha da pensare".[10]

All'inizio degli anni ottanta, all'epoca in cui Irigaray declina la sua peculiare proposta di un pensiero della differenza sessuale, le sue opere giungono nelle università statunitensi insieme a quelle di altri pensatori francesi contemporanei collocati nell'orizzonte del cosiddetto post strutturalismo. La ricezione del pensiero della differenza sessuale negli USA, nel pensiero femminista ma non solo, determina in quel decennio un "conflitto delle interpretazioni" che contrappone una lettura essenzialista e una costruzionista della differenza. La prima, rappresentata esemplarmente da Carol Gilligan,[11] è volta a individuare qualità che vengono definite come *essenzialmente* femminili, valorizzandole sia per rafforzare la soggettivazione delle

15

donne sia per introdurre nuovi principi universali per l'etica e la politica. La seconda, temendo che tale lettura non faccia che riproporre, anche se valorizzati, i ruoli "oblativi" e di servizio delle donne, enfatizza invece il carattere storico-sociale della costruzione e organizzazione dei generi, pervenendo a sganciare il genere da un qualunque riferimento al sesso biologico.

Le elaborazioni del tema della differenza che vengono presentate in questo percorso, a partire dal pensiero della differenza sessuale di Carla Lonzi, si pongono in modo più complesso e problematico rispetto a quella contrapposizione, esplorando per così dire le zone di confine e di transito tra natura e cultura, tra sociale e simbolico.[12]

3. Carla Lonzi: la teoria della differenza come irruzione del "Soggetto Imprevisto"

Il pensiero della differenza sessuale di Irigaray trova in Italia immediata accoglienza. *Speculum* viene tradotto già nel 1975 dalla filosofa Luisa Muraro, che diventerà una figura di spicco del pensiero italiano della differenza negli anni ottanta.

Una teoria della differenza sessuale di matrice più profondamente politica si era peraltro già affermata all'interno del movimento femminista italiano degli anni settanta: un movimento che ha avuto ampia diffusione e si è caratterizzato per la creatività politica e teorica, grazie all'*invenzione* di pratiche politiche e di pensiero da parte dei gruppi femministi. Tra le femministe si era affermata la convinzione che la secolare "estraneità" delle donne alla sfera della cittadinanza effettiva, alla costruzione e gestione dei poteri e dello spazio pubblico, non fosse più da intendere solo come un'ingiustizia cui avrebbero posto rimedio il riconoscimento della parità, l'integrazione o perfino l'abolizione delle classi, ma come possibile luogo di resistenza e di critica dei paradigmi dominanti della politica e della cultura.

Fra i tanti testi prodotti in quegli anni, fondamentale

per cogliere la radice politica e teorica della rivendicazione della differenza è sicuramente *Sputiamo su Hegel* di Carla Lonzi, redatto nel 1970 e pubblicato nel 1974.[13] Il testo, che procede come una *suite* di pensieri, presenta una densità teorica, radicata in un intenso pathos etico-politico, che qui ci limiteremo a evocare, soffermandoci su alcuni dei pensieri in cui Lonzi esprime il senso della critica di una certa nozione di uguaglianza e l'esigenza di approfondire e rivendicare la posizione della "differenza" femminile come condizione imprescindibile di una lotta autentica per la liberazione e per l'uguaglianza tra gli esseri umani: gli ideali che animavano in quegli anni i movimenti di protesta nei paesi occidentali, la maggior parte dei quali si ispirava a una delle interpretazioni del marxismo e/o del marxismo-leninismo. Il testo alterna quindi la critica a Hegel – individuato come il filosofo dello stato borghese che sancisce in modo esemplare una metafisica della differenza sessuale che esclude le donne dalla costruzione storica dell'"universale" e dall'esercizio effettivo della cittadinanza – a quella del marxismo-leninismo, che pur avendo sostenuto le lotte per la parità delle donne ha per lo più nella *prassi* ribadito e rafforzato i rapporti "privati" di dominio di tipo patriarcale.

Nucleo centrale è, come dicevamo, la critica della nozione corrente di uguaglianza, a proposito della quale Lonzi scrive: "Per uguaglianza della donna si intende il suo diritto a partecipare alla gestione del potere mediante il riconoscimento che essa possiede capacità uguali a quelle dell'uomo. Ma il chiarimento che l'esperienza femminile più genuina di questi anni ha portato sta in un processo di svalutazione globale del mondo maschile. Ci siamo accorte che, sul piano della gestione del potere, non occorrono delle capacità, ma una particolare forma di alienazione molto efficace. Il porsi della donna non implica una partecipazione al potere maschile ma *una messa in questione del concetto di potere*. È per sventare questo possibile attentato della donna che oggi ci viene riconosciuto l'inserimento a titolo di uguaglianza".[14]

È da tale messa in questione del potere che muove l'esigenza di dichiarare la propria differenza radicale dai modelli di uguaglianza e di differenza sessuale che da millenni dominano il sistema patriarcale, dalla famiglia, laboratorio della divisione sessuale, alla società e alla cultura: "La differenza della donna sono millenni di assenza dalla storia. Approfittiamo della differenza: una volta riuscito l'inserimento della donna chi può dire quanti millenni occorrerebbero per scuotere questo nuovo giogo? Non possiamo cedere ad altri la funzione di sommuovere l'ordinamento della struttura patriarcale. L'uguaglianza è quanto si offre ai colonizzati sul piano delle leggi e dei diritti. È quanto si impone loro sul piano della cultura. È il principio in base al quale l'egemone continua a condizionare il non-egemone".[15] Posizionarsi in tale differenza ha un valore profondamente politico che Lonzi esprime con pathos utopico: "Questa è la posizione del differente che vuole operare un mutamento globale della civiltà che l'ha recluso".[16] Per agire tale differenza occorre prendere la parola in prima persona: ciò significa per le donne rifiutare ogni forma, giocoforza sospetta, di "tutela" maschile. A tal proposito scrive Lonzi: "Non dobbiamo prendere suggerimenti plateali da coloro che ci incoraggiano contro i rappresentanti del loro stesso sesso. Ognuna di noi ha nella sua esperienza privata la dose di sdegno, di compassione e di intransigenza sufficiente a trovare soluzioni più fantasiose".[17] Da qui l'esigenza del "separatismo", momento strategico necessario perché possa realizzarsi non solo il divenire soggetti da parte di quelle soggette che avevano ricoperto sempre la parte dell'Altro e dell'oggetto, ma la messa in questione del modello egemonico di costituzione del Soggetto. Tale modello è quello rappresentato esemplarmente dalla dialettica hegeliana dell'Autocoscienza, a cui, per esercizio di quella "ironia" con cui Hegel identificava il carattere costitutivamente eversivo del "femminile", fanno da controcanto i gruppi femminili di "autocoscienza", in cui "partendo da sé" e dallo scambio delle proprie esperienze personali si sperimentano forme inedite di conoscenza di sé e di riconoscimento reciproco tra donne. In tal senso si prepara l'irruzione di un "imprevisto", come

Lonzi esprime in modo denso e significativo nei pensieri conclusivi: "Noi diciamo all'uomo, al genio, al visionario razionale che il destino del mondo non è nell'andare sempre avanti come la sua brama di superamento gli prefigura. Il destino imprevisto del mondo sta nel ricominciare il cammino per percorrerlo con la donna come soggetto.

"Riconosciamo a noi stesse la capacità di fare di questo attimo una modificazione totale della vita. Chi non è nella dialettica servo-padrone diventa cosciente e introduce nel mondo il Soggetto Imprevisto".[18]

L'agire di tale Soggetto è rivoluzionario in quanto consiste nell'esercizio effettivo del presente: "Non esiste la meta, esiste il presente. Noi siamo il passato oscuro del mondo, noi realizziamo il presente".[19]

Oggi, a quarant'anni dalla pubblicazione di quel libro fondamentale di Carla Lonzi, il cui interesse va ben oltre i confini del contesto storico e geografico in cui è nato,[20] ci si può chiedere cosa abbia significato l'irruzione di tale Soggetto Imprevisto. È questa la domanda che guida la ricostruzione qui proposta di alcuni dei nodi teorici e politici sollevati dalla riflessione femminista e postfemminista contemporanea.

4. Il problema del linguaggio e la rivoluzione del simbolico. Luisa Muraro e il Circolo di Diotima

La radice politica è sicuramente importante anche in quella specifica elaborazione del pensiero della differenza che si avvia in Italia con Luisa Muraro e il cosiddetto Circolo di Diotima, una "comunità filosofica di donne" che nella prima metà degli anni ottanta inizia a riunirsi presso l'Università di Verona, dove Muraro insegna, e che darà vita alla pubblicazione di una serie di volumi, il primo dei quali, lo scritto inaugurale del gruppo – *Diotima, il pensiero della differenza sessuale* –, esce nel 1987.[21] Tema fondamentale e ricorrente nei diversi contributi che lo compongono è la centralità del linguaggio e della dimensione del "simbolico", per una riflessione che muove dal ripensamento radicale della differenza sessuale, rompendo il monologo della filosofia occidentale. Come scrive Adriana Cavarero nel suo saggio, l'esperienza da cui muove il pensiero della differenza sessuale è quella dello smarrimento e dell'estraneazione di un soggetto sessuato al femminile che prova a dirsi e a pensarsi in un linguaggio che propone una cancellazione dei corpi edificando un linguaggio "neutro universale" che opera però a tutto vantaggio del "maschile". In tal senso, se l'uomo è "l'essere vivente che ha il linguaggio", la donna è "l'essere vivente che ha il linguaggio nella forma dell'autoestraneazione".[22] Per una donna quindi la strada che conduce dal proprio essere incarnato alla rappresentazione del Soggetto neutro-universale risulta impercorribile e/o costretta, così che essa, nell'ordine simbolico, incontra se stessa o come figura dell'alterità funzionale all'identità del Soggetto o come l'Altra mancante e letteralmente indicibile. È da tale esperienza della separatezza e dell'assenza che può e deve originarsi un pensiero della differenza sessuale, "da scoprire e da produrre", come cita il titolo del contributo a più voci che fa da introduzione al testo.[23]

Declinata in modo diverso, la riflessione sul linguaggio è centrale in *Maglia o uncinetto. Racconto linguistico sulla inimicizia tra metafora e metonimia*, un testo che Muraro pubblica nel 1981 e che in tanti sensi si può definire "aurorale",[24] un termine denso di rimandi che proviene dalla filosofa-poetessa spagnola María Zambrano, una delle pensatrici di riferimento della comunità di Diotima[25].

Rielaborando la distinzione introdotta da Jakobson tra metafora e metonimia, intese come due diverse "direttrici" del linguaggio e della produzione simbolica – l'una procedente all'astrazione e alla messa in ordine del mondo, l'altra più aderente all'esperienza concreta e singolare delle cose, dei fatti e dei corpi –, Muraro in quel testo si chiede quale elemento abbia causato il trionfo nella società contemporanea di quello che viene definito "regime di ipermetaforicità".[26] Ciò che in tale contesto si realizza è uno scollamento tra il linguaggio codificato e istituzionalizzato che domina i mass media, il linguaggio ufficiale della politica, l'insegnamento della lingua a scuola, l'agire comunicativo diffuso, e l'esperienza concreta, la materia viva, che eccede e precede quella codificazione e che non trova accesso al simbolico. Tale scollamento è all'origine di una peculiare forma di disagio della civiltà. Di una "civiltà" dove i dispositivi sociali e simbolici di controllo e di nominazione delle vite e dei corpi concorrono, per esclusione, alla formazione di un "corpo sociale selvaggio" che non trova rappresentanza né rappresentazione e che vive sotto la costante minaccia della caduta nel caos e nella follia. In questo quadro, la "rivoluzione del simbolico" che si attua attraverso la moltiplicazione e la diffusione, per contatto e per contagio, di forme di produzione metonimica del linguaggio può rivelarsi come pratica fondamentale di sovversione e creazione di nuove forme di vita e relazione.

In Muraro tale esplorazione trova una prima declinazione, destinata a suscitare grande interesse ma anche prese di distanza, con la pubblicazione nel 1991 dell'*Ordine simbolico della madre*, dove la scommessa formulata in *Maglia o uncinetto* trova un primo approdo teorico. Fin dalle prime pagine Muraro formula il rivolgimento filosofico provocato dalla "scoperta" fatta grazie alla pratica o esperienza del femminismo. E lo formula nei termini di un nuovo "cominciamento", di una nuova "metafisica dell'essere". Rinnovando l'aspirazione metafisica originaria della filosofia all'essere, Muraro dichiara di essere giunta nel proprio percorso di ricerca attraverso la filosofia[27] e grazie all'incontro decisivo con il femminismo all'intuizione fondamentale del legame profondo e originario tra il senso dell'essere e il saper amare la madre. Se la storia della metafisica è storia dell'oscuramento progressivo del senso dell'essere, fino alle varie forme di nichilismo contemporanee, è perché l'ordine simbolico dominante foggiato dalla tradizione filosofica vive su una recisione originaria dalla matrice della vita, sul misconoscimento reale e simbolico della potenza materna che non è solo potenza di generare ma anche di "mettere al mondo il mondo"[28] attraverso la parola. Pur condividendo parzialmente la proclamazione della crisi della filosofia che domina la stessa filosofia contemporanea, il femminismo ha compiuto un passo innanzi: non ha infatti solo radicalizzato la critica e la negazione delle pretese di verità del *logos* occidentale, ma ha anche scoperto in positivo il bisogno di risalire a un nuovo principio: il saper amare la madre. "Io affermo," dichiara Muraro a un certo punto, "che saper amare la madre fa ordine simbolico."[29]

Il saper amare la madre, la madre "naturale" ma anche le madri "simboliche" – in primo luogo mediante la ricostruzione delle genealogie femminili e la pratica della relazione tra donne –, si rivela una condizione fondamentale per "abilitare" le donne alla creatività e alla produzione simbolica, ovvero alla ricerca di una parola, per donne e per uomini, che ricomponga il legame con l'esperienza, rompendo il carattere convenzionale e conformista del linguaggio della comunità della comunicazione.[30]

5. La filosofia della narrazione e il "riscatto" dell'unicità in Adriana Cavarero

Pur muovendo da un orizzonte condiviso da Muraro e dal gruppo di Diotima, Adriana Cavarero traccia un percorso diverso. Della sua molteplice produzione ci limiteremo a percorrere i momenti salienti della riflessione intorno al tema del soggetto.

Nel contributo al volume di Diotima del 1987 già citato Cavarero pone in luce come l'esperienza di un soggetto femminile che cerca di significarsi nel discorso sedicente neutro e universale della filosofia sia quella di un autoestraniamento e di una sostanziale *atopicità*, che genera nelle donne l'impressione di non avere un luogo proprio per dirsi. Ma, sempre in quel saggio, sostiene come tale atopicità possa venire assunta e divenire un punto di vista privilegiato per ripensare il "soggetto" e l'"umano".

In tal senso, l'autoestraniamento delle donne dalle rappresentazioni astratte e sessualmente neutre dell'Uomo diviene la condizione che consente di spostare la questione dell'identità dal "che cosa", "che cos'è l'uomo o anche che

cos'è la donna", al "chi", "chi sei tu", "chi sono io", e cioè
dal soggetto astratto al soggetto concreto e incarnato nella sua irriducibile unicità.[31]

L'adozione dell'atopicità come postazione teorica che
consente una diversa e più ampia visione conduce Cavarero a Hannah Arendt, che si definiva non a caso una "pariah
consapevole" nella vita e nel pensiero. È infatti alle categorie "anomale" rispetto alla tradizione filosofica classica, in
cui peraltro Arendt è pienamente inscritta, che Cavarero si
rivolge per ripensare il soggetto e l'identità. La prima e fondamentale categoria individuata da Arendt nell'indagine
della condizione umana[32] che viene ripresa e rielaborata
da Cavarero è quella della "natalità", che si contrappone
alla tradizionale ossessione filosofica per la mortalità. In
Arendt considerare l'umano a partire dalla constatazione
del carattere "miracoloso" della nascita consente di rivelare i tratti costitutivi e distintivi della condizione umana nel
mondo: l'imprevedibilità, la contingenza, l'unicità e la pluralità degli esseri umani e delle loro azioni.[33]

Rielaborando le analisi arendtiane, Cavarero sottolinea come la nascita segni l'apparire nel mondo di un *unico* esposto nella sua fragilità alla cura e alla testimonianza di altri. Se l'umano va pensato come unicità incarnata,
ne deriva in primo luogo il riconoscimento del carattere
relazionale di ogni soggetto. Lo stretto legame tra unicità
ed esposizione ad altri viene messo in luce in un testo cruciale della sua produzione filosofica, ovvero *Tu che mi
guardi, tu che mi racconti. Filosofia della narrazione* (1997).
In quest'opera, attingendo a una molteplicità di esempi
tratti dalla letteratura, dal mito e dalla vita reale, da Ulis-
se a Sheherazade, dai racconti di Karen Blixen alle esperienze politiche come quella dei gruppi femministi di autocoscienza, Cavarero mostra come ogni vita riveli l'unicità del suo disegno nella narrazione della sua storia. Proprio tale carattere espositivo e narrativo del soggetto esi-
bisce l'indissolubile intreccio di ogni sé con un tu capace
di narrargli/le la sua storia. La stessa autobiografia rivela
sempre un debito con coloro che soli possono narrarci
quella parte della nostra vita – esempio emblematico la

prima infanzia – che non possiamo ricordare. La filosofia della narrazione più che quella del *logos* è in grado di restituire contemporaneamente l'unicità del soggetto incarnato e l'intreccio necessario di esseri in relazione chiamati a rispondere l'uno dell'altro.

Ciò viene messo nuovamente in luce in *A più voci*,[34] dove il tema dell'unicità viene indagato a partire da quella che Cavarero chiama una "fenomenologia vocalica dell'unicità". Punto di partenza è il riconoscimento della voce come rivelazione di un'unicità che nella sua consistenza corporea e incarnata si esprime e si consegna all'ascolto degli altri, e delle strategie poste in atto dalla tradizione filosofica e metafisica per neutralizzare l'elemento vocalico a favore del semantico, per considerare la parola, astratta e universale, come la destinazione essenziale della voce quale espressione di una "gola di carne". Nel primato del registro semantico della parola ne va in realtà dello statuto del corpo, dell'unicità di un essere incarnato, e quindi del carattere irriducibilmente plurale di ogni comunicazione. La posta in gioco di una ontologia vocalica dell'unicità è allora eminentemente *politica*. "Tematizzare il primato della voce rispetto alla parola, infatti," scrive Cavarero, "significa anche aprire nuove strade per una prospettiva che non solo può focalizzarsi su una forma primaria e radicale di relazione non ancora catturata dall'ordine del linguaggio, ma è soprattutto in grado di precisarla come *relazione tra unicità*. Nient'altro che questo è, del resto, il senso che la sfera vocalica consegna alla parola in quanto la parola è appunto la sua destinazione essenziale. E si tratta, ovviamente, di un senso che, tramite la parola, transita dall'ontologia alla politica."[35]

6. *Pensare dai margini e dalle frontiere: la critica del soggetto femminista egemonico nel femminismo afroamericano e postcoloniale*

Posto che uno dei tratti costitutivi di quella variegata costellazione di pensiero che si definisce come femminista e postfemminista è una vocazione essenzialmente postnazionale e transnazionale, sposteremo ora l'attenzione dal contesto francese e italiano al contesto statunitense. Avendo sempre come filo conduttore il ripensamento della questione del soggetto e dell'identità, riporteremo le riflessioni di pensatrici che negli anni ottanta hanno rappresentato l'irruzione di soggetti imprevisti nella riflessione femminista statunitense, provocando un ripensamento critico dei paradigmi femministi dominanti, dapprima all'interno del femminismo statunitense e dei nascenti *Women's Studies*, e poi, per effetto di quella circolazione "nomadica" delle idee che lo caratterizza, nel pensiero femminista internazionale.

Già a partire dagli anni settanta alcune voci femministe iniziano a mettere in questione la validità, da un punto di vista teorico e politico insieme, del "mito" di un soggetto femminile unitario in grado di operare *tout court* un'indistinta sorellanza tra le donne. Tra queste voci spiccano quelle delle femministe afroamericane, che muovono dall'esigenza di riflettere sulla specifica posizione delle donne nere nella storia, e nella società, americana.[36] Una storia segnata da un passato di schiavitù e segregazione e dal razzismo persistente nella società e nella cultura nordamericane contemporanee.[37] Una storia però segnata anche, tra gli anni sessanta e settanta, dall'esplosione di un grande movimento di contestazione e di liberazione dei neri parallelo al movimento femminista e al movimento pacifista di protesta contro la guerra in Vietnam. In tale contesto, alcune di loro iniziano a rivendicare una visibilità della loro specifica soggettività, luogo di iscrizione di un duplice regime di regolazione basato tanto sulla razza quanto sul sesso, oltre che su altre variabili fondamentali per la definizione delle identità come la classe e l'orientamento sessuale. Specificità che risultava oscurata sia all'interno del movimento di liberazione dei neri sia all'interno del femminismo egemonico. Tale rilievo delle differenze tra donne provoca un mutamento di paradigma nella riflessione politica e teorica femminista.[38]

Nel corso degli anni ottanta, quando nell'orizzonte culturale statunitense ed europeo si diffonde la proclamazione del "postmoderno", inteso come fine delle grandi narrazioni che hanno retto le filosofie della storia della modernità europea e occidentale, alcune pensatrici provano a declinare il discorso sul postmoderno nel senso di una critica – con intenti etico-politici – dell'identità, a partire dal ripensamento della pluralità di soggettività che nel frattempo ha fatto irruzione sulla scena politica e culturale.

6.1. Bell hooks: "elogio del margine"

In tale direzione si situano le riflessioni della pensatrice afroamericana bell hooks, pseudonimo scelto da Gloria Jean Watkins all'epoca della sua militanza come femminista e afroamericana negli anni settanta e conservato nei decenni successivi.[39]

In senso generale, l'opera di bell hooks si caratterizza per il fatto di tenere insieme l'indagine più strettamente teorica con la riflessione sull'esperienza personale e "privata" e con la critica degli oggetti sociali e delle rappresentazioni veicolate dai prodotti della cultura di massa.

In Italia il suo nome è legato principalmente a *Elogio del margine* (1998), che raccoglie alcuni dei testi più significativi redatti da bell hooks negli anni novanta. In senso generale, in questi scritti bell hooks mostra come l'esplorazione della soggettività a partire dall'esperienza delle donne nere afroamericane durante la schiavitù, e anche successivamente in un contesto di segregazione razzista e di emarginazione dei neri, si riveli fondamentale per delineare un punto di vista critico che contribuisca a costruire nuove strategie di resistenza e di contropotere tanto nella lotta di liberazione dei neri quanto nella lotta femminista contro il sessismo.

Fuoco centrale delle analisi di bell hooks è la messa in luce dell'interconnessione e sovrapposizione tra discorso sulla razza e discorso sul sesso, al fine di mostrare come razzismo e sessismo siano sistemi di dominio che si sostengono a vicenda. L'analisi delle pratiche dei coloni schiavisti fa emergere con chiarezza come la sessualità, al centro dello sfruttamento e della violenza esercitata sulle schiave nere e/o le indigene, abbia fornito una molteplicità di metafore di genere che si rivelano fondamentali nella costruzione del "discorso"[40] e delle stereotipie razziste persistenti nella società post schiavista e postcoloniale.[41]

Bell hooks osserva quindi come nello stato di oppressione e di povertà in cui ancora oggi vive la maggior parte di loro, neri e nere "di rado hanno sfidato l'uso delle metafore di genere per descrivere l'impatto del dominio razzista e/o nella lotta di liberazione nera",[42] spesso non riconoscendo come l'accettazione di tali metafore sessuali abbia creato un vincolo tra maschi neri oppressi e maschi bianchi oppressori. Per tali ragioni, ritiene che nella lotta contro il razzismo occorra "respingere la sessualizzazione della liberazione nera in forme che sostengano e perpetuino sessismo, fallocentrismo e dominio maschile".[43] E d'altra parte, le femministe devono vigilare affinché non si rappresenti come universale per tutte le donne la posizione della donna bianca, adulta e di classe media, considerando ad esempio la lotta al razzismo o contro l'ingiustizia sociale come subordinata a quella contro il sessismo.

Proprio la riflessione sull'esperienza storica delle donne nere afroamericane all'epoca della schiavitù può offrire un esempio specifico di lotta e resistenza contro la violenza del dominio schiavista e sessista. Attingendo anche alle memorie familiari, nel riconoscimento profondo delle genealogie femminili, bell hooks ricorda il ruolo fondamentale delle donne nere per costruire spazi di riappropriazione di sé, di bellezza e di umanizzazione, per individui che la violenza degli schiavisti privava di mondo, di identità personale e di riconoscimento. Hooks racconta ad esempio di come le donne nere, costrette a passare buona parte del loro tempo a lavorare per altri fuori casa, concentrassero tutti i loro sforzi, al ritorno dal mondo della fatica e dell'umiliazione, per fare delle loro case dei "siti di resistenza" in cui veniva dato un valore fondamentale alla creatività e alla bellezza, perché i neri potessero recuperare di fronte a sé e al mondo quelle caratteristiche di umanità che la società razzista negava loro.

In tal senso, l'assunzione di un'ottica femminista e insieme postcoloniale può dar vita, secondo bell hooks, a una "visione rivoluzionaria di liberazione nera", che non si faccia intrappolare dalle costruzioni "essenzialistiche" dell'identità nera, che tenga conto della propria storia e memoria riuscendo a promuovere una cultura nera davvero altra rispetto a quella dominante e capace di far uscire tanti giovani neri e nere dallo stato di crescente emarginazione e "spossessamento" di sé.[44]

Passando dalla riflessione sull'esperienza alla sua codificazione teorica e "accademica", in un continuo transito tra cultura "bassa" e "alta" che è un po' la cifra della sua scrittura, è proprio nel senso di una visione complessa e "antiessenzialistica" dell'identità che bell hooks esplora le potenzialità critiche contenute nell'idea del postmoderno, elaborando provocatoriamente la proposta di una "negritudine postmoderna".

In questa prospettiva, bell hooks muove dall'elaborazione di un'esperienza concreta personale, ma condivisa da molti nere e neri, proponendo di raffigurare il "margine" come possibile sito di resistenza. Con *margine* bell hooks intende il luogo concreto e simbolico dell'emarginazione e/o dell'esclusione dei neri ai confini e al di fuori dal *centro* rappresentato dalla comunità bianca dominante. Nell'esperienza infantile raccontata da bell hooks il margine era rappresentato dai binari della ferrovia di una piccola città del Kentucky, oltre i quali si apriva il mondo dei bianchi con vere case, e non baracche, con negozi, ristoranti e strade asfaltate cui le nere – e i neri – potevano accedere non per vivere ma solo per lavorare come domestiche, prostitute, custodi, per tornare ogni sera al *margine*. Qualunque trasgressione comportava gravi punizioni. Proprio l'elaborazione di quest'esperienza di privazione ha però consentito a bell hooks di sviluppare uno "sguardo particolare sul mondo". Scrive: "Guardando dall'esterno verso l'interno e viceversa, abbiamo concentrato la nostra attenzione tanto sul centro quanto sul margine. Li capivamo entrambi. Questo modo di osservare ci impediva di dimenticare che l'universo è una sola cosa, un corpo unico fatto di margine e di centro".[45]

Il margine può quindi rivelarsi come uno spazio critico privilegiato per adottare nuove e più ampie prospettive. È in questo senso che bell hooks, pur avendo guadagnato nel corso dell'esistenza un pieno diritto di accesso al "centro", ritiene fondamentale rimanere fedele alla marginalità, l'unica soglia dove la memoria del passato può dar voce a forme di resistenza e pratiche controegemoniche rispetto a quella cultura del dominio e dell'oppressione che persiste, in forme diverse e più occulte, anche in un mondo che si definisce "postcoloniale".

6.2. La "mestiza" di Gloria Anzaldúa

Considerando le prospettive ermeneutiche sul sé e sul mondo dischiuse nell'orizzonte della riflessione contemporanea dall'irruzione di soggetti imprevisti, è possibile notare il ricorrere e la proliferazione di metafore spaziali soprattutto nelle pensatrici che si situano in qualche modo nella declinazione radicale del postmoderno. Filo conduttore di questa raffigurazione dello spazio e del movimento dei corpi che lo percorrono e lo definiscono è sicuramente quello dell'attraversamento dei confini, del nomadismo e della dislocazione. In molti casi, come in quello di hooks, si tratta della traduzione di un'esperienza personale ed esistenziale, sovente dolorosa, di "confinamento", di espulsione o di misconoscimento, in una rappresentazione del sé e dello spazio capace di creare una nuova coscienza critica del mondo contemporaneo e della "microfisica dei poteri" – per citare un'espressione che rimanda ancora a Foucault –[46] che governano i corpi e le vite degli esseri umani.

Tale è anche il caso della coscienza *mestiza* proposta dalla scrittrice e pensatrice *chicana*[47] Gloria Anzaldúa in *Borderlands. La Frontera*.[48] Muovendo dalla riflessione su di sé e sulla molteplicità di "differenze" che caratterizzano la propria identità, Anzaldúa propone la *mestiza*, o "donna scura", come una figura dell'autocoscienza e della coscienza che si contrappone a qualunque teoria o politica della "purezza razziale" – come quella praticata dall'America bianca – ma anche alla costruzione difensiva di una "purezza culturale" latino-*chicana* basata anche sulla conservazione di tradizioni oppressive di tipo sessista e patriarcale.

Appartenente a culture storicamente e socialmente in conflitto tra loro, lacerata in una "battaglia di confini, una guerra interiore" tra una cultura del dominio, quella bianca, e quella indigena, india e ispanica, sottoposta a diverse forme di misconoscimento e sottomissione, il primo impulso della *mestiza* è quello di trincerarsi in una posizione difensiva. L'elaborazione della sofferenza e della lacerazione può però dar luogo a una rappresentazione di sé in cui le scissioni tra i diversi tratti della propria identità risultano risanate contribuendo a far nascere una nuova coscienza, la *mestiza* appunto, che dia origine ad altri modi di vivere e di convivere, rivelandosi una figura "quasi profetica". Partendo da sé e dal proprio essere dentro e fuori a ogni pezzo della sua identità – india, ispanica, angla, donna, femminista, lesbica – Anzaldúa si chiede cosa possa significare porre, mescolare e tenere insieme queste culture anche opposte e/o antagoniste tra loro. Quello della *mestiza* è un viaggio attraverso le frontiere dell'anima e del tempo, in cui la *mestiza*, scrive la pensatrice, "passa la storia al setaccio, vaglia le menzogne, guarda le forze cui noi come razza, noi come donne, siamo state parte". L'esito di tale vaglio è una "rottura consapevole con le tradizioni di tutte le culture e tutte le religioni". La *mestiza* può così raccontare nuovamente la storia, inventare nuovi miti e reinventare gli antichi, trasformando se stessa e il mondo che la circonda. La coscienza *mestiza* adotta uno sguardo nuovo sulle differenze di ogni tipo, soprattutto quelle discriminate o rese invisibili: "Rinforza in sé la tolleranza (e l'intolleranza) per l'ambiguità. È disposta a condividere, a rendersi vulnerabile a modi stranieri di vedere e di pensare. Abbandona ogni idea di sicurezza, di familiarità. Decostruire, costruire. Diventa una *nahual*, che sa trasformarsi in albero, in coyote, in un'altra persona. Impara a trasformare il piccolo 'me' nell'Io totale. *Se hace moldeadora de su alma. Según la concepción que tiene de sí misma, así será*".[49]

7. Nell'orizzonte del postmoderno: soggetti cyborg, eccentrici e nomadi

La riflessione sul soggetto e sull'identità prodotta da pensatrici che incrociano un punto di vista femminista con un'ottica postcoloniale e/o lesbica provoca un ripensamento profondo nel pensiero femminista. Ne consegue una riflessione teorica più complessa e articolata contemporaneamente in senso ontologico, in quanto indaga la costituzione del soggetto, epistemologico, in quanto interroga lo statuto dei saperi e della scienza, ed etico-politico.

Per esigenza di sintesi, questo passaggio di radicalizzazione teorica si caratterizza in termini generali come "postfemminismo" o femminismo postmoderno. Sono molte le pensatrici che a partire dagli anni ottanta e novanta entrano a far parte di quella che più che una corrente si potrebbe definire una costellazione di pensiero femminista postmoderno, postcoloniale, post strutturalista. Ciò che le accomuna, al di là dei loro singoli percorsi teorici, è la convinzione che prendere le mosse dal carattere multiplo e mobile della soggettività sia premessa indispensabile per "cartografare" la realtà contemporanea, per formulare visioni etico-politiche radicali in prospettiva femminista e più in generale per riconoscere, in tutta l'ampiezza del termine, i soggetti subordinati, esclusi ed emarginati dall'organizzazione contemporanea del dominio.

In questo contesto emergono nuove figurazioni, nuove metafore volte a rappresentare il soggetto e la sua costruzione nell'intersecarsi di diversi assi: di genere, di razza, di classe, di orientamento sessuale.

7.1. Donna Haraway e il "Manifesto cyborg"

Una delle proposte emergenti nel dibattito statunitense nel corso degli anni ottanta è quella del cyberfemminismo di Donna Haraway. Nel contesto italiano Haraway si afferma a partire dalla pubblicazione di *Manifesto cyborg*.[50] Al centro della proposta teorica di Haraway – biologa, storica e filosofa della scienza, docente nel celebre dipartimento di History of Consciousness dell'Università californiana di Santa Cruz, all'interno della Silicon Valley, l'area a più alta densità *high-tech* del pianeta – si situa la questione del rapporto delle donne e del femminismo con la scienza e la tecnologia nell'era del tardo capitalismo postindustriale o "dell'informatica del dominio e delle biotecnologie", secondo la definizione della stessa Haraway. Tale questione si rivela infatti cruciale per la configurazione di una politica femminista che si voglia, come quella di Haraway, radicale, socialista e materialista.

L'ottica materialista esige in primo luogo di intraprendere un'analisi che consideri, da un lato, il mutamento dei paradigmi scientifici indotto dalle biotecnologie e tecnologie dell'informazione,[51] dall'altro il loro impatto sui metodi di produzione e di riproduzione nell'organizzazione economica e politica tardocapitalistica valutandone gli effetti sul sistema di codificazione, regolazione, controllo dei soggetti e sulla ridefinizione dell'umano.

La prospettiva femminista richiede di muovere dalla considerazione delle trasformazioni delle modalità del dominio contemporaneo nei confronti delle donne, in quanto soggetti specialmente coinvolti in tale processo di riorganizzazione.[52] Tali analisi risultano indispensabile premessa per formulare un progetto politico radicale. A tal fine, si rende necessaria una nuova raffigurazione della soggettività che sia all'altezza dei tempi e della loro complessità.

La "figurazione non tassonomica" proposta da Haraway – con una duplice valenza, "ontologica", in quanto mira a descrivere la realtà nel suo divenire, e "politica", in quanto aspira ad agire in tale divenire è quella del cyborg.

Il cyborg è una figurazione, inventata contaminando realtà sociale e fantascienza, che intende valere come metafora per descrivere il funzionamento di un sistema che grazie agli sviluppi delle tecnologie dell'informazione ha perfezionato ed enormemente potenziato il suo potere di visione – quindi di sorveglianza e di controllo – conducendo a una visione inedita dei "corpi" intesi come superfici di iscrizione di diversi codici, da quelli genetici a quelli storico-culturali. Il cyborg è "un miscuglio di carne e tecnologia". In esso risultano ridefiniti e sfumati i limiti tra fisico, meccanico, spirituale, ovvero i confini che hanno retto la costruzione dell'"umano" nella tradizione occidentale, come quelli tra umano e animale, cultura e natura, macchina e organismo. In tal senso, il cyborg, creatura postgenere, postedipica, postcoloniale, senza genesi e senza destinazione, configura uno scenario *post-umano*.[53]

Se lo scenario, un po' fantastico e un po' reale, è quello di un *divenire soggetti* cyborg in un sistema di potere che non cancella ma sembra anzi rafforzare il regime del dominio e della disuguaglianza, un ritorno a un'origine naturale, incontaminata da ogni forma di intervento tecnologico, come quella proposta in alcune correnti del femminismo contemporaneo, sarebbe però secondo Haraway oltre che impossibile anche controproducente. La proposta di Haraway, che non appare peraltro *ex novo* ma si riaggancia a riflessioni emerse nel pensiero femminista militante dei primi anni settanta,[54] è infatti quella di un femminismo "protecnologico" che utilizzi le possibilità dischiuse da una realtà cyborg, dirottando alcuni dei risultati della ricerca scientifica e tecnologica a favore di un progetto utopico, senza pretese di redenzione. Per promuovere una politica del "Desiderio" e delle "affinità" che possa resistere abbastanza a lungo da "disarmare lo stato".[55] Molto dipenderà da come si riuscirà ad assumere la trasgressione dei confini che il cyborg rappresenta. Ad esempio, la difesa della natura e della vita può divenire fondamentale nell'agenda politica cyborg proprio a partire dalla costruzione di un mito, in cui ci si può avvalere anche dei risultati della ricerca scientifica, che fa emergere la continuità e la profonda parentela tra animali, umani e non. In conclusione, scrive Haraway, lo scenario di un mondo cyborg delinea la duplice possibilità di un futuro che si consegna alle più temibili distopie ma può anche dischiudere l'orizzonte di un'utopia dove umani, animali, macchine operino insieme alla difesa della vita e del pianeta.[56]

In *Saperi situati*, uno degli scritti tradotti nel *Manifesto*, Haraway si confronta con il dibattito epistemologico femminista e in particolare con il testo di Sandra Harding *The Science Question in Feminism*.[57] Al centro di questo intervento è la questione dello statuto epistemologico di quel sapere che, come quello propugnato dall'epistemologia radicale femminista, si vuole "situato" nella visione di un soggetto incarnato e frammentato nella sua identità mobile e contraddittoria. La rivendicazione dell'essere necessariamente situato del sapere rende innanzitutto possibile la critica femminista della scienza come sapere neutrale e totalizzante di un Soggetto incorporeo, che vede tutto, che è dappertutto e in nessun luogo. I "saperi situati", quindi, intesi come saperi di soggetti concreti, spesso ignorati e/o "soggiogati" dalla scienza del dominio, svelano in primo luogo il carattere mitico e ideologico della "Scienza",[58] riconoscendo nel contempo la propria ineluttabile parzialità. Ma tale riconoscimento non significa per Haraway in alcun modo né una concessione al "relativismo" – che nella visione di una pluralità di saperi olistici e autorelati risulta speculare al mito del sapere unico e totalizzante –, né una rinuncia alla razionalità e all'"oggettività",[59] ovvero all'aspirazione a descrivere il mondo nella sua complessità e a operarne la trasformazione. Al contrario, è proprio attraverso tale riconoscimento del carattere multiplo e parziale del soggetto della conoscenza che si esprime il desiderio di descrivere in modo sempre più affidabile il mondo per poterlo trasformare rendendo giustizia alla pluralità dei soggetti in gioco.[60] In tal senso, alla pretesa universalità dello sguardo panottico di un Soggetto senza corpo che è dappertutto e in nessun luogo occorre contrapporre l'universalità mobile e concreta della rete che si pone in atto attraverso la condivisione e la comunicazione orizzontale e diffusa dei saperi situati.

7.2. Oltre il "gender": teoria del soggetto eccentrico e "queer" di Teresa de Lauretis

La riflessione sul soggetto e sulla centralità del corpo, in particolare del corpo sessuato, come luogo di iscrizione fisica, simbolica e culturale dei soggetti è fondamentale in un'altra delle pensatrici che emergono nel dibattito internazionale a partire dagli anni ottanta: Teresa de Lauretis.

Pensatrice di origine italiana, "emigrata" per ragioni di studio e di insegnamento da alcuni decenni negli Stati Uniti,[61] de Lauretis ha tra i suoi meriti quello di offrire in molti suoi scritti alcune ricostruzioni genealogiche del percorso della teoria femminista sul soggetto. Un percorso al quale la stessa de Lauretis, pensatrice dalla formazione eclettica e multidisciplinare, contribuisce attivamente in diversi momenti e modi.

Se il paradosso "Donna" – ovvero il paradosso di un soggetto contemporaneamente assente e prigioniero del discorso che lo costituisce – incalza la riflessione femminista e si rafforza nelle ambivalenze della nozione di "genere", le critiche mosse dalle femministe postcoloniali e lesbiche determinano, per de Lauretis, una svolta cruciale.[62] Esse mostrano infatti la necessità di passare dal paradigma della differenza sessuale e/o di genere all'esplorazione delle differenze tra le donne, riconoscendo come fondamentale per la costituzione sociale e discorsiva dell'identità la combinazione del "genere" con altri assi del sistema di dominio.

Il genere si sgancia così dal suo legame con il "dato biologico" per diventare uno strumento di analisi più complesso e capace di rendere conto del carattere diversificato del campo sociale e del sistema di potere in cui si costituisce, grazie al lavoro dell'inconscio, l'identità e la sessuazione dei soggetti. *Technologies of Gender*, un celebre saggio di de Lauretis della seconda metà degli anni ottanta,[63] interviene a definire teoricamente tale passaggio. Di fronte alla scoperta di un soggetto "in-generato", neologismo della stessa de Lauretis, nel "vissuto delle relazioni di razza e di classe, oltreché di sesso; un soggetto quindi non unificato ma multiplo, non solo diviso ma contraddetto",[64] si rende necessaria l'elaborazione di un concetto di genere sciolto dal legame di mutua inclusione con quello di differenza sessuale. Riprendendo l'ultimo Foucault e le sue analisi della sessualità come "tecnologia del sesso", de Lauretis propone di considerare il genere come "il prodotto di varie tecnologie sociali, per esempio il cinema, e di discorsi istituzionali, epistemologie e pratiche critiche, nonché di pratiche della vita quotidiana".[65] In tal senso il genere, e la sua elaborazione della sessualità, non vanno intesi come una "proprietà dei corpi o qualcosa che esiste in origine negli esseri umani", ma come l'effetto di una complessa "tecnologia politica", governata dalla macroistituzione dell'eterosessualità, che agisce mediante le disposizioni inconsce della psiche. Nel saggio conclusivo di *Soggetti eccentrici*, la pensatrice sintetizza con un'espressione efficace questo passaggio. Scrive de Lauretis: "In breve, possiamo divenire soggetti solo in quanto siamo corpi, ma se ci sentiamo un corpo in-generato è solo in quanto siamo soggetti".[66]

In un altro saggio del volume, de Lauretis si sofferma sugli effetti politici della svolta teorica rappresentata dall'oltrepassamento del *gender*, osservando come la "presa di coscienza derivante da questa analisi [...] fa sì che il soggetto del femminismo – e non dico il soggetto femminile – si ponga in posizione critica, distanziata, eccentrica rispetto all'ideologia del genere. Per questo l'ho chiamato un *soggetto eccentrico*, vale a dire non immune o esterno al genere, ma autocritico, distanziato, ironico, eccedente, insomma eccentrico".[67]

Con la figura del soggetto *eccentrico* si entra nella fase più recente dell'esplorazione femminista del soggetto. Ciò che in senso generale caratterizza tale esplorazione è il moltiplicarsi di teorie e pratiche che fanno perno sulla dis-identificazione e sul dislocamento. Il termine *queer*, proposto da de Lauretis in occasione di un convegno sull'omosessualità nel 1990, si colloca per l'appunto in questo contesto.[68]

7.3. Rosi Braidotti, Soggetto "nomade" per un'Europa postnazionale

L'attraversamento dei confini, interni ed esterni, è al centro della proposta del femminismo *nomade* di Rosi Braidotti, pensatrice di origine italiana che, dopo aver studiato in diversi paesi e contesti linguistici e culturali, da alcuni anni vive e lavora in Olanda.[69]

Rosi Braidotti esordisce nel dibattito filosofico femminista con *Dissonanze*,[70] uno dei primi testi volti a "cartografare" l'effetto dell'irruzione della riflessione femminista nella filosofia contemporanea, indagando i punti di contatto – e le ragioni di "dissonanza" – tra la crisi della *ratio* filosofica e del Soggetto proclamata nella filosofia contemporanea – in particolare nella filosofia francese con Foucault, Derrida, Deleuze – e l'esplorazione della soggettività nel femminismo contemporaneo. Il percorso si snoda dapprima attraverso la filosofia francese contemporanea, che ha posto in vari modi l'enfasi sulla *differenza*, per giungere alla considerazione di quelle "filosofie radicali della differenza sessuale" – tra le quali Braidotti colloca la riflessione di Luce Irigaray, Julia Kristeva,[71] Monique Wittig[72] e Teresa de Lauretis dove la critica dei paradigmi dominanti della razionalità occidentale si accompagna alla "rivendicazione di una specificità femminile nei termini di una soggettività politica ed epistemologica".[73] In questa lettura, il pensiero della differenza sessuale, come lo intende Braidotti, fa capo a una pluralità di posizioni senza offrire nessuna sintesi finale, a una molteplicità irriducibile di pratiche discorsive dove la sovversione dell'ordine del discorso si incarna nel Desiderio del divenire-soggetti *differenti*, multipli e mobili ma non per questo meno capaci di tessere legami. In tal senso, già nelle conclusioni di quel primo lavoro, Braidotti riprende da Deleuze la metafora del *nomadismo*[74] per raffigurare la rivoluzione del modo di pensare rappresentata dall'irruzione del pensiero della differenza sessuale, nell'accezione ampia del termine da lei proposta, nella riflessione filosofica contemporanea sulla crisi della razionalità, del soggetto, dell'Uomo.

All'esplicazione di tale figura è dedicato *Soggetto nomade* del 1995,[75] testo riedito e aggiornato in *Nuovi soggetti nomadi*. Pensatrice particolarmente attenta alle questioni etico-politiche, Braidotti ha avviato negli ultimi anni una riflessione sull'identità europea, chiedendosi quale contributo potrebbe offrire il punto di vista di un soggetto nomade europeo per pensare l'identità a venire di un'Europa postnazionale. L'urgenza della questione è data dal contesto: da un lato lo sviluppo, che ha tutta l'incertezza ma anche le potenzialità di una scommessa, dell'Unione Europea; dall'altro, la constatazione di come, in parallelo al processo di integrazione economica transnazionale e di libera circolazione delle merci e dei capitali, si stia edificando una specie di "Fortezza Europa" basata sul rafforzamento di confini materiali e simbolici, interni ed esterni, come attestano le diverse politiche nazionali europee sull'immigrazione, e sulla crescita di popolarità, dall'Ovest all'Est, dal Nord al Sud, di tentazioni xenofobe e razziste.

In tale contesto storico-sociale, Braidotti ritiene fondamentale inaugurare un'ampia riflessione su cosa possa significare divenire europei posteuropei, mettendo in gioco le prospettive teoriche e politiche elaborate dal pensiero femminista. Nella configurazione di una nuova forma di cittadinanza, è indispensabile muovere dalla considerazione del proprio essere situati, della propria "collocazione". Ciò comporta, da un lato, che si riconosca la parzialità del proprio punto di vista, dislocandosi dalle pretese universalistiche della razionalità eurocentrica, e, dall'altro, che ci si assuma la responsabilità per un divenire che non dipende in modo "deterministico" da ciò che è accaduto, ma si svolge nella contingenza dell'agire e delle scelte compiute dagli attori in campo. La collocazione proposta da Braidotti muove ad esempio dalla ricognizione delle origini storiche del progetto dell'Unione Europea[76] e dal divenire-periferia, nel corso del 1990, dell'Europa nel "sistema mondo". Braidotti ricorda come tra gli ideatori dell'Unione Europea del dopoguerra fosse esplicito il legame tra la nascita della nuova Europa e l'adozione del punto di vista degli ebrei della diaspora europea che la ferocia dei nazionalismi aveva tentato di cancellare. Se deve ritrovare una radice, l'identità europea la può riconoscere nel fatto di essere stata teatro di incontro e ibridazione di genti, culture e religioni diverse, e anche di conflitti sanguinosi in nome della "Nazione" che non si dovrebbero e vorrebbero ripetere, anche se proprio alla fine del XX secolo si sono tragicamente ripetuti con le guerre nell'ex Jugoslavia.[77] Da qui l'esigenza di contrapporsi a ogni configurazione di tipo "essenzialistico", pur nella versione "culturalista", dell'identità europea.

Al contrario, proprio prendendo le mosse dal riconoscimento della pluralità e mobilità culturale di cui l'Europa è stata teatro, si rende possibile progettare forme di identità europea a partire dall'incontro di genti in movimento e dall'ibridazione culturale. In questa direzione, Braidotti ritiene fondamentale prevedere forme di cittadinanza flessibile e personale. Innanzitutto occorre riconoscere come i migranti provenienti da paesi non europei contribuiscano a tutti gli effetti alla formazione dell'identità in divenire dell'Europa – oltre che con ogni evidenza all'economia –, così come vi contribuiscono in modo decisivo tutte le persone che errano, nella migrazione interna allo spazio europeo, da Ovest a Est, da Sud a Nord, alla ricerca di migliori condizioni di vita e di lavoro. Perché se, citando Hannah Arendt, il diritto fondamentale della persona umana è "il diritto ad avere diritti", solo il pieno riconoscimento della cittadinanza, giuridica e culturale, può assicurarlo, impedendo di consegnare le persone allo statuto di "utilizzabili", cose superflue, corpi che "non contano"[78] e che possono pertanto venire espulsi, rinchiusi ed eliminati.

8. Costruzione delle identità e classificazione dei corpi: l'analisi biopolitica di Judith Butler

L'indagine della matrice politica dell'ontologia dei corpi umani è al centro della riflessione di Judith Butler, filosofa statunitense che si è affermata nel dibattito filosofico-politico contemporaneo sia a livello internazionale, sia più specificatamente in Italia.

Studiosa di Hegel, tra Stati Uniti ed Europa, come lei stessa racconta, Butler dedica il suo primo lavoro di carattere accademico alla ricezione di Hegel nella filosofia francese contemporanea.[79] Militante attiva, all'epoca della sua formazione filosofica (gli anni ottanta) del movimento gay e lesbico statunitense, Butler si afferma sulla scena internazionale con *Gender Trouble* (1990),[80] un testo che suscita scalpore e che, oltre ogni aspettativa dell'autrice, ha un'immediata risonanza, dando luogo a un coro di reazioni e anche a non pochi fraintendimenti, per quanto in un certo senso "fecondi". Il testo si presenta come una disamina critica delle relazioni che intercorrono tra sesso, genere e orientamento sessuale nella costruzione delle identità dei corpi sessuati, nella quale risultano centrali il confronto, che funge da leva iniziale, con la critica dell'identità e del soggetto condotta da Beauvoir, Irigaray e Monique Wittig, la rielaborazione delle indagini foucaultiane sulla sessualità e sulla "biopolitica",[81] l'analisi critica di alcuni testi di Freud, Lacan e Lévi-Strauss e la riflessione sulle pratiche di sovversione, in modo particolare quelle del *drag* e del travestitismo, poste in atto dalle comunità gay e lesbiche statunitensi degli anni ottanta. In sintesi, in quel testo Butler riprende e riformula la critica del soggetto e del sistema binario di Beauvoir e Irigaray domandandosi quali configurazioni di potere siano responsabili della costruzione di un Soggetto e di un Altro asimmetrici, di un maschile e di un femminile posti in opposizione binaria. L'ipotesi proposta e articolata nel corso del testo è che tali configurazioni o istituzioni sociali e culturali che agiscono nella formazione dell'identità sessuata, fondando una continuità apparentemente incontestabile tra sesso, genere e orientamento sessuale, siano il fallologocentrismo e l'eterosessualità obbligatoria. In termini più semplici: responsabile di quel dualismo dei generi, maschile e femminile, che diventa l'unica chiave per rendere intelligibili, e classificabili, i corpi sessuati è l'eterosessualità obbligatoria del desiderio, funzionale e complementare al fallologocentrismo. Ciò risulta evidente nella forza con cui, anche e nonostante la critica di "genere" che ha contribuito a mettere in evidenza una discontinuità tra sesso e genere, persiste, anche in molte correnti del femminismo contemporaneo, una visione "sostanzialistica" e dualistica del sesso che riflette un inespugnabile dualismo dei generi. Ma se scindiamo il genere dal sesso, perché non ammettere una pluralità di generi e/o una proliferazione di identità sessuate ove i confini tra biologico, simbolico, culturale risultano in effetti molto più *troubled* di quanto i regimi del discorso vorrebbero far credere? Non potrebbe il sesso stesso, si chiede allora Butler, risultare costruito attraverso il genere che lo crea come prediscorsivo? In effetti, secondo Butler, il genere va ripensato al di fuori della "metafisica della sostanza", rifiutando ogni visione "fondazionale" dell'identità, pervenendo a riconoscere, riprendendo alcuni spunti dalla critica di Nietzsche alle illusioni della morale e della metafisica, come non esista alcun essere al di sotto del fare, dell'agire, del divenire. Pertanto, ne conclude Butler: "Non vi è alcuna identità di genere al di sotto delle espressioni del genere; quell'identità è performativamente costituita dalle stesse 'espressioni' che, si dice, ne sono il risultato".[82]

Se la tesi di fondo dell'opera del 1990 è quella del carattere *performativo* del genere, Butler presenta il proprio progetto di decostruzione dell'identità sessuata e di genere sottolineandone gli effetti politico-culturali e proponendo, soprattutto nella parte conclusiva dell'opera, una sorta di ontologia politica ispirata alle pratiche del *drag* e del travestitismo. Nell'attuazione di una mimesi consapevole e parodistica del genere, tali pratiche pongono in luce quanto le norme di genere dipendano dalla messa in scena sociale, da quel teatro del mondo intersoggettivo regolato appunto secondo determinate norme del riconoscimento e schemi di intelligibilità. Se tali regole e norme del riconoscimento sono qualcosa di cui non si può fare a meno, perché *producono* i soggetti, nella duplice accezione del loro assoggettamento e della loro soggettivazione, ciò che *disfacendo*[83] il genere viene alla luce è che tali norme hanno però un carattere contingente, performativo e storico. Ogni appello, quindi, a una qualche "naturalità" o materialità prediscorsiva dei corpi si rivela controproducente per una politica femminista in quanto non farebbe che ratificare il carattere violento e coercitivo delle norme di genere. In tal senso, tornando sulla questione del *drag*, punto che più di altri ha dato luogo a discussioni e malintesi, Butler precisa che l'obiettivo della celebrazione del *drag* in quel testo era quello di "dimostrare che la conoscenza naturalizzata del genere opera come circoscrizione preventiva e violenta della realtà".[84] Fondamentale risulta quindi l'individuazione dei meccanismi con cui viene definito il "reale" e di come sia possibile attraverso lo "smascheramento" di tali meccanismi ripensare tanto la realtà quanto la possibilità. Scrive a tal proposito Butler: "Nella misura in cui stabiliscono che cosa sarà e non sarà intelligibilmente umano, che cosa verrà e non verrà considerato 'reale', le norme di genere [...] stabiliscono un campo ontologico in cui i corpi possono ricevere un'espressione legittima. Se *Scambi di genere* si prefigge un compito normativo positivo, questo compito consiste nel pretendere l'estensione di tale legittimità a corpi che sono stati giudicati falsi, irreali, inintelligibili".[85]

Negli anni successivi alla pubblicazione della sua prima opera Butler approfondisce la riflessione sulla costituzione sociale e culturale dei soggetti, cioè la critica delle modalità di sapere e potere, per dirla con Foucault, attraverso cui un ambito di corpi intelligibili, quindi reali – i soli a cui viene riconosciuto pienamente lo statuto di "umano" –, viene creato e affermato in contrapposizione a un campo di corpi "abietti", irriconoscibili e pertanto irreali, che sono come l'esterno costitutivo e minaccioso di ciò che si può definire propriamente umano.[86]

Nell'ultimo decennio Butler ha esteso la propria indagine dalle questioni del genere all'analisi del biopotere nel governo della politica contemporanea e all'esame critico della "democrazia" americana soprattutto dopo l'attentato dell'11 settembre 2001 (e le politiche di guerra poste in atto dal governo USA all'epoca della presidenza di G.W. Bush).[87] In questo contesto emerge una riflessione sulla questione della violenza politica e sulla forza di un'etica della non-violenza[88] in cui Butler attua un significativo confronto con Adriana Cavarero e via Cavarero con Arendt. In senso generale, negli ultimi lavori la filosofa statunitense elabora una riflessione sulla responsabilità morale che si contrappone a quella visione etica derivante da una nozione di soggetto autonomo, razionale, detentore di un'idea universale di verità e di giustizia che non può non approdare alla giustificazione della violenza. La sfida di Butler è la proposta di un'etica a partire dalla concezione di un soggetto "ontologicamente vulnerabile" in quanto dipendente, fin dall'origine, da altri per la propria sopravvivenza fisica e psichica e quindi originariamente esposto alla possibilità della violenza e della sopraffazione.[89] Un soggetto opaco a se stesso ma che proprio a partire dalla scoperta – talvolta violenta – della propria non autosufficienza si renda disponibile a rispondere all'altro e dell'altro. Disponibile quindi a farsi mettere in scacco e a farsi interpellare dall'irruzione dell'imprevisto, dell'abietto, dello straniero.[90]

9. Genere, classe, multiculturalismo: il ripensamento della giustizia e l'esame delle politiche democratiche in Nancy Fraser e Seyla Benhabib

L'irruzione sulla scena politica democratica, almeno a partire dagli anni settanta, di movimenti fondati tutti in qualche modo su una rivendicazione di "riconoscimento" e sulla contestazione delle forme di ingiustizia e di oppressione inscritte negli assetti "democratici" delle società contemporanee, ha aperto nella filosofia un grande cantiere di ripensamento dei fondamenti della democrazia e dei modelli di giustizia a essa sottesi, avviando un dibattito, spesso vivace e non privo di controversie, tra filosofi di diversa provenienza. Tra loro, in ambito europeo, spicca Axel Honneth, uno dei più giovani e illustri eredi della cosiddetta Scuola di Francoforte. Riprendendo il progetto originario dei fondatori dell'Istituto per la ricerca sociale di una teoria critica della società – che metta insieme riflessione teorico-filosofica, ricerca sociologica e analisi politica –, Honneth propone una revisione, in funzione critica e normativa, del paradigma della giustizia sociale e politica.[91] In tale revisione, l'asse della definizione della giustizia viene spostato dalla redistribuzione, dominante nel modello dell'ugualitarismo socialdemocratico e liberaldemocratico nei decenni successivi al secondo dopoguerra, al *riconoscimento*, centrato sulle rivendicazioni avanzate dai movimenti politici contemporanei, che fanno emergere forme di oppressione e di ingiustizia non riducibili all'analisi di classe della critica marxista classica. Il problema della giustizia nella democrazia contemporanea ha dato luogo in anni recenti al confronto tra Honneth e Nancy Fraser, filosofa femminista che ha elaborato una teoria della giustizia e della democrazia coniugando e incrociando, per così dire, una prospettiva marxista e una critica femminista postmoderna.[92]

Pur muovendo da una premessa condivisa, ovvero il rifiuto dell'economicismo di un certo marxismo (che riduce la giustizia all'esigenza della redistribuzione materiale dei beni), Honneth e Fraser propongono due elaborazioni della giustizia che differiscono tra loro per il modo in cui concepiscono l'articolazione tra redistribuzione e riconoscimento. Se il primo sostiene una concezione "monodimensionale della giustizia come riconoscimento" in base alla quale "l'ideale socialista della redistribuzione appare come una sottovarietà della lotta per il riconoscimento", la seconda propone un "dualismo di prospettiva" che intenda le due categorie come "dimensioni equifondamentali e reciprocamente irriducibili della giustizia".[93] Secondo Fraser infatti solo in questo modo è possibile raccogliere le istanze di entrambi i tipi senza ridurle una all'altra, senza cioè operare un riduzionismo speculare a quello dell'economicismo. L'analisi del capitalismo nell'era del postfordismo e della globalizzazione pone infatti in luce come l'esigenza di redistribuire le risorse, dal Nord al Sud del mondo, dai ricchi ai poveri, sia ben lungi dall'esaurirsi. In tal senso, Fraser sostiene che "solo un quadro teorico che integri le due prospettive, analiticamente distinte, della distribuzione e del riconoscimento può cogliere la connessione tra disuguaglianza di classe e gerarchia di status nella società contemporanea. Il risultato è un resoconto in base al quale la *maldistribuzione* è collegata al *misconoscimento*, ma non può essere ridotta a quest'ultimo".[94]

Nel primo saggio del volume Fraser espone la propria teoria della giustizia illustrando il nucleo normativo della propria concezione: la *parità partecipativa*. Secondo questo principio, spiega Fraser, "la giustizia richiede assetti sociali che permettano a tutti i membri (adulti) della società di interagire l'uno con l'altro alla pari".[95] Tale parità può essere assicurata solo se si soddisfano le istanze di redistribuzione, che "devono garantire indipendenza e voce ai partecipanti" e, insieme, le istanze del riconoscimento, o della stima sociale, che precludono "l'istituzionalizzazione di norme che disprezzano sistematicamente alcune categorie di persone e le caratteristiche a loro associate".[96]

Uno dei vantaggi di un principio normativo di questo tipo, sottolinea Fraser, è quello di affrontare una questione decisiva: "Come si distinguono le rivendicazioni giustificabili per il riconoscimento da quelle ingiustificabili?".[97] Tale questione si rivela ineludibile in molti casi e contesti in cui interagiscono soggetti che rivendicano diritti in conflitto tra loro. In sintesi, secondo il principio della parità partecipativa le rivendicazioni di riconoscimento sono giustificate se dimostrano: 1) che i valori culturali dominanti creano delle condizioni di misconoscimento, non favorendo quella stima di sé necessaria all'autorealizzazione dei soggetti delle rivendicazioni; 2) che il riconoscimento da loro rivendicato non crea nuove disparità, di riconoscimento o di redistribuzione.

La questione viene affrontata e illustrata con numerosi esempi anche da Seyla Benhabib, pensatrice con cui Fraser si confronta da anni. Benhabib si sofferma su molti celebri casi, come la disputa francese sul velo, o la questione giuridica dell'"attenuante culturale" come prova a discarico a favore del colpevole in alcuni casi giudiziari.[98] Proprio in riferimento a tali situazioni conflittuali, dove accade che istanze di riconoscimento e di valorizzazione avanzate da minoranze o gruppi culturali possano avallare forme di assoggettamento e subordinazione femminile, la teorica femminista liberale Susan Okin aveva posto la provocatoria domanda: "Il multiculturalismo è un male per le donne?".[99] Contrapponendosi a Okin, Benhabib mostra come la visione liberale del multiculturalismo e del femminismo presupponga, da un lato, una nozione di "cultura" intesa come un tutto olistico e chiuso in se stesso che definisce identità inalterabili dall'agire concreto e soggettivo di coloro che a essa appartengono, dall'altro lato, una visione unitaria delle donne o un uso totalizzante del significante donna. In una prospettiva di questo tipo, come quella presupposta da Okin, il femminismo non può che entrare il più delle volte in rotta di collisione con le istanze "culturaliste".[100]

In ogni caso, il problema di dotarsi di strumenti critici adeguati per risolvere i conflitti tra soggetti che aspirano al riconoscimento rimane ineludibile. Benhabib, che tenta una conciliazione tra differenzialismo e universalismo, propone di accogliere le istanze del pluralismo a partire da un ampliamento della nozione di uguaglianza e di universalità. È in tal senso che difende una concezione "postilluministica" e postmoderna dell'universalismo, chiarendo come "questo universalismo dovrebbe essere interattivo e non legislativo, capace di riconoscere la differenza di genere e non cieco al genere, sensibile ai contesti e non indifferente alle situazioni concrete".[101] In tale direzione, Benhabib delinea un modello giuridico pluralista coerente con alcuni principi fondamentali: "reciprocità ugualitaria", che richiede che tutti i soggetti coinvolti vadano ascoltati e rispettati, "autoascrizione volontaria" e "libertà di uscita e associazione", in base ai quali ogni soggetto risponde, con il proprio agire e le proprie deliberazioni, della sua appartenenza a una determinata identità. Tale modello può e dovrebbe essere inteso come valido complemento di un multiculturalismo democratico discorsivo e deliberativo.[102]

10. La critica della ragione postcoloniale di Gayatri Chakravorty Spivak

Tra le analisi critiche delle ambivalenze della democrazia, del multiculturalismo e dello stesso femminismo occidentale nell'età del capitalismo globale, finanziario e transnazionale, spicca per radicalità e acutezza la riflessione della filosofa femminista di origine indiana-bengalese Gayatri Chakravorty Spivak. Pensatrice dalle molteplici "provenienze" – dai *Subaltern Studies*[103] e dalla costellazione del marxismo postcoloniale, alla filosofia di Derrida –,[104] Spivak vive tra gli Stati Uniti, dove insegna alla Columbia University, e l'India, dove da molti anni si dedica alla formazione di maestri nelle comunità aborigene del Bengala occidentale.[105] Si è affermata nel dibattito internazionale con un celebre scritto, significativamente intitolato *Can the Subaltern Speak?*, ripreso e rielaborato all'interno del ponderoso volume intitolato *Critica della ragione postcoloniale*.[106]

Per caratterizzare il senso generale del suo libro, attualmente considerato una delle pietre miliari del pensiero postcoloniale, Spivak dichiara nella prefazione di aver voluto intraprendere una *critica* – in un'accezione del termine che si richiama a Kant, in prima istanza, ma anche a Hegel e soprattutto a Marx –, nel senso di un esame delle "strutture della produzione della ragione postcoloniale".[107]

In tale direzione, il testo si propone come ricognizione, a carattere *decostruttivo*, delle "tracce" di quel particolare "soggetto" che Spivak definisce "Informante Nativo" nelle "pratiche" responsabili della sua produzione. Ma chi è, innanzitutto, l'Informante Nativo? Il termine risale all'antropologia culturale, una scienza che, nel suo sorgere, accompagna il colonialismo e contribuisce in modo essenziale a costruire, confermare e rafforzare lo sguardo coloniale. In senso generale, l'Informante Nativo va inteso come quella figura eletta a rappresentazione della "cultura" di un determinato popolo e/o "etnia". Tale "cultura", per lo più pensata come un sistema unitario e totalizzante, viene contrapposta alla razionalità europea e/o occidentale intesa come misura di ciò che si può definire "umano" e che viene chiamata all'occorrenza in causa per promuovere una "necessaria" opera di modernizzazione e di "umanizzazione". Al di là dell'uso specifico del termine nell'antropologia, che nel corso della sua storia l'ha ampiamente sottoposto a critica e revisione, la figura dell'Informante Nativo può venire eletta come emblematica del modo in cui la modernità europea e occidentale prima, durante e dopo il colonialismo costruisce la propria autorappresentazione e autocelebrazione mediante e grazie alla produzione di Altri/e che vengono in diversi modi a occupare lo spazio di un "fuori" costitutivo del "dentro".[108]

L'esame condotto da Spivak dei vari testi della tradizione filosofica e letteraria europea e occidentale, ma anche di episodi della storia coloniale e postcoloniale indiana,[109] mette in luce come nella produzione del Discorso coloniale, e in forme diverse nel Discorso postcoloniale, che ne costituisce una sorta di *Aufhebung* hegeliana (che supera ma conserva), l'Informante Nativo si riveli nel contempo necessario e *forcluso*.[110] Ciò significa che viene *prodotto*, come l'Altro dall'Europa, dalla ragione, dalla civiltà, secondo un codice che lo rende decifrabile, e nel contempo *espulso* e silenziato, perché la sua voce, e la sua specifica *agentività* (*agency*),[111] vengono ignorate e/o significate unicamente all'interno del Discorso che lo *nomina*. Ciò che emergerà nel corso delle analisi, in cui l'adozione di un punto di vista femminista è esplicitata come fondamentale, è che "il modello dell'Informante Nativo attualmente forcluso sia la più povera *donna* del Sud".[112] È su di lei che si esercita, in modo emblematico e in maniere diverse, dissimulate anche sotto forma di strategie di *empowerment* e di sviluppo (come le agenzie Onu su "genere e sviluppo"), quella violenza epistemica che marchia come "insensate" tutte le forme di resistenza che non rientrano negli schemi di senso, o economici, previsti, negando ogni *agentività* (capacità di agire) a quei soggetti, le donne più povere del Sud, che possono semmai essere *vittimizzate*[113] per giustificare bellicose "missioni di pace" e interventi di civilizzazione. Le subalterne possono parlare? La risposta è evidentemente negativa.

E tale consapevolezza dovrebbe costituire un elemento di critica e autocritica anche per tutti quelli e quelle che si dichiarano in qualche modo i portavoce dei subalterni, come gli/le intellettuali migranti dai paesi ex coloniali impegnati negli studi di genere, postcoloniali, culturali, che nell'inevitabile assunzione della posizione dell'Informante Nativo non riescono sempre a evitare una complicità con la logica del dominio imperialista e dell'ingiustizia redistributiva nell'età del capitalismo globale transnazionale. In tal senso, Spivak osserva: "Il multiculturalismo *liberal*, senza una consapevolezza socialista globale, non fa altro che espandere la base statunitense, corporativa o comunitaria".[114]

Nella prefazione all'opera, Spivak chiarisce come tale consapevolezza critica delle ambivalenze della posizione dei *Cultural Studies* e della critica postcoloniale, anche femminista, muove dall'esigenza di "gettare uno sguardo all'indietro, per vedere come altri ci vedrebbero. Non tuttavia nell'intento di un'interruzione del lavoro, ma affinché esso risulti meno fazioso".[115]

Il soggetto che emerge dalla decostruzione di Spivak, soggetto femminista, postcoloniale, marxista, – secondo le principali autorappresentazioni dell'identità della stessa Spivak –, è un soggetto che nel suo agire, nell'esercizio della sua libertà, si lascia disfare dall'irruzione dell'imprevisto, rispondendo all'ingiunzione di un'alterità che è letteralmente dif*ferente* (in quanto lo destabilizza, lo destituisce e lo ricostituisce). Parafrasando Emmanuel Lévinas, Spivak sottolinea come solo così l'*etico*, inteso come ineffabile potenza di un agire "fuori dai cardini", possa interrompere l'*epistemologico*, quell'imperialismo dell'Uno all'opera, forse inevitabilmente, in ogni desiderio di soggettivazione.

11. Questa antologia

Questa antologia si inserisce in una collana di antologie, a carattere introduttivo, dedicate a singoli pensatori e pensatrici (Foucault, Arendt, Marx). In questo caso viene presentato un tema, quello dell'incontro tra femminismo e filosofia, considerato attraverso il prisma della riflessione sulla questione del soggetto, cui partecipa una vasta costellazione di pensatrici.

È quindi importante esplicitare i criteri delimitanti adottati nella scelta antologica. Per prima cosa, è un'antologia "situata". È situata nel contesto italiano e, in modo più contingente, all'interno di una collana che ha in parte una connotazione "archivistica". Ciò significa che la selezione dei testi è avvenuta tra testi già pubblicati in italiano (l'unica eccezione è il saggio di Françoise Collin, cui è dedicata una specifica introduzione), che sono già divenuti in qualche modo dei classici del pensiero filosofico femminista contemporaneo. Va inoltre sottolineato come, pur considerando in buona parte pensatrici di formazione prevalentemente filosofica, siano presenti nella selezione, per i contributi da loro forniti nella riflessione sul tema considerato, anche pensatrici di formazione meno specificamente filosofica. Ciò del resto è coerente con il carattere intenzionalmente transdisciplinare degli studi delle donne e di genere.

Scegliendo di percorrere la riflessione femminista sul soggetto ci si è in ogni caso attenuti in qualche modo a un canone che si è venuto formando nel corso degli ultimi decenni, come attestano alcuni dei testi selezionati,[116] pur non essendo tale canone "fisso" ma fatto e disfatto costantemente. Il carattere "situato" del volume si rivela anche nella scelta di iniziare dalla presentazione del pensiero della differenza francese e italiano, per poi attuare un dislocamento verso altri modi di esplorare la differenza sessuale. L'intento è proprio quello di mostrare la pluralità delle voci, non sempre necessariamente consonanti. Tale pluralità e le diverse modalità secondo cui intendere la differenza valgono, è importante sottolinearlo, anche per lo stesso pensiero della differenza italiano che non ha un'unica fonte e soprattutto non ha un unico sviluppo o una direzione privilegiata. È in tal senso che in questa introduzione si è scelto di enfatizzare la figura del Soggetto Imprevisto delineata da Carla Lonzi, in quanto particolarmente adatta a immaginare e prefigurare il carattere imprevedibile degli sviluppi dell'esplorazione delle soggettività femminili-femministe.

Tuttavia, anche con queste precisazioni, la scelta non può non risultare parziale, considerata anche la vitalità, negli ultimi anni, delle pubblicazioni italiane – tra le quali vanno annoverate molte nuove traduzioni – sui temi trattati. Di tale vitalità si è cercato di rendere almeno in parte conto nelle note, senza troppo appesantire un'introduzione il cui intento è quello offrire una contestualizzazione ai testi antologizzati provando a districare alcuni dei "grovigli"[117] che attraversano la riflessione femminista sul soggetto.

Per concludere, due parole sulle ragioni che mi hanno spinto a lavorare al volume. Il mio percorso di studio inizia con una dedizione appassionata, anche se non priva di conflitti, alla filosofia. Solo dopo la laurea leggo per la prima volta una filosofa donna, Hannah Arendt, cui dedico gli anni del dottorato di ricerca. Nella mia ricerca solitaria scopro ancora dopo, leggendole dapprima con cautela e quasi con "diffidenza", le filosofe femministe, cominciando dalle pensatrici francesi e italiane. Fondamentale diventa in questa fase di esplorazione l'incontro con tante studiose di varie generazioni e discipline dedite agli studi delle donne e di genere.[118] A loro devo moltissimo. È in seguito a tale incontro che ho condotto dal 2005 al 2010 presso il dipartimento di Filosofia dell'Università di Torino una serie di cicli seminariali sulle filosofie femministe, grazie a cui ho avuto occasione di conoscere e confrontarmi con alcune/i studenti che ringrazio per tutta la ricchezza delle questioni poste e delle discussioni fatte. A loro dedico senz'altro questo lavoro che è stato in effetti concepito come uno strumento per un primo orientamento nella costellazione del pensiero filosofico femminista contemporaneo.

Desidero infine ringraziare per l'aiuto offertomi durante la stesura di questa introduzione Liliana Ellena, Lucia Morra, Enrico Donaggio. E, tra le francesi, Françoise Collin, che ho avuto ancora la fortuna di incontrare prima della sua morte, nel settembre del 2012, e Christiane Veauvy.

Note

[1] È notoriamente sulla scia della *Dichiarazione dei diritti dell'uomo e del cittadino* dell'agosto del 1789 che vari soggetti subordinati dell'*Ancien régime*, intendendo alla lettera il carattere "universalistico" del termine "uomo", iniziano a rivendicare il loro diritto di cittadinanza. Tra questi, le donne ma anche gli ebrei, i neri, molti dei quali, nelle colonie d'oltremare, in condizione di schiavitù. Per quanto riguarda la rivendicazione dei diritti civili e politici da parte delle donne, gli scritti più celebri sono: la *Déclaration des droits de la femme et de la citoyenne* di Olympe de Gouges, del 1791, e l'ancor più celebre *A Vindication of the Rights of Woman* di Mary Wollstonecraft (1792). A proposito delle diverse rivendicazioni di diritti avutesi in seguito alla *Dichiarazione* dell'89 e delle strategie poste in atto nell'Europa postilluminista per coniugare universalità formale del diritto ed esclusione effettiva di soggetti *differenti* – le donne, i poveri, i soggetti colonizzati – dal sistema dell'uguaglianza, si veda Eleni Varikas, *Les rebuts du monde. Figures du Paria*, Stock, Paris 2007.

[2] Per ulteriori precisazioni sui criteri adottati per la scelta antologica si rimanda al paragrafo conclusivo di questa introduzione.

[3] Una caratteristica del dibattito femminista francese è in effetti una polarizzazione tra il femminismo egualitario, di provenienza marxista, che si dichiara erede di Beauvoir, e il cosiddetto femminismo della differenza. Quest'ultimo peraltro ha avuto, come vedremo, meno seguito in Francia che al di fuori, in particolare oltreoceano. Tra le eredi dirette di Beauvoir spicca Christine Delphy, cofondatrice insieme alla stessa Beauvoir all'inizio degli anni settanta della celebre rivista "Questions féministes". Tra le filosofe beauvoiriane più fedeli figura Michèle Le Doeuff. Di lei si veda in particolare *L'étude et le rouet. Des femmes, de la philosophie*, Seuil, Paris 2008. Sul confronto tra corrente egualitaria e pensiero della differenza in Francia si rimanda al saggio di Françoise Collin *La disputa della differenza: la differenza dei sessi e il problema delle donne in filosofia*, in Georges Duby e Michelle Perrot, *Storia delle donne. Il Novecento*, a cura di Françoise Thébaud, Laterza, Roma-Bari 1992.

[4] Aristotele, *Politica*, II.

[5] Cfr. l'antologia critica di testi sulle donne e il femminile dei filosofi dall'antichità ai giorni nostri curata da Françoise Collin, Évelyne Pisier, Eleni Varikas, *Les femmes de Platon à Derrida*, Plon, Paris 2000.

[6] Cfr. Simone de Beauvoir, *Il secondo sesso*, tr. it. di Roberto Cantini e Mario Andreose, il Saggiatore, Milano 1999, p. 325.

[7] Ivi, p. 16. L'analisi del ruolo dell'Altro nella costituzione del Soggetto, nell'affermazione di sé, viene poi delineata attraverso la ripresa delle categorie hegeliane dell'analisi dell'Autocoscienza nella *Fenomenologia dello spirito* che le lezioni di Alexandre Kojève negli anni trenta a Parigi avevano rimesso in circolazione e che saranno determinanti nella filosofia francese contemporanea. Sull'importanza di quella lettura per la riflessione attuale sull'identità e sul riconoscimento si rimanda al testo di Judith Butler *Soggetti di desiderio*, con la prefazione di Adriana Cavarero, tr. it. di Gaia Giuliani, Laterza, Bari 2009. Il testo riproduce in buona parte la tesi di dottorato di Butler dedicata alla ricezione di Hegel nella filosofia francese contemporanea.

[8] Luce Irigaray, *Speculum. L'altra donna*, Feltrinelli, Milano 1975, p. 130.

[9] La donna ha funzionato, secondo Irigaray, nell'ordine simbolico patriarcale come "specchio", come superficie vuota, senza corpo proprio, che rimanda all'uomo l'immagine della propria superiorità fallica, così come nella visione freudiana la sessualità femminile viene vista come menomata e assente e per questo "invidiosa" e succube di quella maschile. In questo quadro, un pensiero della differenza dovrebbe contrapporre metaforicamente allo specchio lo *speculum*, lo strumento utilizzato in ginecologia per guardare all'interno della vagina, scoprendo la ricchezza e complessità dell'organo sessuale femminile.

[10] Luce Irigaray, *Etica della differenza sessuale*, Feltrinelli, Milano 1984, p. 11. Come lei stessa dichiara in numerose interviste, consultabili anche sul web, Irigaray ha articolato il proprio cammino in tre tappe. La prima, rappresentata da *Speculum*, è quella di una critica del "monologo" del pensiero occidentale. La seconda, avviatasi con *Etica della differenza sessuale*, è quella di "inventare", nel senso di rinvenire e ripensare, genealogie femminili, di costruire nuove forme di mediazione e di relazione tra donne, che si sottraggano all'alternativa tra amore fusionale e rivalità tra donne, le forme previste dall'ordine patriarcale, e che contribuiscano all'emergere di un'identità femminile autonoma; la terza, in corso d'opera, è quella di costruire le condizioni di una convivenza a due "tra uomini e donne". In questo senso, Irigaray sottolinea come la ricaduta simbolica ed etica di un pensiero della differenza sessuale non riguardi solo le donne ma anche altrettanto gli uomini, che vengono invitati a intraprendere un percorso di "autocoscienza" – termine su cui ci soffermeremo nel paragrafo successivo – a partire dalla messa in discussione e dissoluzione progressiva delle identità configurate dall'ordine simbolico tradizionale.

[11] Si veda in particolare, di Carol Gilligan, *Con voce di donna. Etica e formazione della personalità*, tr. it di Adriana Bottini, Feltrinelli, Milano 1987, considerato uno dei testi fondativi della cosiddetta "etica della cura".

[12] Per una sintetica ed efficace ricostruzione delle difficoltà sorte nell'elaborazione femminista contemporanea della questione della differenza e per una discussione della contrapposizione tra essenzialismo e costruttivismo si rimanda alla relazione di Marina Sbisà, filosofa del linguaggio, docente all'Università di Trieste, al convegno tenutosi a Urbino nel luglio del 2001 "Donne e Segni. Le (trans)figure della differenza". L'intervento di Sbisà, disponibile sul web, è intitolato *La differenza beffata*.

[13] Già nell'edizione del 1974, il volume comprendeva altri scritti, tra cui il *Manifesto di Rivolta Femminile*, il gruppo di autocoscienza fondato da Lonzi, e il celebre scritto *La donna clitoridea e la donna vaginale*. Il volume nella sua integralità è stato riedito da et al. nel 2010 con una postfazione di Maria Luisa Boccia, studiosa e biografa di Lonzi (1931-1982). Si veda in particolare di Maria Luisa Boccia *L'io in rivolta. Vissuto e pensiero di Carla Lonzi*, La Tartaruga, Milano 1990. La et al. edizioni ha in programma la riedizione di tutti i testi di Carla Lonzi. In effetti, si assiste da un po' di anni a un rinnovato interesse per Lonzi e a un pieno riconoscimento, dopo una parziale rimozione, dell'importanza della sua opera, alle origini del femminismo italiano. Su questo e altri temi si veda in particolare il recente volume a cura di Lara Conte, Vinzia Fiorino e Vanessa Martini *Carla Lonzi. La duplice radicalità. Dalla critica militante al femminismo di Rivolta*, ETS, Pisa 2011. Nel volume si affronta anche la questione, evocata nel titolo, del legame e dell'interna coerenza tra l'opera di Lonzi critica d'arte e di Lonzi femminista. Su questo si rimanda al saggio di Liliana Ellena *Carla Lonzi e il neo-femminismo radicale degli anni 70. Disfare la cultura, disfare la politica*, in *Carla Lonzi. La duplice radicalità*, cit., pp. 171-188.

[14] Carla Lonzi, *Sputiamo su Hegel*, et al., Milano 2010, p. 14. Corsivo mio.

[15] Ivi, p. 15.

[16] *Ibid*.

[17] Ivi, p. 42.

[18] Ivi, p. 47.

[19] Ivi, p. 48.

[20] A conferma dell'interesse da esso suscitato a livello internazionale si può citare il fatto che sia stato tradotto e inserito in una delle più prestigiose pubblicazioni accademiche statunitensi dedicate alla critica e/o ripensamento femminista dei grandi pensatori e pensatrici della tradizione filosofica. Il testo di Lonzi, tradotto da Giovanna Bellesia ed Elaine Maclachlan con il titolo *Let's Spit on Hegel*, si trova nel volume *Feminist Interpretations of G.H. Hegel*, a cura di Patricia Mills, Pennsylvania State University Press, Pennsylvania Park, PA 1995.

[21] *Diotima. Il pensiero della differenza sessuale*, La Tartaruga, Milano 1987. Sulla storia del gruppo si veda, sempre all'interno del volume, l'*Appendice-Cronaca dei fatti principali di "Diotima"*, di Luisa Muraro e Chiara Zamboni, pp. 175-184.

[22] Ivi, p. 54.

[23] Cristiana Fischer, Elvia Franco, Giannina Longobardi, Veronica

Mariaux, Luisa Muraro, Anita Sanvitto, Betty Zamarchi, Chiara Zamboni, Gloria Zanardo, *La differenza sessuale: da scoprire e da produrre*, in *Diotima. Il pensiero della differenza sessuale*, cit., pp. 9-37.

[24] Così lo definisce Ida Dominijanni nel saggio introduttivo alla riedizione di Luisa Muraro, *Maglia o uncinetto*, Manifestolibri, Roma 1998. Il saggio era stato pubblicato nell'edizione originaria dalla casa editrice Feltrinelli nel 1980.

[25] Si veda un testo recentemente dedicato alla filosofa spagnola da una delle filosofe di Diotima: Wanda Tommasi, *La passione della figlia*, Liguori, Napoli 2007.

[26] Luisa Muraro, *Maglia o uncinetto*, cit., p. 85.

[27] Muraro si laurea in Filosofia all'Università cattolica di Milano dove, come racconta lei stessa nell'*Ordine simbolico della madre*, lavora per alcuni anni accanto a Gustavo Bontadini, filosofo neoscolastico e professore di Filosofia teoretica. In seguito al suo coinvolgimento nel movimento femminista, interrompe nei primi anni settanta la carriera universitaria e si dedica all'insegnamento nella scuola dell'obbligo, in particolare nella scuola elementare. È a questa esperienza che fa sovente riferimento in *Maglia o uncinetto*. In quegli anni partecipa anche alla sperimentazione di una forma di scuola non autoritaria insieme a Elvio Fachinelli, psicologo e pedagogista, e Lea Melandri, insegnante, teorica e militante femminista, redattrice insieme a Fachinelli della rivista "Erba voglio" (1971-1978) di cui ha curato un'antologia: *L'erba voglio. Il desiderio dissidente*, Baldini & Castoldi, Milano 1998. Dal 1976 Muraro torna all'insegnamento universitario ricoprendo la cattedra di Filosofia teoretica presso l'Università di Verona. Muraro è nel 1975 tra le fondatrici della Libreria delle donne di Milano, attiva ancor oggi, editrice, tra altro, di "Via Dogana", rivista di pratica politica.

[28] Come cita il titolo di uno dei volumi successivi pubblicati da Diotima.

[29] Luisa Muraro, *L'ordine simbolico della madre*, Editori Riuniti, Roma 1991, p. 21.

[30] Sull'originalità del pensiero del materno di Muraro nel confronto con la valorizzazione del materno proposta da Irigaray e Kristeva, si rimanda alla recensione, reperibile sul web, di Françoise Collin *Il pensiero della differenza. Nota su Luisa Muraro*. Con la lucidità e chiarezza che contraddistingue i suoi interventi, Collin non manca in questa nota di rilevare alcune *impasses* della proposta di Muraro. Dopo il testo del 1990, Muraro pubblicherà molti e importanti testi per lo più dedicati al ritrovamento di genealogie femminili nell'ambito della spiritualità e dell'esperienza religiosa. Tra i più celebri si possono ricordare: *Lingua materna, scienza divina: scritti sulla filosofia mistica di Margherita Porete*, D'Auria, Napoli 1995; *Il dio delle donne*, Mondadori, Milano 2003; e il più recente *Dio è violent*, Nottetempo, Roma 2012.

[31] Sul problema del "Chi" si veda in particolare *Tu che mi guardi, tu che mi racconti. Filosofia della narrazione*, Feltrinelli, Milano 1997. È questo il volume da cui è tratto il testo antologizzato.

[32] Il riferimento è in particolare a Hannah Arendt, *Vita Activa. La condizione umana*, tr. it. di Sergio Finzi, intr. di Alessandro Dal Lago, Bompiani, Milano 1989.

[33] Cfr. Adriana Cavarero, *Dire la nascita*, in Paola Azzolini *et al.*, *Diotima. Mettere al mondo il mondo*, La Tartaruga, Milano 1990, pp. 96-131.

[34] Id., *A più voci. Filosofia dell'espressione vocale*, Feltrinelli, Milano 2003, p. 23.

[35] *Ibid*. Il nesso tra ontologia e politica percorre molti dei testi di Cavarero per approdare all'elaborazione di un'ontologia dell'umano, dai profondi risvolti etico-politici, divenuta recentemente occasione di uno scambio fecondo con la filosofa statunitense Judith Butler, come emerge in Adriana Cavarero, *Orrorismo*, Feltrinelli, Milano 2007. Su tale confronto si veda il volume a cura di Lorenzo Bernini e Olivia Guaraldo *Differenza e relazione. L'ontologia dell'umano nel pensiero di Judith Butler e Adriana Cavarero*, Ombre Corte, Verona 2009. Nel volume è pubblicato anche un confronto diretto tra le due pensatrici.

[36] Per citare solo alcuni degli scritti più celebri di femministe afroamericane dell'inizio degli anni ottanta, basti pensare a *Women, Race & Class* (Women's Press, London 1982) di Angela Davis, una delle figure più rappresentative delle lotte di liberazione degli anni settanta, o alla celebre antologia di studi delle donne nere: *All the Women Are White, All the Blacks Are Men, but Some of Us Are Brave*, Feminist Press, Old Westbury, NY 1982.

[37] Per un approfondimento del confronto del femminismo con la questione del razzismo e del rapporto tra sessismo e razzismo si rimanda a Vincenza Perilli, *L'analogia imperfetta. Sessismo, razzismo e femminismi tra Italia, Francia e Stati Uniti*, in Liliana Ellena, Elena Petricola (a cura di), *Donne di mondo. Percorsi trans-nazionali dei femminismi*, "Zapruder", 13, maggio-agosto 2007.

[38] La nozione di politica del posizionamento risale ad Adrienne Rich, celebre poetessa, saggista e femminista che la coniò in una conferenza all'inizio degli anni ottanta. Cfr. Adrienne Rich, *A Politics of Locations*, in "Mediterranean", 2, giugno-dicembre 1996.

[39] Per maggiori dettagli sul percorso di hooks si veda il saggio introduttivo di Maria Nadotti, curatrice di bell hooks, *Elogio del margine*, Feltrinelli, Milano 1998. Il testo antologizzato è tratto da questo volume.

[40] Il termine "discorso", inteso più in generale come apparato linguistico-ideologico delle classi dominanti, è di derivazione foucaultiana. In particolare cfr. Michel Foucault, *L'ordine del discorso*, tr. it. di Alessandro Fontana, Maurizio Bertani, Valeria Zini, Einaudi, Torino 2004. Foucault è del resto un riferimento filosofico imprescindibile nella riflessione femminista contemporanea sull'identità e in quella ricezione della filosofia francese contemporanea nelle università americane nota come *French Theory*. Sono inseriti nella *French Theory* i pensatori e le pensatrici della costellazione post strutturalista e postmoderna; tra loro, principalmente: Derrida, Lyotard, Deleuze, Foucault, Irigaray, Kristeva.

[41] Hooks insegue le tracce del discorso razzista in epoca postcoloniale nella costruzione di stereotipi e miti ideologici funzionali al

dominio razziale come quello dei maschi neri tutti potenziali stupratori di donne bianche, o quello della femmina nera selvaggia e da "domare". Molto suggestive risultano le pagine, tradotte in *Elogio del margine*, che hooks dedica a decostruire, incrociando critica di genere e critica postcoloniale, alcune figure "mitiche" della scena culturale pop contemporanea come Madonna o Tina Turner.

[42] Bell hooks, *Elogio del margine*, cit., p. 37.

[43] Ivi, p. 40.

[44] Bell hooks osserva ad esempio come la straordinaria revisione del "ruolo femminile" nella vita domestica operato dalle donne nere in epoca schiavista possa diventare, contemporaneamente alla lotta al sessismo, un riferimento positivo nell'opera di soggettivazione delle donne nere di oggi.

[45] Bell hooks, *Elogio del margine*, cit., p. 68.

[46] Michel Foucault, *La microfisica del potere*, a cura di Alessandro Fontana e Maurizio Bertani, Einaudi, Torino 1976.

[47] *Chicanos* si definiscono gli abitanti di origine messicana che abitano nella vallata del Rio Grande, nel Sud del Texas, una zona di confine col Messico che gli Stati Uniti hanno "acquisito" in seguito alla guerra di espansione contro il Messico conclusasi nel 1848. Al pari di altre popolazioni indigene, anche i *chicanos* vengono trattati come cittadini di secondo rango e subalterni sia da un punto di vista sociale sia da un punto di vista culturale. La rivalorizzazione della cultura *chicana* avviatasi alla fine degli anni sessanta ha dato luogo al sorgere, nell'ambito dei *Culturals Studies*, dei *Chicanos Studies*. Pur dichiarando la propria appartenenza alla cultura *chicana*, Anzaldúa, proprio in virtù della sua visione multipla dell'identità – si definisce "scrittrice femminista *chicana tejana patlache* (lesbica)" – assume una posizione eccentrica rispetto all'impostazione culturalista, che rischia di chiudere la cultura in un'identità statica e conservatrice. Sulla critica al culturalismo si rimanda all'ultima sezione dell'antologia.

[48] Gloria Anzaldúa, *Terre di confine. La frontera*, ed. it. a cura di Paola Zaccaria, Palomar, Bari 2006. È da questo volume che è tratto il testo di Anzaldúa inserito nell'antologia.

[49] Ivi, p. 126.

[50] Il volume, pubblicato nel 1996 da Feltrinelli, da cui è tratto il testo dell'antologia, è formato da una raccolta di scritti degli anni ottanta, tradotti da Liana Borghi. Contiene un rimarchevole saggio introduttivo di Rosi Braidotti intitolato *La molteplicità: un'etica per la nostra epoca, oppure meglio cyborg che dea*. Liana Borghi, studiosa di Haraway, ha poi curato più recentemente un nuovo volume di scritti di Haraway: *Testimone_Modesta@FemaleMan©_incontra_OncoTopo™. Femminismo e tecnoscienza*, tr. it. di Maurizio Morganti, Feltrinelli, Milano 2000. Per una presentazione del percorso biografico, da un punto di vista teorico e pratico-politico, di Haraway, si veda l'introduzione di Borghi al volume.

[51] Nel dibattito epistemologico, l'uso del termine "paradigma" per designare il modello di scienza che caratterizza una determinata epoca

storica risale al celebre testo di Thomas Kuhn *La struttura delle rivoluzioni scientifiche* (1962), tr. it. di Adriano Carugo, Einaudi, Torino 1999.

[52] Cfr. Donna Haraway, *Donne in circuito integrato*, in *Testimone_Modesta@FemaleMan©incontra_OncoTopo™*, cit., pp. 55-72. Per una sintetica ricostruzione del complesso confronto tra posizioni femministe sulla questione delle tecnologie della riproduzione si rimanda al testo di Françoise Collin tradotto nella sezione antologica.

[53] Sui possibili effetti etico-politici, epistemologici e ontologici del "post-umano" si rimanda al volume collettaneo a cura di Mariapaola Fimiani, Vanna Gessa Kurotschka, Elena Pulcini *Umano, post-umano. Potere, sapere, etica nell'età globale*, Editori Riuniti, Roma 2004.

[54] Una celebre presa di posizione a favore di un'alleanza del femminismo con la scienza e la tecnologia è quella espressa, nel 1970, in *The Dialectic of Sex. The Case of the Feminist Revolution*, dalla femminista marxista statunitense Shulamith Firestone (1945-2012). Il testo della Firestone, che ha un'immediata risonanza a livello internazionale, viene immediatamente tradotto anche in Italia. Cfr. Shulamith Firestone, *La dialettica dei sessi. Autoritarismo maschile e società tardo-capitalistica*, a cura di L. Polinsemi, Guaraldi, Firenze 1971. Per una introduzione storico-filosofica al pensiero femminista che comprende anche una scelta antologica di testi militanti degli anni settanta – tra cui quello della Firestone –, quindi del periodo che precede e fa da terreno di coltura dei testi privilegiati in questa antologia, si rimanda a Franco Restaino e Adriana Cavarero, *Le filosofie femministe*, Paravia/Scriptorium, Torino 1999.

[55] Cfr. Donna Haraway, *Donne in circuito integrato*, cit., p. 47.

[56] "Da un certo punto di vista," scrive in tal senso Haraway, "un mondo cyborg comporta l'imposizione finale di una griglia di controllo sul pianeta, l'astrazione finale incarnata in una Guerra stellare apocalittica di 'difesa', l'appropriazione finale del corpo delle donne in un'orgia di guerra maschilista. Da un altro punto di vista, un mondo cyborg potrebbe comportare il vivere realtà sociali e corporee in cui le persone non temano la loro parentela con macchine e animali insieme, né identità sempre parziali e punti di vista contradditori. La lotta politica consiste nel guardare da entrambe le prospettive a un tempo, poiché ognuna ci mostra sia il dominio sia le inimmaginabili possibilità dell'altra posizione [...]. Le unità cyborg sono mostruose e illegittime: date le circostanze politiche attuali, è difficile immaginare miti di resistenza e di riaccoppiamento più potenti" (ivi, p. 46).

[57] Cornell University Press, Ithaca, NY 1986. In questo celebre testo, non disponibile in italiano, Harding cerca di classificare le diverse posizioni epistemologiche femministe distinguendo sostanzialmente tre grandi correnti: 1) empirismo femminista; 2) punto di vista femminista alternativo; 3) postmodernismo femminista. Un altro testo fondamentale sul tema, sempre degli anni ottanta, è quello di Evelyn Fox Keller, *Gender and Science*, tr. it. di Raffaele Petrillo e Luisa Saraval, *Sul genere e la scienza*, presentazione di Paola Manacorda, Garzanti, Milano 1987. Sulla ricezione in Italia del dibattito epistemologico suscitato dai lavori di Keller

si veda in particolare Elisabetta Donini, *Conversazioni con Evelyn Fox Keller, una scienziata anomala*, Elèuthera, Milano 1991. Per un'introduzione alle epistemologie femministe o, più precisamente, ai contributi che la riflessione femminista sulle diverse forme di razionalità e di sapere tradizionalmente sviluppate o coltivate dalle donne può offrire alla riflessione epistemologica contemporanea, si rimanda a Pieranna Garavaso e Nicla Vassallo, *Filosofia delle donne*, Laterza, Bari 2007. Il testo che, come scrivono le autrici, "adotta la prospettiva della filosofia di matrice anglosassone e, in particolare, della filosofia analitica", offre anche una sintesi efficace dei nodi teorici emersi nella riflessione filosofica femminista, definita come "filosofia delle donne", sull'identità. Il volume contiene un'ampia scelta bibliografica.

[58] Peraltro, osserva Haraway, tale immagine della scienza contrassegna il suo uso ideologico nella politica del dominio, più che il procedimento reale del ricercatore scientifico.

[59] Proprio la questione dell'oggettività diventa il punto di partenza della riflessione di Haraway. Per una sintetica presentazione delle diverse posizioni emerse nella discussione delle epistemologie femministe sul tema si rimanda ad Alessandra Tenesini, *Oggettività*, in Nicla Vassallo (a cura di), *Donna m'apparve*, Codice edizioni, Torino 2009.

[60] Cfr. Donna Haraway, *Donne in circuito integrato*, cit., pp. 116-117.

[61] De Lauretis ha ricoperto per anni la cattedra di Storia della coscienza nel celebre dipartimento di History of Consciousness di Santa Cruz dove ha lavorato anche Donna Haraway. Ha cominciato il suo lavoro accademico occupandosi di critica cinematografica da un punto di vista femminista. Sulla ricostruzione, non solo personale, di come nell'accademia statunitense si affermino gli studi sul cinema e la "teoria" del cinema come nuovo campo di studio interdisciplinare, intrecciato con tutte le nuove correnti di studio – *in primis* gli studi delle donne e gli studi afroamericani –, legate ai movimenti politici di contestazione di quegli anni, si rimanda a *La nemesi di Freud. Per un'archeologia degli studi su genere, sessualità, cultura*, in *Soggetti eccentrici*, Feltrinelli, Milano 1999. Cfr. in particolare le pp. 91-96.

[62] Scrive a tal proposito: "La teoria femminista in quanto tale è divenuta possibile in un'ottica postcoloniale, quando da critica femminista ad altri oggetti teorici o campi di sapere si è trasformata in riflessione teorica sul femminismo. Con questo intendo dire che il pensiero femminista è divenuto teorico nella misura in cui si è interrogato sulle interrelazioni tra soggetti, discorsi e pratiche sociali, e sulla molteplicità di posizioni esistenti al medesimo tempo nel campo sociale inteso, con Foucault, come campo di forze: non un singolo sistema di potere che domina i senza potere, ma un groviglio di relazioni di potere [...]. Per quanto riguarda il femminismo, la comprensione del sociale come campo diversificato di relazioni di potere si è consolidata verso la metà degli anni ottanta, quando gli scritti delle donne di colore e donne lesbiche, che si presentavano appunto come forma di pratica politica 'alla ricerca di coscienza', si sono costituiti esplicitamente come critiche femministe al

femminismo. Questi interventi hanno interrotto un discorso femminista ancorato al singolo asse del genere come differenza sessuale tra uomo e donna, e che si ritrovava a ristagnare nel paradosso donna" (*Soggetti eccentrici*, cit., pp. 36-37).

[63] Parzialmente tradotto in Teresa de Lauretis, *Sui generis. Scritti di teoria femminista*, Feltrinelli, Milano 1996.

[64] Ivi, p. 132.

[65] Ivi, p. 133.

[66] Ivi, p. 134.

[67] Ivi, p. 60.

[68] Il termine, racconta la pensatrice, che letteralmente significa "strano, strambo, bislacco", veniva utilizzato da più di un secolo in modo spregiativo per indicare una persona omosessuale, ma già da alcuni anni era stato recuperato dal movimento di liberazione gay e rivendicato positivamente e con orgoglio da uomini e donne che si dichiaravano apertamente omosessuali. Proponendolo come titolo per un convegno sull'omosessualità tenutosi all'Università della California, de Lauretis dichiara di aver voluto con questa scelta "aprire una vertenza e mettere in discussione, per prima cosa, l'idea che l'omosessualità maschile e femminile fossero, indipendentemente dal genere, una medesima forma di sessualità e, in secondo luogo, che questa fosse identificabile solo per contrasto con l'eterosessualità" (che però gli studi femministi avevano abbondantemente dimostrato distinta in maschile e femminile). Cfr. Teresa de Lauretis, *Soggetti eccentrici*, cit., p. 104. Come lei stessa racconta, il termine, con la sua diffusione e disseminazione, è diventato sempre più vago e generico. Tra le teoriche "originarie" del *queer* oltre a de Lauretis e Butler va segnalata anche Eve Sedgwick, che pubblica nel 1990 un altro dei testi fondamentali per la teoria *queer*, finalmente disponibile in italiano: Eve Sedgwick, *Stanze private. Epistemologia e politica della sessualità*, a cura di Federico Zappino, Carocci, Roma 2011. La tesi del volume è che il binarismo originario del pensiero occidentale, quello che struttura anche la distinzione tra maschile e femminile, sia la distinzione tra omosessualità ed eterosessualità. Sugli esiti teorico-filosofici e psicanalitico-lacaniani nella riflessione sul soggetto determinati dall'introduzione e disseminazione della *Queer Theory*, si rimanda a Fabrizia Di Stefano, *Il corpo senza qualità. Arcipelago queer*, Cronopio, Napoli 2011, e a Elisa A.G. Arfini, Cristian Lo Iacono, *Canone inverso. Antologia di teoria queer*, ETS, Pisa 2012.

[69] Cittadina italiana e australiana, vive e insegna all'Università di Utrecht in Olanda dove dal 2005 dirige il Centre for the Humanities.

[70] Il volume, che riproduce in buona parte la tesi di dottorato che Braidotti svolge a Parigi, viene pubblicato in inglese in edizione originaria. Il volume è disponibile in italiano: Rosi Braidotti, *Dissonanze. Le donne e la filosofia contemporanea*, tr. it. di Elvira Roncalli, La Tartaruga, Milano 1994.

[71] Julia Kristeva, linguista, scrittrice e psicanalista di origine bulgara che da decenni vive e lavora in Francia è, insieme a Irigaray e a Hélène

Cixous, una delle rappresentanti del pensiero della differenza francese. Di particolare rilievo, nella riflessione filosofica femminista, è stata la sua distinzione tra ordine simbolico paterno, che presiede in senso lacaniano alla formazione del linguaggio e della parola, e ordine semiotico materno, corrispondente alla fase pre-edipica, in cui prevalgono forme di comunicazione non verbale, legate ai segni e all'esperienza sensoriale. Il pensiero della differenza sessuale conduce alla valorizzazione di questa fase originaria di formazione del linguaggio e della significazione del mondo che è anche la fonte dell'espressione e scrittura poetica. Sulla distinzione tra simbolico e semiotico e sui loro diversi legami con il linguaggio e la formazione del soggetto, si rimanda a una delle sue prime e più celebri opere, del 1974, recentemente riedita in italiano: Julia Kristeva, *La rivoluzione del linguaggio poetico*, tr. it. di Silvana Eccher dall'Eco e Angela Musso, a cura di Giuliana Sangalli, Spirali, Milano 2006.

[72] Monique Wittig è una delle più importanti teoriche del movimento e del pensiero lesbico internazionale. Di origine francese, si trasferisce negli Stati Uniti nel 1976. Muore per arresto cardiaco nel 2003. Muovendo dall'affermazione di Beauvoir "Donna non si nasce, si diventa", Wittig ritiene che l'opera di soggettivazione avviata dal femminismo radicale degli anni settanta debba approdare alla rappresentazione di un soggetto liberato da tutte le costruzioni del "femminile" che risultano condizionate dalla divisione eterosessuale patriarcale: la "lesbica". È in questo senso che Wittig afferma anche che la lesbica non è una "donna". Alla disamina critica del pensiero eterosessuale Wittig dedica il celebre saggio, non disponibile in italiano, *The Straight Mind*, Beacon Press, Boston 1992. Tra le sue opere tradotte in italiano, segnaliamo il romanzo *Il corpo lesbico*, tr. e cura di Christine Bazzin ed Elisabetta Rasy, Edizioni delle Donne, Roma 1976.

[73] Rosi Braidotti, *Dissonanze*, cit., p. 186.

[74] L'opera di riferimento più importante è quella concepita da Gilles Deleuze con Féliz Guattari, sotto il titolo generale di *Capitalismo e schizofrenia*. L'opera è stata pubblicata in due volumi: *Anti-edipes* (1972), tr. it. di Alessandro Fontana, *L'anti-Edipo*, Einaudi, Torino 2002, e *Mille Plateaux* (1980), tr. it. di Giorgio Passerone, *Mille piani*, Castelvecchi, Roma 2003.

[75] Dove il progetto del "nomadismo femminista" viene scandito in tre fasi, tutte collegate in qualche modo alla differenza sessuale, modulata secondo tre modalità della differenza: tra uomo e donna, tra donne, all'interno di ciascuna donna e di ciascun soggetto. Sull'importanza di Deleuze e delle sue metafore nella riflessione sulla soggettività femminile-femminista contemporanea si veda Rosi Braidotti, *In metamorfosi. Verso una teoria materialista del divenire*, Feltrinelli, Milano 2003.

[76] Braidotti ricorda che il manifesto dell'europeismo viene redatto da Altiero Spinelli, antifascista di origine ebraica, condannato al confino dal regime fascista nel 1927. E proprio in uno dei luoghi di confino, l'isola di Ventotene, Spinelli redige insieme a Ernesto Rossi, Eugenio Colorni e Ursula Hirschmann il *Manifesto di Ventotene*, che viene

considerato il primo manifesto del federalismo europeo. Ursula Hirschmann, che fonderà negli anni settanta Femmes pour l'Europe, contribuirà in modo essenziale alla diffusione ed elaborazione delle idee del manifesto. Di Hirschmann si veda in particolare lo scritto di memorie sull'esilio di Ventotene *Noi senzapatria*, il Mulino, Bologna 1993. Sulle difficoltà, le ambiguità e le promesse della costruzione dell'identità europea, nel confronto anche conflittuale tra diverse culture intraeuropee, tra l'Europa e i suoi Altri, tra generi e generazioni, si veda *Identità culturale europea*, a cura di Luisa Passerini, La Nuova Italia, Firenze 1998 e Luisa Passerini, *Storie d'amore e d'Europa*, Ancora del Mediterraneo, Napoli 2008.

[77] In relazione all'esperienza vissuta in prima persona della fine della Jugoslavia e delle guerre degli anni novanta si vedano le analisi del discorso nazionalista della filosofa, originaria della ex Jugoslavia, Rada Iveković, di cui è testimonianza l'articolo inserito nella sezione antologica. Per un breve profilo bio-bibliografico di Iveković, si rimanda all'introduzione del testo antologizzato.

[78] L'espressione rimanda alle analisi di Judith Butler, cui è dedicato il paragrafo successivo.

[79] Judith Butler, *Subjects of Desire* (1987), tr. it. di Gaia Giuliani, *Soggetti di desiderio*, cit.

[80] Judith Butler, *Gender Trouble*, tr. it. di Roberta Zuppet, *Scambi di genere*, intr. di Giulio Giorello, Sansoni, Firenze 2004.

[81] Si veda in particolare, di Michel Foucault, *La storia della sessualità 1. La volontà di sapere*, tr. it. di Pasquale Pasquino e Giovanna Procacci, Feltrinelli, Milano 2001[8].

[82] Judith Butler, *Scambi di genere*, cit., p. 33.

[83] Disfare nel senso in cui si disfa una matassa per ricomporla diversamente. È così che va inteso il titolo *Undoing Gender* (2004), tradotto in italiano con *La disfatta del genere*, tr. it. di Patrizia Maffezzoli, Meltemi, Roma 2007[2]. Il volume, che contiene un utile saggio introduttivo della curatrice italiana, Olivia Guaraldo, si compone di una serie di articoli, in cui Butler utilizza un linguaggio meno tecnico e più divulgativo, su molti dei temi che vengono proposti come centrali per la riflessione etico-politica contemporanea. Tra essi compaiono sia i temi più legati al "genere", sia quelli più legati alla riflessione più generale sulle questioni da mettere all'ordine del giorno di un'*agency* politica democratica radicale. Spicca, ad esempio, una questione a lei cara e già affrontata in altri testi: quella dei mutamenti della parentela e del ripensamento dei paradigmi culturali e psicanalitici da essi indotti. Il testo inserito nell'antologia è tratto da questo volume.

[84] La citazione è tratta dalla prefazione alla riedizione di *Gender Trouble* del 1999. Cfr. Judith Butler, *Scambi di genere*, cit., p. XXVII.

[85] *Ibid*.

[86] In primo luogo, in *Corpi che contano*, tr. it. di Simona Capelli, intr. di Adriana Cavarero, Feltrinelli, Milano 1993. Nel testo Butler, rispondendo alle molte questioni sollevate dal suo libro, riprende per appro-

fondire la questione della "materialità del corpo" e le modalità in cui si articolano materialità dei corpi e loro costruzione.

[87] Significativo il dialogo con altri due rappresentanti del pensiero radicale postmarxista contemporaneo: Ernesto Laclau e Slavoj Žižek. Sul confronto tra le analisi del presente e le proposte per una politica radicale dell'emancipazione attuate dai tre pensatori cfr. Judith Butler, Ernesto Laclau, Slavoj Žižek, *Dialoghi sulla sinistra. Contingenza, egemonia, universalità*, ed. it. a cura di Laura Bazzicalupo, Laterza, Bari 2010.

[88] Cfr., oltre ai testi citati nella nota successiva, i tre articoli di Butler tradotti in "Aut-Aut", 344, ottobre-dicembre 2009, e raccolti a cura di Sergia Adamo sotto il titolo *Judith Butler. Violenza e non-violenza*.

[89] Si veda su questo tema Judith Butler, *Vite precarie*, a cura di Olivia Guaraldo, Meltemi, Roma 2004; Id., *Critica della violenza etica*, tr. it. di Federico Rahola, Feltrinelli, Milano 2006.

[90] Significativo è il recente confronto di Butler con il pensiero di Emmanuel Lévinas, in particolare con la sua concezione dell'Etica come irruzione di un Altro che proprio in virtù della sua estrema debolezza e indigenza mette in scacco il desiderio – appetito – di dominio e distruzione dell'Altro da parte del Medesimo. Altro che opera in modo costitutivo nel movimento di autoaffermazione del soggetto e che si è rivelato in modo esemplare nel carattere imperialistico del Logos e dell'Uno che ha dominato l'ontologia occidentale, culminando proprio nella figura hegeliana della lotta per il riconoscimento tra le autocoscienze. Cfr. l'opera più celebre di Lévinas, *Totalità e infinito*, tr. it. di Adriano Dell'Asta, intr. di Silvano Petrosino, Jaca Book, Milano 1980.

[91] Cfr. Axel Honneth, *La lotta per il riconoscimento*, tr. it. di Carlo Sandrelli, il Saggiatore, Milano 2002.

[92] Testimonianza di tale confronto è un volume, disponibile in italiano, in cui Honneth e Fraser espongono e dibattono le rispettive elaborazioni della questione della giustizia sociale nell'età contemporanea. Si tratta di Nancy Fraser, Axel Honneth, *Redistribuzione o riconoscimento? Una controversia politico-filosofica*, tr. it. di Emanuela Morelli, Michele Bocchiola, Meltemi, Roma 2007. È da questo volume che è tratto il testo di Fraser inserito nell'antologia.

[93] Citazione tratta dall'introduzione scritta a due mani dai due pensatori, in Nancy Fraser, Axel Honneth, *Redistribuzione o riconoscimento?*, cit., p. 11.

[94] Ivi, p. 12.

[95] Ivi, p. 51.

[96] *Ibid.*

[97] Ivi, p. 53.

[98] Si veda il testo inserito nell'antologia, tratto da Seyla Benhabib, *La rivendicazione dell'identità culturale. Eguaglianza e diversità nell'era globale*, tr. it. di Angelo R. Dicuonzo, il Mulino, Bologna 2005.

[99] Il saggio è tradotto in Susan Moller Okin, *Diritti delle donne e multiculturalismo*, a cura di Joshua Cohen, Matthew Howard e Martha Nussbaum, tr. it. di Antonella Besussi e Alessandra Fiocchi, Raffaello

Cortina Editore, Milano 2007. Il volume contiene l'articolo di Okin e quindici risposte di diverse/i studiosi della costellazione del pensiero postcoloniale e di genere alla questione. Tra queste segnaliamo la risposta di Azizah Y. Al-Hibri, *Il femminismo patriarcale dell'Occidente giova alle donne del Terzo mondo e delle minoranze?*

[100] Tra le filosofe della politica che per prime hanno posto in luce i limiti della nozione liberale di uguaglianza e universalità emerge Iris Marion Young. Di questa importante studiosa, precocemente scomparsa, è disponibile in italiano un testo fondamentale per l'avvio, all'inizio degli anni novanta, del dibattito in questione: Iris Marion Young, *Le politiche della differenza*, tr. it. di Adriana Bottini, presentazione di Luigi Ferrajoli, Feltrinelli, Milano 1996. Il testo viene considerato come una delle più efficaci elaborazioni di un modello di democrazia fondata sul rispetto delle minoranze e del pluralismo.

[101] Seyla Benhabib, *Situating the Self. Gender, Community and Postmodernism in Contemporary Ethics*, Polity Press, Cambridge 1992, p. 3. L'opera, la più celebre della filosofa, non è tradotta in italiano.

[102] È questo il tema di Seyla Benhabib, *La rivendicazione dell'identità culturale*, cit.

[103] I *Subaltern Studies* nascono come gruppo di ricerca di studiosi indiani di diversa formazione che si riuniscono presso l'università di Delhi, per iniziativa dello storico ed economista indiano Ranajit Guha, con l'obiettivo di ricostruire la storia del subcontinente asiatico provando a inseguire le tracce e dando voce e visibilità alle masse dei subalterni che la storiografia dominante, sia quella di stampo coloniale ed eurocentrico, sia quella di stampo nazionalista, espressione delle élite nazionali, hanno oscurato. Il termine "subalterno" viene ripreso da Antonio Gramsci, che con esso indicava tutti i gruppi socialmente subordinati alle classi egemoni. Esteso alla situazione indiana o in generale all'indagine del mondo postcoloniale, il termine viene utilizzato per indicare i gruppi socialmente subordinati e oppressi in virtù delle differenze di casta, di classe, di genere, di età, di appartenenza religiosa, di etnia ecc.

[104] Spivak è una delle prime traduttrici di Derrida negli Stati Uniti. Sua è la traduzione dell'opera di Derrida determinante per il successo del decostruzionismo negli USA: Jacques Derrida, *De la grammatologie*, Minuit, Paris 1967.

[105] In una conversazione con Davide Zoletto in occasione della sua partecipazione a un convegno in Italia, Spivak pone a confronto le sue diverse esperienze di insegnamento, nelle università americane e nella comunità del Bengala, per proporre una riflessione sul senso della propria pratica pedagogica. Tale pratica, in cui un ruolo fondamentale giocano l'immaginazione e la relazione diretta con gli studenti, viene definita "risistemazione [*rearrange*] non coercitiva dei desideri". Cfr. Gayatri C. Spivak, *Risistemare i desideri, attendere l'inatteso*, in "Aut-Aut", 333, gennaio-marzo 2007.

[106] La versione originaria del saggio era già stata tradotta in Italia

nel volume a cura di Paola Di Cori *Altre storie. La critica femminista alla storia*, Clueb, Bologna, 1996. In quel testo, Spivak rilegge, attraversando e decostruendo i racconti che le hanno tramandate, le storie di due donne. La prima è la *rani* di Simur, una regina sposata con un rajah spodestato dalle autorità inglesi che, nel 1820, dichiara di voler compiere il rito del *sati* – il suicidio rituale indù delle vedove –, pur essendo il marito in vita, cosa che viene ostacolata dalle autorità coloniali "investite" dalla missione civilizzatrice; l'altra è una giovane donna, Bhubaneswari Bhaduri, che nel 1926 si suicida, per una ragione politica che viene scoperta molto dopo, e che lei stessa aveva occultato, lasciando che si pensasse a un suicidio di stampo tradizionale per una gravidanza illecita. Il testo è stato poi ripreso e inserito dalla filosofa nella terza sezione, intitolata "Storia", della sua monumentale *Critica della ragione postcoloniale*, tr. it. di Angela D'Ottavio e prefazione di Patrizia Calefato, Meltemi, Roma 2004.

[107] Gayatri C. Spivak, *Risistemare i desideri, attendere l'inatteso*, cit., p. 24.

[108] Per una sintesi efficace dei contributi dell'opera di Spivak al pensiero postcoloniale si rimanda a Giovanni Leghissa, *Orientarsi nelle retoriche del multiculturalismo*, in "Aut-Aut", 312, novembre-dicembre 2002, pp. 19-45.

[109] *Critica della ragione postcoloniale* si articola in quattro sezioni: Filosofia, Letteratura, Storia e Cultura. Il testo inserito in antologia appartiene all'ultima sezione.

[110] Termine di origine lacaniana ricorrente anche in Butler. Spivak ne offre una lettura nelle prime pagine della prima sezione. In breve, la forclusione è più di una rimozione e indica secondo Lacan, che lo riprende da Freud, "un tipo di difesa molto più energico e molto più efficace che consiste nel fatto che l'Io rigetta (*verwirft*) la rappresentazione insopportabile *insieme al suo affetto* e si comporta come se l'idea non fosse mai giunta all'Io" (cit. in Gayatri C. Spivak, *Critica della ragione postcoloniale*, cit., p. 30). Il mancato accesso al livello del Simbolico, il buco nell'inconscio creato dal rigetto dell'affetto comporta un ritorno al livello di quello che Lacan definisce il Reale, che porta il marchio di tale espulsione. Scrive Spivak: "Lacan definisce la forclusione 'traducendo [Freud] nel proprio linguaggio [...] [come] 'ciò che è stato forcluso (*forclos*) dal Simbolico e riappare nel Reale'. Pertanto la forclusione si riferisce a un 'processo primario [freudiano] che comprende due operazioni complementari: 'la *Einbeziehung ins Ich*, l'introduzione nel soggetto, e la *Ausstossung aus dem Ich*, l'espulsione dal soggetto' (Jean Laplanche, Jean-Bertand Pontalis, *Enciclopedia della psicanalisi*, Laterza, Roma-Bari 1973). Il Reale è o porta il marchio di tale espulsione. Penso all'Informante Nativo come nome per quel marchio di espulsione dal nome Uomo – un marchio che elide l'impossibilità della relazione etica"(p. 31).

[111] Si veda la nota della traduttrice in Gayatri C. Spivak, *Critica della ragione postcoloniale*, cit., pp. 18-19. Il termine *agency* significa in generale "capacità di agire" ed è un termine che ricorre in altre pensatrici co-

me ad esempio Butler. La traduttrice Angela D'Ottavio spiega come la scelta di una traduzione un po' spiazzante in italiano come "agentività" risponda all'esigenza di dar conto "dell'importanza e della peculiare sfumatura che l'*agency* ha assunto all'interno dei dibattiti e delle teorie della produzione della soggettività in relazione ai meccanismi di potere e all'ideologia".

[112] Ivi, p. 32.

[113] Nel senso di rese vittime. Ricorre in Spivak il termine *victimage* come ciò che si contrappone ad *agency*; per evocare questa contrapposizione viene tradotto da D'Ottavio con "vittimità".

[114] Ivi, p. 409.

[115] Ivi, p. 25.

[116] Si vedano ad esempio i contributi di Rosi Braidotti e Teresa de Lauretis inseriti nell'antologia.

[117] In questo senso mi sento molto in sintonia con lo spirito di un volume di recente pubblicazione: Sabrina Marchetti, Jamila Mascaat, Vincenza Perilli (a cura di), *Femministe a parole. Grovigli da districare*, Ediesse, Roma 2012.

[118] L'incontro viene favorito nella mia città, Torino, dalle attività seminariali promosse dal CIRSDE (Centro Interdipartimentale di ricerca e studi delle donne e di genere), un'istituzione, con un'attività ormai ventennale, che, per parafrasare bell hooks, ha fatto in qualche modo del "margine" un sito di resistenza.

Parte prima

LA ROTTURA DEL MONOLOGO OCCIDENTALE E IL PENSIERO DELLA DIFFERENZA SESSUALE

Speculum: l'altra donna

di Luce Irigaray

Ogni teoria del "soggetto" si trova sempre a essere appropriata al "maschile". Assoggettandovisi la donna rinuncia, a sua insaputa, alla specificità del proprio rapporto con l'immaginario. Si rimette cioè nella situazione d'essere oggettivata – in quanto "femminile" – a opera del discorso. Lei stessa poi si rioggettiva, quando pretende d'identificarsi "come" un soggetto maschile. Un "soggetto" che si ri-cerca come "oggetto" (materno-femminile) perduto?

La soggettività denegata alla donna, questa è indubbiamente l'ipoteca con cui si garantisce ogni costituzione irriducibile dell'oggetto: oggetto di rappresentazione, di discorso, di desiderio. Immaginate che la donna immagini, e l'oggetto perderebbe la sua caratteristica (d'idea) fissa. Non sarebbe più il punto di riferimento estremo, più elementare del soggetto stesso, in fin dei conti, poiché il soggetto si regge soltanto in forza d'un effetto di rimando che gli viene da una qualche oggettività, da un qualche obiettivo. Se non ci fosse più "terra" da (ri)muovere, su cui muoversi, da rappresentar(si), e anche da desiderare (di) possedere, una materia opaca senza consapevolezza di sé, che fondamento potrebbe darsi il "soggetto" per esistere? Se la terra girasse, soprattutto se girasse intorno a se stessa, l'erezione del soggetto rischierebbe di non riuscire nella propria elevazione e penetrazione. Infatti, a partire da che cosa potrebbe alzarsi e su che cosa potrebbe esercitare il proprio potere? In che cosa?

Pubblicato in: *Speculum. L'altra donna*, a cura di Luisa Muraro, Feltrinelli, Milano 1975, pp. 129-131, 137-139.

La rivoluzione copernicana non ha ancora prodotto tutti i suoi effetti sull'immaginario maschile. Ne è derivata una eccentricità del soggetto rispetto se stesso, ma questa è anzitutto la sua estasi nel (soggetto) trascendentale. Si è innalzato a una prospettiva che dovrebbe dominare il tutto, il punto di vista più potente, separandosi dalla sua base materiale e dal suo rapporto empirico con la matrice, che adesso pretende tenere sott'occhio. Speculazione, speculare. Emigrando sempre più lontano, verso il luogo in cui consisterebbe il massimo potere, diventa il "sole" nel senso che è attorno a lui che le cose girano, un polo d'attrazione più forte della "terra". L'eccezione a questo fascino universale è costituita dal fatto che "essa" gira anche su se stessa, che conosce il ritorno (su di sé), senza questo fuori della ricerca d'identità nell'altro: natura, sole, Dio... (donna).

Qui l'uomo emigra, per mantenere la portata, il valore della sua rappresentazione. La donna gli oppone la permanenza d'un ricordo che non si conosce in quanto tale. Può dare l'illusione di oggetto inerte, per via di quel ritorno su di sé che ricorre, e di cui bisognerà rintracciare la specifica economia. Può sembrare "materia" sulla quale si può sempre tornare ad appoggiarsi per darsi un nuovo slancio, per saltare più in alto, mentre si tratta d'una natura che fa già riferimento a se stessa. Già incrinata, crepata. Che nel movimento della propria rotazione trascina via anche quello che le è stato affidato perché lo ri-presentasse. Per questo, certamente, dicono di lei che è agitata e instabile. Infatti, non è mai esattamente la stessa, sempre volteggiando, più o meno vicina al sole, di cui capta i raggi che poi fa virare secondo propri cicli.

Insomma l'"oggetto" non è così massiccio e resistente come si vorrebbe credere. E possederlo, il desiderio di impadronirsene che ha il "soggetto", gli fa provare la vertigine di un suo proprio fallimento. Perché nel momento in cui egli (si) progetta un qualcosa da assorbire, prendere, vedere, possedere... e un suolo sul quale stare in piedi, uno specchio in cui contemplarsi, il soggetto si trova già davanti un'altra specularizzazione. La quale gli provoca una contorsione perché è incapace di dire ciò che rappresenta. La ricerca dell'"oggetto" procede nel vuoto e non ha termine. La cosa più amorfa, senza idea, che appare più "cosa", se si può dire, la materia più opaca, (si) apre su di uno specchio che è tanto più terso in quanto non si conosce e non gli si riconosce alcun riflesso. Tranne quelli che l'uomo vi ha inviati ma che sono subito sfocati a causa del movimento rotante di questo speculum concavo.

Succede inoltre che mentre l'uomo vuole innalzarsi sempre più in alto – anche nel sapere –, il suolo intanto si frantumi sempre di più sotto i suoi piedi. La "natura" sfugge sempre di più ai suoi progetti di rappresentazione e di riproduzione. E alla sua presa. Il fatto che questo si verifica, troppo spesso, sotto forma d'una rivalità nell'(u)omologia, che sia una lotta mortale tra due coscienze, non impedisce che si tratti comunque del pericolo, sempre più insistente nella seriosità, d'uno slittamento del soggetto (come) medesimo. Quindi anche dell'"oggetto", e in definitiva dei modi in cui tra di essi, soggetto e oggetto, si spartisce l'economia. In particolare l'economia del discorso. La silenziosa adesione dell'uno (l'una) garantisce l'autonomia dell'altro, almeno finché si può evitare ogni domanda su questo mutismo come sintomo – di rimozione, storica. Ma se l'"oggetto" si mettesse a parlare? intendiamo anche: a "vedere" ecc. A quale disgregazione del "soggetto" assisteremmo? Non si limiterebbe al tipo di scissione tra lui e il suo altro, il suo alter ego variamente specificato; né a quella tra lui e l'Altro, che in qualche modo è sempre il *suo* Altro, anche se in esso non si ritrova, anche se ne è travolto al punto da dover sbarrarsi da e in esso per mantenere almeno la capacità di elaborare delle forme che siano sue proprie. Questi altri sono sempre stati dalla parte del medesimo, dalla parte dei presupposti del logos (del) medesimo, senza alterarne considerevolmente la discorsività. Dunque non sono mai stati realmente "altri", anche se quello con la maiuscola ha in riserva forse una minaccia del genere. Per ciò sarebbe stato messo fuori scena? Rimosso anch'esso. Ma in alto, "in cielo"? Oltre, anch'esso? Innocente nel suo impero fuori orbita. Ma bastava avere dei sospetti sulle ragioni della sua estrapolazione, e quindi la possibilità d'interpretare il bisogno che ha il soggetto di sdoppiarsi in un pensiero – un'"anima"? – ed ecco che la funzione dell'"altro" si trova svelata, anche se i veli restano.

Dove la vedremo ricomparire, questa funzione dell'altro? Dove starà il rischio che ridà vita alla passione che ha il soggetto di restare ancora e sempre lo stesso, di affermarsi ancora e sempre come medesimo? Nella *doppiezza* della sua speculazione, più o meno cosciente? per cui egli sta solo in parte e in margine al luogo della sua (auto) riflessione? della sua conoscenza? una similarità di cui la "notte" dell'inconscio mantiene il valore? L'Altro forse serve a mantenere in lui decaduto l'organizzazione d'un universo sempre identico a sé, sul quale tuttavia getta un'ombra inquietante e lo scompiglio delle sue collere. Un universo che sta dietro la rappresentazione (di sé), dietro i piani in cui si rispecchia? Dunque la somiglianza riprende a proliferare, in una quantità d'analogie. Il "soggetto" allora si fa molteplice, plurale, a volte dif-forme, ma continuerà a postularsi come causa di tutti questi (suoi) miraggi che l'enumerazione chiama continuamente a riunirsi. Frammentazione fantastica, fantasmatica. Destrutturazione e distruzione in cui si (dis)fa il soggetto, in quanto surrettiziamente egli pretende ancora di esserne la ragione. Finta forse? Una, certamente. Infatti questo popolo di significanti proclama ancora il solipsismo di colui che li suscita e riunisce, magari soltanto per disperderli. Il gioco del "soggetto" consiste nel moltiplicarsi in essi, o addirittura nel deformarsi. Lui da solo è padre, madre, figli(o). E i loro rapporti. Lui da solo è maschile, femminile, e i loro rapporti. Derisione della generazione, parodia della genealogia e della copula, che continua a prendere la sua *forza* dallo stesso modello: il soggetto, il modello (del) medesimo. Al confronto del quale tutto ciò che è *fuori* resta sempre condizione di possibilità dell'immagine e della riproduzione di sé. Specchio fedele, terso e vuoto di riflessi deformanti. Vergine di copie di sé. Altro soltanto in quanto al servizio del soggetto stesso al quale offre le sue superfici candide e ignoranti di sé.

Ma se con i gesti della mano la donna riapre dei sentieri in un (ancora) logos che la caratterizza come castrata, in particolare e soprattutto di parole, – allontanata dai compiti che incombono a meno che non sia prostituita al servizio dell'ideologia dominante – dell'(u)omosessualità e delle sue polemiche con la madre –, ed ecco che un certo significato, che è sempre anche quello della storia, si trova sottoposto a un esame e a una rivoluzione inauditi. Ma come fare? Poiché, com'era prevedibile, le parole "sensate" – di cui tra l'altro dispone soltanto per mimetismo – sono impotenti a tradurre ciò che è pulsante, gridato, sospeso e sfocato nelle traiettorie illeggibili della sofferenza-latenza isterica. Allora... Mettere ogni significato sotto sopra, dietro davanti, alto basso. *Scuoterlo radicalmente*, riportandovi, reintroducendovi quelle convulsioni che il suo "corpo" patisce impotente com'è a dire ciò che lo agita. Insistere inoltre e deliberatamente su quei *vuoti* del discorso che ricordano i luoghi della sua esclusione, spazi bianchi che con la loro *silenziosa plasticità* assicurano la coesione, l'articolazione e la coerente espansione delle forme stabili. Riscriverli come *scarti* altrimenti e altrove dalle aspettative, in *ellissi* ed *eclissi* che disfano gli schemi logici del lettore-scrittore, fanno deragliare la sua ragione, confondono la sua vista almeno al punto da provocargli uno strabismo incurabile. *Sconvolgere la sintassi*, interrompendo il suo ordine sempre teleologico, con la rottura dei fili, con il taglio della corrente, con i guasti dei congiuntori e disgiuntori, l'inversione degli accoppiamenti, le modificazioni di continuità, d'alternanza, di frequenza e d'intensità. Bisogna che per un tempo non si possa più prevedere da dove, verso dove, quando, come, perché... queste cose succedono; da dove, verso dove, quando... il movimento si propaga, si inverte o si ferma. Non per motivi di complessità crescente del(la) medesimo (-a), ovviamente, ma per l'immissione di altri circuiti, per l'intervento a volte di cortocircuiti, che disperdono, rinviano, deviano continuamente e a volte fanno saltare l'energia, senza che ci sia possibilità di ritornare a *una* fonte. Forza che non è più possibile distribuire secondo un *piano* determinato, che non proviene da un'unica fonte diffondendosi in giro anche in circuiti secondari, con effetti retroattivi.

Tutto questo si può fare validamente già per le parole, i "termini del lessico" (come si dice), anch'essi collegati e nello stesso senso. Ma occorre inoltre interrogarli in quanto sono il rivestimento con cui il soggetto pudicamente riveste il "femminile". Il quale "femminile", sepolto sotto la massa delle metafore che lo esaltano o lo denigrano, non sa più come sgusciare da questi trucchi, nei quali capita che trovi un certo piacere, esagerando il genere placcato oro. Ma sempre più investita dalle figure, come potrebbe lei articolare qualche *suo(no)* -- qualche "mio" – da sotto quegli orpelli cavallereschi? Come trovare una via, una voce, abbastanza forte o abbastanza fine per uscire fuori dagli ornamenti stratificati su di lei, in uno stile decorativo da monumento funebre, dove perde anche il fiato? Soffocata sotto tutte queste (sue) arie. Resta da provare che voglia emergere fuori da tutto quell'addobbo, che consenta alla sua nudità d'esporsi ed esplodere, anche nel linguaggio. Verso e contro tutti, comprese le parole. La necessità imperiosa del suo pudore, della sua castità – stretta nella cintura del discorso beneducato –, della sua modestia decente, della sua discrezione, continua a essere ribadita da tutti – su tutti i toni, in tutti i modi, in tutte le teorie, in ogni stile, con poche differenze, le quali peraltro suscitano i sospetti quando servono a rilanciare una gara di pornografia (u)omosessuale. Sfondo comune, forse, alla loro produzione?

Il potere (ri)produttivo della madre, il sesso della donna: sono le due poste in gioco per cui proliferano i sistemi, i luoghi chiusi del "soggetto", si moltiplicano le parole feticcio, gli oggetti segno che con i loro titoli di verità tentano di parare il rischio d'una rifusione dei valori nell'altro e da parte sua. Ma di fatto non c'è nessun enunciato per quanto chiaro e univoco che possa togliere questa ipoteca; tutti sono presi e intrappolati nello stesso regime di credito. Ritirabili appena emessi dal discorso significante in vigore. Tanto vale parlare per equivoci, allusioni, sottintesi, parabole... Anche se viene richiesta una certa precisione, e vi si dice che non ci si capisce niente. Comunque non ci si è mai capito niente. Allora, perché non rinforzare, fino all'esasperazione, il malinteso? Fino a quando l'orecchio non si sarà abituato a un'altra musica, e la voce non si sarà messa a cantare e lo sguardo avrà smesso di spalancarsi unicamente davanti ai segni della sua autorappresentazione e la (ri)produzione non toccherà più al medesimo (ai medesimi) e nelle stesse forme, figura più figura meno.

Questo sconcerto nel linguaggio si presenta ben anarchico nel suo programma, ma nondimeno richiede un paziente rigore. I sintomi hanno un rigore che è implacabile. E se è vero che occorre rompere (con) un certo modo di specula(rizza)zione, non per questo bisogna rinunciare a qualsiasi specchio, né rinunciare ad analizzare l'influenza che ha questo *piano* della rappresentazione il quale rende afasico e più in generale atonico il desiderio femminile – a parte le sue mascherate e pretese fallomorfe. Infatti schivare questo tempo da dedicare all'interpretazione porterebbe il desiderio a irrigidirsi, perdersi, spezzettarsi, di nuovo. Ma forse al di là della superficie speculare che sostiene il discorso, si annuncia non il vuoto del nulla, ma l'intenso bagliore d'una speleologia dalle mille sfaccettature. Concavità scintillante e incandescente, anche del linguaggio, che minaccia di bruciare gli oggetti feticcio e gli occhi "orificati". La loro fusione in nuovi valori di verità non è più lontana. Basta scavare più basso, scendere ancora un po', nella caverna sedicente oscura che serve da fondamento nascosto alle loro speculazioni. Infatti nel luogo in cui ci si aspetta di trovare la matrice opaca e silenziosa d'un logos immutabile nella certezza delle sue luci, cominciano invece a brillare fuochi e cristalli, che intaccano l'evidenza della ragione. Non tanto per il loro essere come riserva nascosta – pretesa ancora originale del volume chiuso – quanto, e molto più, per i loro ardenti focolai continuamente riaccesi.

Ma quale "soggetto" ha finora pensato che uno *specchio concavo* concentra la luce e soprattutto che il sesso della donna non è totalmente estraneo a questo fatto? Così come il sesso dell'uomo non è estraneo allo specchio convesso. Quale "soggetto" s'è interessato delle produzioni anamorfiche che risultano dalla congiunzione di quelle curvature difformi? ha pensato gli impossibili riflessi, le riflessioni inquietanti, le trasformazioni parodiche che scaturiscono da ogni loro articolazione? Dicendo "è" si annullano nella verità d'una copula in cui "egli" attinge ancora e sempre le risorse della sua identificazione come medesimo. Nessuno l'ha fatto, per non decadere dalla propria esistenza. Resta lo stesso il sospetto nei confronti di ogni prospettiva per quanto celata che cerca il proprio centro nel soggetto, per ogni circuito autonomo della soggettività, per ogni sistematicità chiusa su se stessa, per ogni forma di chiusura, da quella metafisica a quella familiare, sociale, economica: che vogliono impadronirsi, fissandolo e immobilizzandolo, del fuoco incandescente dello specchio concavo. Se questo, che pure si presenta come una cavità, si puntualizza per dare forma all'orbe immaginario d'un "soggetto", questi trova modo in tale "centro", e per esso, di difendersi fobicamente dai fuochi del desiderio della/per la donna. Resta cioè in una morfologia rassicurante, facendo della sua struttura cava una specie di comodo sepolcro da dove potrà eventualmente, con il soccorso di una ulteriore vita speculativa, guardare. (Ri)guardandosi, con ogni sorta di finestre praticabili, apparecchi ottici, vetri o specchi, da e dentro questo "specchio ardente" che accende tutto ciò che cade nella sua cavità.

Prendere la parola, dissestare il linguaggio

di Luisa Muraro

Ho cominciato a sospettare che ci sia una complicità non chiarita tra ordine sociale e ordine simbolico quando facevo la maestra di scuola con individui, bambini e adulti, delle classi subalterne. In sostanza il mio compito maggiore era di impedire che la soggezione sociale (la loro ma anche la mia) si traducesse in un ostacolo al libero movimento del pensiero. E lì mi sono accorta che, pur non nutrendo io intenzioni sovversive ma solo l'onesto proposito di convertire la situazione data, quella in cui ci si trovava in carne e ossa, in un principio di intelligenza del mondo e di sé, ebbene lì ho visto che quasi ogni passo nella direzione desiderata comportava una scossa per il sistema di rapporti in cui eravamo presi. C'erano dei momenti in cui sarebbe stato necessario mettere mano sul patto sociale – intendo quell'accordo tacito che stabilisce il limite tra ciò che è civile e ciò che non lo è. Non è civile, per esempio, farsi una pisciata tra le macchine del reparto in cui si lavora mentre lo è fare uno sciopero anche selvaggio (il termine però segnala che qui ci si avvicina al limite... si fa per dire). D'altronde nelle società "avanzate" le rotture veramente selvagge del patto sociale non sono rare. Penso ai saccheggi coperti dall'oscurità dei *black-out*, alle sevizie e agli omicidi senza motivo apparente e cose del genere. Potrei metterci anche l'incessante opera di distruzione cui i miei alunni del "Cul-de-sac" sottoponevano l'edificio e la

Pubblicato in: *Maglia o uncinetto. Racconto linguistico-politico sulla inimicizia tra metafora e metonimia*, Manifestolibri, Roma 1998, pp. 91-94, 191-193.

suppellettile della scuola senza sapersene dare ragione, distruggevano e deprecavano la distruzione con la stessa monotonia. Produzione insensata, separata dalla loro produzione simbolica che, come dicevo sopra, era nettamente conformista.

In fatti simili, più che una regressione, a me pare di vedere agire il corpo selvaggio che il regime di civiltà si va costruendo a fianco. Di solito ne sono protagonisti individui detti mediocri, quando non si preferisce considerarli pazzi. Perciò si parla di esibizionismo, una etichetta semplificatrice: molti casi non ci rientrano e poi resta da spiegare come mai, per bisogno di vedere riconosciuta la propria esistenza, si sia spinti a scannare dieci persone, a sparare dall'alto di un grattacielo, a buttarsi dalla finestra, a fracassare mobili e cose del genere. Mediocri, in fondo, sono tutti quelli e sono i più, anzi siamo i più, per i quali non sono previste forme civili per significarsi e parlare nella mobilitazione della propria materialità, come corpo, pulsioni, desideri, occupazioni quotidiane, e che non possono beneficiare dei servizi simbolici di altri, come attribuzioni lusinghiere, immaginazioni valorizzanti, dipendenza. Insomma, quelli che nell'incivilimento così come funziona adesso rischiano di perdere, insieme al corpo, una insostituibile risorsa di ogni autonomo sapere e volere. (Ho scritto "risorsa" invece di "molla" che mi era venuta in una prima versione. In realtà avevo in mente "susta", termine dialettale che corrisponde a molla ma che ha un'etimologia quasi contraria, molla infatti viene da mollare, allentare, mentre susta viene dal latino *suscitare*, mettere in moto, eccitare.)

La narratrice infedele

A questo punto qualcuno verrà a dirmi che io vado fantasticando, come se potessero essere vergini, di cose corpi e fatti che invece sono da sempre già segnati dalla cultura e quindi non opponibili ai suoi schemi. Cosa vuol dire che i corpi potrebbero, dovrebbero tagliare di traverso l'espansione del metaforico? Dove sono i corpi, i piaceri, dov'è la natura estranea all'ordine simbolico?

Riconosco subito che il mio discorso ha parecchie caratteristiche del linguaggio ipermetaforico, anzi di un ipermetaforico acritico, sto trascurando infatti le sue recenti versioni più sofisticate. Posso farlo perché, attraverso un linguaggio alquanto convenzionale, sto cercando di *indicare*. Indico delle cose e quelli che se le ritrovano nel proprio orizzonte, mi capiscono. Vuol dire allora che escludo gli altri e offendo il linguaggio nella sua più umana funzione? No, gli altri capiranno, solo un po' meno. Del resto capita sempre così, sempre la gente si dice, oltre a quello che dice, quello che ha in comune, sesso, soldi, cibo, cultura, interessi (fanno eccezione, come dirò poi, gli imitatori). Il "significabile" non è un limbo indeterminato, in esso si trova già la realtà circostanziata della nostra esistenza.

Ho riproposto la teoria di Jakobson perché mi sembra che ci faccia fare un passo avanti rispetto al discorso che dice: non esiste una esperienza immediata originaria e quindi non ha senso appellarsi ai corpi, alle cose, alla vita, come istanze originali che si troverebbero oltre la realtà storicamente determinata. Giustissimo finché si tratta di confutare lo schema di una razionalità scientifica che si aggiudicava i titoli della verità superstorica postulando il carattere originario dell'esperienza. Un po' meno giusto quando la critica vuole colpire coloro che a una realtà non traducibile in parole si richiamano perché il loro stesso parlare è per loro una traduzione mutilante.

Può esserci una forzatura nell'ordine simbolico tale per cui di qualcosa in esso si rende conto imperfettamente e può esserci una forzatura nell'ordine sociale tale per cui alcuni si trovano mutilati per ciò di cui l'ordine simbolico non rende conto. La teoria di Jakobson dice che la produzione simbolica (la quale ovviamente significa tutto il significabile) si determina storicamente. Il simbolico dunque impronta di sé la realtà sociale essendone parte in causa. La sua non significabile parzialità – aggiungo io – resta inespressa ma ciò non toglie che ci sia e abbia degli effetti. Si imprime su ciò che partecipa al processo simbolico senza potervisi significare. L'alterità, l'estraneità rispetto all'ordine simbolico è data da tutto quello che la sua forzatura lascia senza parole appropriate e che nel tentativo di esprimersi urta contro i suoi dispositivi o cade nel vuoto.

Che ci sia dell'altro a me pare che si mostri – negativamente – negli appartamenti ritagliati in maniera scomoda, nelle farneticazioni del senso comune, nei trucchi della femminilità e ogni volta che il simbolico esercita in dettaglio la sua potenza macchinatrice. Perché lì, nei suoi banali trionfi quotidiani, si vede come la produzione simbolica proceda in coincidenza con precise imposizioni di ordine sociale da cui però è difficile sganciarla senza provocare un dissesto di proporzioni non calcolabili. Lì si vede che sono molte le cose, del grande gioco linguistico, che non possono essere messe in gioco.

Il linguaggio è zoppo

L'enigma è del nostro essere corpo ed essere parola, insieme. Noi attenuiamo l'enigma quando diciamo di "avere" un corpo. In passato si è cercato di pensare che sia veramente così, cioè che: *siamo* parola (pensiero, mente, anima) e che *abbiamo* un corpo (con tutto quello che un corpo comporta). A pensarci bene, non sarebbe sbagliato, infatti il corpo ci risulta eterogeneo al pensiero e se uno si mette a pensare se stesso, inevitabilmente si riconosce in ciò che è trasparente al pensiero, che è il suo stesso essere pensiero.

Ma è giusto solo in quanto uno ci pensa e si pensa. Non è più giusto allorché ci si accorge che uno, quando pensa e si pensa, è anche, inestricabilmente, pensato da altri e da altro. Così è stato scoperto, nella nostra cultura, il nostro essere corpo.

La scoperta di un paradosso non può che assumere la forma di un paradosso. Per di più la scoperta è stata fatta dall'interno di quello che chiamavo regime di ipermetaforicità – altrimenti non ci sarebbe stata... Di conseguenza la sua formulazione ha preso i termini propri di tale regime. Il nostro "essere parlati" dal corpo vi è stato concepito come l'esatto inverso del nostro essere parlanti del corpo: noi parliamo il mondo e intanto il mondo ci parla, noi ci rappresentiamo noi stessi e intanto quello che noi siamo, senza sapere di esserlo, si rappresenta nel nostro parlare. Soggetti attivi in quanto pensanti, passivi in quanto "pensati", passivi mentre ci pensiamo attivi, e viceversa.

Questa specularità, di un essere corpo che opererebbe sul nostro essere parola quello che il linguaggio opera sul mondo – che è di farne materia significante per il proprio significarsi – presuppone che il linguaggio sia il principio della separazione tra essere corpo ed essere parola.

Ma non è così, perché il linguaggio, oltre a riprodurre in sé l'enigma nella divisione significante/significato, lo riprende ed elabora nella doppia generazione del significato. Il linguaggio conosce nella sua stessa natura il nostro essere insieme corpo e parola, e mentre asseconda ogni tentativo di risolvere l'enigma, lo accoglie, gli dà alloggio e ce lo rende, oltre che riconoscibile, praticabile.

Secondo me, abbiamo ancora da scoprire quanta intelligenza possa venire dal nostro essere corpo e quale stretto legame ci sia tra piacere e sapere. Ma l'idea di questa possibilità ce l'abbiamo, ce la suggerisce il linguaggio con la sua difformità costitutiva, la sua sghemba andatura, il suo insormontabile squilibrio.

Edipo sbaglia due volte

di Adriana Cavarero

> Molto tempo dopo, vecchio e cieco, camminando per le strade, Edipo sentì un odore familiare. Era la Sfinge. Edipo disse: "Voglio farti una domanda. Perché non ho riconosciuto mia madre?". "Avevi dato la risposta sbagliata," disse la Sfinge. "Ma fu proprio la mia risposta a rendere possibile ogni cosa." "No," disse lei. "Quando ti domandai cosa cammina con quattro gambe al mattino, con due a mezzogiorno e con tre alla sera, tu rispondesti l'Uomo. Delle donne non facesti menzione." "Quando si dice l'Uomo," disse Edipo, "si includono anche le donne. Questo, lo sanno tutti." "Questo lo pensi tu," disse la Sfinge.
>
> MURIEL RUKEYSER, *Myth*

Edipo, riletto nella breve versione poetica di Muriel Rukeyser,[1] sbaglia due volte. O, meglio, proprio in perfetta coerenza alla sua risposta, è costretto a incorrere in una doppia mostruosità. Si tratta, lo sappiamo, di una coerenza tutta interna alla filosofia, di cui egli è qui l'involontario campione. La logica di questa è nota: l'Uomo non solo è mostruoso in quanto astratto nome universale che fagocita l'unicità di ogni essere umano, ma è mostruoso anche per la sua pretesa di includere al contempo le donne pur nominandosi al maschile. Detto altrimenti, l'Uomo è contemporaneamente l'intera specie umana e uno dei suoi due generi. È neutro e maschile. È tutt'e due, nessuno dei due e uno dei

Pubblicato in: *Tu che mi guardi, tu che mi racconti. Filosofia della narrazione*, Feltrinelli, Milano 1997, pp. 67-73.

due. Scritto con l'iniziale maiuscola o minuscola, invocato dai testi filosofici o dal linguaggio quotidiano, l'effetto della sua prepotenza non cambia. L'intera tradizione occidentale, con la filosofia in primo piano, diventa il suo campo di autorappresentazione. Patriarcale, androcentrica o fallogocentrica che dir si voglia, pur nella sua varietà di stili, una cultura che tenta ormai di sopravvivere al secondo millennio canta fin dall'inizio le glorie del suo protagonista. Ogni studiosa femminista ha sui suoi scaffali decine di volumi che ne testimoniano le malefatte e ne denunciano l'arroganza.

Nella versione del mito di Muriel Rukeyser, la Sfinge sembra comunque attirare Edipo in una trappola ulteriore. C'è il rischio che l'errore, più che emendarsi, si raddoppi. Da un filosofo quale si mostra Edipo, capace com'è di appaesarsi immediatamente nell'universale, ci si potrebbe infatti persino attendere una risposta finale che aggiunga all'Uomo la Donna. "L'Uomo e la Donna," sarebbe in questo caso la risposta all'indovinello delle gambe. Tale risposta Edipo non la dà, ma – dopo la lettura della poesia di Rukeyser o, forse, ancor prima – noi la sentiamo vibrare nell'aria come una reticenza del mito, come una faccia inindagata dello sbaglio. In effetti, anche per noi, la trappola è seducente. Basterebbe forse aggiungere all'Uomo la Donna e tutto tornerebbe a posto.

Aggiungere all'Uomo la Donna significa però, con tutta evidenza, duplicare la rappresentazione dell'universale senza affatto affrancarsi dalla sua valenza astratta, senza affatto abbandonare l'errore antico della metafisica. Certo, il dato incontrovertibile che i sessi della specie umana sono due fa di tale duplicazione un omaggio al senso minimo dell'apparire. Come succedeva all'Uomo, la Donna, tuttavia, non può essere che tutte le donne proprio perché non è nessuna di esse. La sua pretesa realtà, sostanziata nel segno universale della maiuscola, appartiene al registro mistico della rappresentazione collettiva. Come l'Uomo, la Donna non si lascia dietro alcuna storia di vita. Alla Donna non si può chiedere *chi è* ma solo *cos'è*.

Mostruosa e teriomorfa, la Sfinge è comunque una creatura femminile. "Una donna con l'aspetto di mostro / un mostro con l'aspetto di donna / ne sono pieni i cieli," scrive appunto Adrienne Rich.[2] Non può essere dunque del tutto inutile alla sorte del suo sesso la trappola che ella sembra tendere al vecchio Edipo nella poesia di Rukeyser. Facendosi filosofo in nome dell'Uomo, egli mostra infatti di abbracciare quella tradizione del soggetto maschile che pone la donna come oggetto (negandole, per così dire, persino la maiuscola). Detto altrimenti, nella lunga vicenda filosofica che Edipo inaugura, la donna sta notoriamente nella posizione dell'oggetto, ossia è pensata, rappresentata, definita dal punto di vista dell'Uomo. In quanto donna *dell'*Uomo e *per* l'Uomo, differente *da* lui poiché egli è il paradigma del genere umano, la donna, pur essendo un nome generale, non è mai universale. Consiste piuttosto in una serie di immagini che rappresentano, di volta in volta e a seconda delle circostanze, *cosa* dev'essere una donna nell'economia del desiderio maschile: per lo più una madre o una moglie, e, qualche volta – pare comunque questo il caso! – la loro confusione. Dal punto di vista della Sfinge, spingere Edipo sull'orlo di una risposta che aggiunga all'Uomo la Donna è pertanto una sorta di sfida o, forse, una beffa non priva di umorismo.

Cos'è infatti la Sfinge medesima se non una delle figure più esplicite di queste rappresentazioni androcentriche della donna? che cos'è se non il mostro femminile – il lato tremendo dell'animalità che l'Uomo vede nel femminile – di fronte a lui, il re?

Spingendolo sull'orlo di uno sbaglio che egli non arriva neppure a immaginare, la Sfinge sfida dunque Edipo su un piano di coerenza epistemica, invitandolo a porre la Donna accanto all'Uomo nel posto, a lei sempre negato, del soggetto. Oltre tutto, in questa risposta, lei, che col suo corpo ferino cammina sempre a quattro zampe, potrebbe alla fine permettersi una certa varietà di stili deambulanti. Sia pure il discorso filosofico sull'universale – l'arte definitoria che ama l'astratto – un formidabile sbaglio: esso non sminuisce il peso dell'arroganza androcentrica che riserva all'Uomo il ruolo del soggetto. Nel suo profilo classico la filosofia è figlia solo di Edipo, non della Sfinge.

In un'altra poesia di Muriel Rukeyser, *Vita privata della Sfinge*,[3] la voce della mostruosa cantatrice si sviluppa in un lungo monologo. Ella dice all'inizio:

Sulla rocca posi al re tremebondo
una sciocca domanda affinché guardasse a se stesso.
Egli guardò. Vide se stesso e il regno. Prese.
I miei artigli e il mio sorriso trasferiti nel suo mito.

Evidentemente la domanda è sciocca perché parla del numero delle gambe. Ma è soprattutto sciocca di per sé, stupida, *foolish*. Infatti il suo fine non consiste nella completezza che la risposta di Edipo, altrettanto sciocca e del tutto a tono, le potrebbe conferire, bensì nello spingere Edipo a guardare a se stesso, a chiedersi chi è. Egli in effetti guarda: ma lo fa nella direzione sbagliata e perciò non si vede. Vede invece il regno e vede se stesso come il re di Tebe, il marito di Giocasta, il potente signore. Egli prende subito, prende tutto: anche la Sfinge, ridotta ormai a figura del suo mito, a significante della sua storia. Edipo, potremmo dire ancora una volta, si avvia con decisione verso il destino possessivo del soggetto fallogocentrico ignorando totalmente *chi* egli stesso è.

Certo Edipo che porta il piede (*pous*) nel suo stesso nome – Edipo trafugato da bambino ma grande e potente, ben dritto sui due piedi, al mezzogiorno della sua vita, Edipo presto cieco e costretto a camminare col bastone – avrebbe potuto allertarsi di fronte all'indovinello delle gambe.[4] Avrebbe potuto, nella sciocca domanda, trovare degli ottimi motivi per guardare a se stesso, ossia alla sua storia. La riscrittura del mito, nella breve versione di Muriel Rukeyser, ci suggerisce tuttavia una soluzione diversa. La chiave infatti non sta nelle parole sin troppo allusive dell'indovinello, bensì nel legame fra la risposta sbagliata e l'incesto, ossia nella conseguenza cruciale dell'errore.

Davvero strana è infatti la domanda che il vecchio Edipo osa porre alla Sfinge: "Perché non ho riconosciuto mia madre?".

Volto tremendo del primo enigma, la Sfinge rimane

evidentemente, nell'opinione di Edipo, la signora suprema di tutti gli enigmi. Soprattutto di questo, che egli non sa risolvere. La soluzione, che la Sfinge rivela, sta però proprio nella risposta di lui che, dicendo l'Uomo senza menzionare le donne, commise il primo sbaglio. Credendo di aver dato la risposta giusta Edipo ebbe così il regno e la regina; ma, poiché la risposta era sbagliata, sposò sua madre senza poterla riconoscere. Quella risposta rese appunto ogni cosa possibile, anche l'incesto.

Il vecchio Edipo, tuttavia, ancora, non capisce. Anzi, rincara due volte la dose dell'antico errore. Egli infatti, per giustificarsi, non solo pretende che il termine Uomo includa anche le donne, ma sottolinea che è una cosa nota a tutti, che è un sapere evidente e indiscutibile. "Questo lo pensi tu," ribatte allora la Sfinge al povero cieco. L'ultima risposta di Edipo, l'estrema difesa, l'ovvia giustificazione a una catena di sbagli, è in effetti la peggiore di tutte. Dall'Uomo che, nel rischio dell'antica risposta, abitava ancora l'incertezza e il tremore dello sfidante, Edipo è ormai passato a intendere l'universalità dell'Uomo come l'*ovvio* di un sapere generale.

L'enigma dell'incesto, che consegue alla risposta sbagliata al primo enigma, è dunque ormai chiaro. Come potrebbe infatti aver riconosciuto sua madre chi *ovviamente* include anche le donne nell'Uomo? Come potrebbe mai riconoscerla chi, a rigor di logica – e come Aristotele argomenta con prove – dovrebbe limitarsi a dire che l'uomo nasce dall'Uomo?

Solo più tardi, lo sappiamo, Edipo impara a sue spese come sua madre sia appunto *questa*, questa e non altra, da cui egli nacque, questo e non altro. Solo troppo tardi Edipo è costretto a imparare che la lingua astratta dell'uomo impedisce di riconoscere il volto, sempre unico e irripetibile, dell'esistente. Il vecchio Edipo, che la Sfinge incontra nella poesia di Rukeyser, è dunque un uomo svagato e corto di memoria. Inutilmente ammonito dalla sua storia, come se nessuno gliel'avesse mai raccontata, egli ritorna, per tragica distrazione, al vecchio vizio della filosofia.

C'è un aspetto per cui la vicenda di Edipo disegna una tragedia che poteva solo capitare a un uomo. Detto altrimenti, la tragedia dell'originaria scissione fra l'Uomo universale e l'unicità del sé, fra l'astrazione del soggetto e la concretezza dell'unicità – in una parola, fra l'ordine discorsivo della filosofia e quello della narrazione – è una tragedia tutta maschile. Anche nella recente "attuazione" del modello emancipativo (che finisce per legittimare quel che Edipo, nella tardiva giustificazione del suo formidabile errore, riterrebbe ovvio), ben poche donne sembrano infatti disposte a riconoscersi nell'universalità del termine Uomo. Quanto al dovere di riconoscersi nelle immagini della donna pensate per millenni dall'Uomo, è noto come il plateale rifiuto esploso nell'era contemporanea abbia dei significativi precedenti in una lunga storia di muta resistenza femminile.

Estranee alla forma del soggetto e deportate nel luogo dell'oggetto, alle donne è dunque imprevedibilmente toccata anche una grande fortuna: quella di sottrarsi, senza sforzo alcuno, all'enfasi del vecchio gioco in cui campeggia l'autorappresentazione. Per millenni la domanda "che cos'è la donna?" ha del resto riguardato una definizione, cento definizioni, mille contraddizioni, in cui nessuno certo si aspettava che fosse una donna a rispondere. Il discorso sull'universale, con il suo amore per l'astratto e la sua logica definitoria, è da sempre una faccenda per soli uomini. La scissione fra universalità e unicità, tra filosofia e narrazione, segna sin dall'inizio una tragedia maschile.

C'è pertanto un'ombra di verità nel consueto stereotipo per cui spetterebbe alle donne una sorta di attitudine per il *particolare*. Come la proverbiale cura per il fragile, il piccolo, l'esposto, squisitamente femminile è infatti da secoli la cura per un particolare che, lungi dal voler salvarsi in un'universalità più alta, gode di esser tale e non aspira a trascendersi. Si tratta del particolare, splendente di finitezza e pago del suo esistere, la cui gloria prende appunto, per gli umani, la forma dell'unicità.

Nel suo concetto, l'unicità corrisponde infatti alla forma estrema del particolare, anzi, alla sua forma assoluta, ossia *sciolta*, per principio, da qualsiasi universale che voglia redimerne lo scandalo e cancellare il miracolo. Perché precisamente questa, da Platone in poi, è stata la missione che la filosofia, sedotta dall'universale, ha originariamente deciso di accollarsi: redimere, salvare, sollevare il particolare dalla sua finitezza, e, perciò, l'unicità dal suo scandalo. Tale impresa di redenzione si è però logicamente trasformata in un atto di cancellazione. Come Hegel ammette – e Arendt non manca di segnalare – "la contemplazione filosofica non ha altra intenzione che sopprimere l'accidentale".[5] *Salvare sopprimendo* è appunto una legge antica che i filosofi chiamano dialettica.

È dunque prudente non rivolgersi affatto alla filosofia se si vuol davvero salvare l'accidentale che è in ogni vita, ossia l'accidentalità di essere "questo e non altro" che capita a ognuno come il *dato* del suo stesso esser qui. Più che di salvezza, l'accidentale ha del resto bisogno di cura. Raccontare la storia che ogni esistenza si lascia dietro è forse il gesto più antico di tale cura. Non necessariamente una storia che aspiri a immortalarsi nell'empireo letterario – come vorrebbe la stessa Hannah Arendt, quando pensa a Omero – ma piuttosto il tipo di storia il cui racconto si appaesa persino negli angoli delle cucine, davanti a un caffè, oppure sul treno, quando sono costretti ad ascoltarla anche quelli che non la vorrebbero sentire. Nelle cucine, sui treni, nei corridoi delle scuole e degli ospedali, davanti a una pizza o a un bicchiere, sono sintomaticamente soprattutto le donne a raccontare storie di vita. Come nota Françoise Collin, "la comunicazione fra donne si nutre essenzialmente del confronto di racconti di vita, piuttosto che dell'urto reciproco di idee".[6] Da sempre, l'attitudine per il particolare fa di esse delle narratrici eccellenti. Ricacciate, come Penelope, nelle stanze dei telai, sin dai tempi antichi esse hanno intessuto trame per le fila del racconto. Hanno appunto *intessuto* storie, lasciandosi così incautamente strappare la metafora del *textum* dai letterati di professione. Antica o moderna, la loro arte si ispira a una saggia ripugnanza per l'astratto universale e consegue a una pratica quotidiana dove il racconto è esistenza, relazione e attenzione.

Affidata a tale arte femminile, sembra così che una filosofia della narrazione sia ormai l'unica cura per salvare il nome stesso della filosofia dalla sua sorte tragica.

Note

[1] Muriel Rukeyser, *Myth*, in *The Collected Poems*, McGraw-Hill, New York 1978, p. 498.

[2] Adrienne Rich, *Segreti, silenzi, bugie*, La Tartaruga, Milano 1982, p. 39.

[3] Muriel Rukeyser, *Private Life of the Sphinx*, in *The Collected Poems*, cit., p. 278.

[4] Cfr. Jean-Pierre Vernant, *Ambiguità e rovesciamento. Sulla struttura enigmatica dell'Edipo re*, in Jean-Pierre Vernant, Pierre Vidal-Naquet, *Mito e tragedia nell'antica Grecia*, Einaudi, Torino 1976, p. 101.

[5] Georg Wilhelm Friedrich Hegel, *Lezioni sulla filosofia della storia*, La Nuova Italia, Firenze 1981, vol. I, p. 8.

[6] Françoise Collin, *Pensare/raccontare. Hannah Arendt*, in "DWF", 3, 1986, p. 37.

Parte seconda

L'ALTER-AZIONE DEL SÉ: RAFFIGURAZIONI DELLA SOGGETTIVITÀ NEL PENSIERO FEMMINISTA POSTMODERNO, POSTCOLONIALE E QUEER

Elogio del margine

di bell hooks

A chi tra noi vorrebbe avere un ruolo attivo nella creazione di pratiche culturali contro-egemoniche, "una politica di posizione" intesa come punto di osservazione e prospettiva radicale impone di individuare spazi da cui iniziare un processo di re-visione. Quando mi viene chiesto "cosa significhi provare piacere leggendo *Amatissima* di Toni Morrison, o vedendo un film come *Aule turbolente* (*School Daze*, Spike Lee, 1988) o provare un interesse teorico per il post strutturalismo" (uno degli interrogativi "selvaggi" posti al III Forum mondiale Cinema Focus), la mia risposta si colloca nell'ambito della lotta politica di opposizione. Piaceri così diversi si possono provare, anche con grande godimento, perché si trasgredisce, vale a dire perché "ci si allontana dalla propria posizione".

Per gran parte di noi tale "allontanamento" implica la rottura dei limiti oppressivi di razza, sesso e dominio di classe. Inizialmente, dunque, si tratta di un gesto politico di sfida. Allontanandoci, ci troviamo di fronte a scelte e posizioni di varia natura. All'interno di sistemi di potere e di relazione complessi e mutevoli, ci mettiamo dalla parte della mentalità colonizzatrice? Oppure perseveriamo nella resistenza politica a fianco degli oppressi, pronti a offrire il nostro modo di vedere, teorizzare, far cultura, in favore di quella tensione rivoluzionaria che cerca di creare spazi in cui l'accesso al piacere e al potere della conoscenza sia illimitato, in cui la trasformazione sia possibile?

Pubblicato in: *Elogio del margine*, a cura di Maria Nadotti, Feltrinelli, Milano 1998, pp. 62-74.

Questa scelta è cruciale. Definisce e forma la nostra risposta alle pratiche culturali correnti e la nostra capacità d'immaginare atti estetici di opposizione nuovi e alternativi. Caratterizza il nostro modo di parlare di questi temi, il linguaggio che scegliamo. Il linguaggio è anche un luogo di lotta.

Provare a parlare di temi quali "spazio e posizione" scatena in me un dolore antico. Questi interrogativi mi obbligano, infatti, alla difficile esplorazione dei "silenzi" – luoghi che, nella mia personale storia politica e artistica, sono privi di definizione. Prima di tentare una qualsiasi risposta, ho dovuto valutare in che modo questioni quali spazio e posizione siano intimamente connesse a un profondo e personale disorientamento emotivo rispetto a luoghi, identità e desiderio. Una volta, nel corso di un'intensa conversazione notturna, parlando di chi, oppresso, lotta per darsi una voce, Eddie George (membro del Black Audio Film Collective) mi ha detto che "la nostra è una voce spezzata". E lo diceva in termini negativi. Gli ho risposto semplicemente che, quando la voce che ascoltiamo è rotta, è impossibile non cogliere anche il dolore che vi sta dietro – le parole della sofferenza –, quei suoni che spesso nessuno vuole udire. Stuart Hall è intervenuto parlando del bisogno di una "politica dell'articolazione". Capivano entrambi quanto mi fosse difficile trovare le parole. Uno scambio d'idee come questo è un gesto d'amore; gliene sono grata.

Ho lavorato per cambiare il mio modo di parlare e di scrivere, per incorporare nei miei racconti il senso geografico: non solo dove io sono ora, ma anche da dove vengo, e le molteplici voci presenti in me. Ho affrontato il silenzio e l'incapacità di essere articolata. Quando dico che queste parole scaturiscono dalla sofferenza, mi riferisco alla lotta personale che si conduce per definire la posizione da cui ci si dà voce – lo spazio del teorizzare.

Spesso, parlando con radicalità di dominio, parliamo proprio a chi domina. La sua presenza cambia la natura e la direzione delle nostre parole. La lingua è anche un luogo di lotta. Ero solo una ragazzina quando ho letto le parole di Adrienne Rich, "questa è la lingua dell'oppressore, ma ho bisogno di parlarti". Questa lingua che mi ha consentito di frequentare l'università, di scrivere una tesi di laurea, di sostenere colloqui di lavoro, ha l'odore dell'oppressore. La lingua è anche un luogo di lotta. Gli aborigeni australiani dicono "il puzzo di uomo bianco ci sta uccidendo". Ricordo i profumi della mia infanzia, la zuppa di pane, i broccoli, la pasta fritta. Ricordo come ci parlavamo, le nostre parole marcate dal forte accento dei neri del Sud. La lingua è anche un luogo di scontro. Noi siamo uniti nella lingua, viviamo nelle parole. La lingua è anche un luogo di lotta. Avrei il coraggio di parlare all'oppresso e all'oppressore con la stessa voce? Avrei il coraggio di parlare a voi con un linguaggio che scavalchi i confini del dominio – un linguaggio che non vi costringa, che non vi vincoli, che non vi tenga in pugno? Il linguaggio è anche un luogo di lotta. Gli oppressi lottano con la lingua per riprendere possesso di se stessi, per riconoscersi, per riunirsi, per ricominciare. Le nostre parole significano, sono azione, resistenza. Il linguaggio è anche un luogo di lotta.

Non è un obiettivo facile trovare il modo di includere le nostre molteplici voci nei vari testi che creiamo – film, poesia, teoria femminista. Sono suoni e immagini che il consumatore medio ha difficoltà a comprendere. Sono proprio quei suoni e quelle scene di cui non ci si può appropriare a essere la traccia che tutti cercano di mettere in discussione, che tutti vogliono cancellare e far scomparire. Me ne accorgo persino ora, mentre scrivo questo articolo. Nel proporlo all'ascolto e alla lettura, parlo con spontaneità, esprimendomi sì con termini propri del mondo accademico, ma soprattutto "usando il parlato" – espressioni colloquiali tipiche dei neri, suoni e gesti intimi che riservo per la famiglia e per coloro che amo. Parole private in un discorso pubblico, irruzioni dell'intimità, che creano un altro testo, uno spazio che consente di riscoprirmi fino in fondo nella lingua. In questo scritto continuo a scoprire lacune e assenze. Che io ne parli, se non altro, permetterà a chi legge di sapere che qualcosa è andato perduto. Altrimenti nelle mie parole – nella struttura profonda del mio narrare – non vi sarebbe che un'allusione. In *Freedom*

Charter, un libro in cui si affrontano alcuni aspetti del movimento contro l'apartheid razziale in Sud Africa, viene ripetuta più volte questa frase: "La nostra lotta è anche una lotta della memoria contro l'oblio". In molte delle migliori nuove pratiche culturali, in vari testi culturali – film, romanzi di autori e autrici africani-americani, teoria critica – è visibile la tensione a ricordare. Tensione che esprime il bisogno di creare spazi in cui sia possibile recuperare e ridare significato al passato, all'eredità del dolore, alla sofferenza, e trovare modi per trasformare con successo la realtà presente. I frammenti di memoria non sono rappresentati come semplici documenti. Essi sono costruiti in modo da dare "una nuova versione" del vecchio, per farci muovere verso una diversa forma di articolazione. Lo vediamo in film come *Dreaming Rivers* o *Illusions*, e in libri come *Mama Day* di Gloria Naylor. Sempre a proposito di "spazio e posizione" ripenso alla frase "la nostra lotta è anche una lotta della memoria contro l'oblio": politicizzazione della memoria che distingue la nostalgia, il desiderare intensamente che qualcosa sia come è sempre stato, una sorta di atto inutile, dal ricordo teso a illuminare e trasformare il presente.

Ho avuto bisogno di ricordare, di un processo autocritico in cui fermarmi a riconsiderare scelte e luoghi, ripercorrendo all'indietro l'itinerario che, dalla comunità nera di una piccola città del Sud, con le sue tradizioni popolari e religiose, mi aveva portato a città, università, quartieri dove la segregazione razziale non esisteva, a luoghi dove per la prima volta vedevo film indipendenti, leggevo teoria critica e ne producevo io stessa. Di quel viaggio ricordo con estrema lucidità i momenti in cui hanno cercato di impedirmi di darmi una voce. Nelle mie presentazioni pubbliche ero capace di raccontare storie, di condividere memorie. E ancora una volta, qui, vi alludo soltanto. Nel saggio d'apertura di *Talking Back* parlo del mio tentativo di formarmi come pensatrice critica, artista e scrittrice in un contesto repressivo. Parlo di punizioni, di mamma e papà che mi facevano tacere con brutalità, di censura delle comunità nere. Non ho avuto scelta. Ho dovuto lottare e fare resistenza per emergere da quel contesto, e più tardi da altri, con la mente intatta e il cuore aperto. Per andare al di là dei suoi confini, ho dovuto lasciare quello spazio che chiamavo casa, e più tardi, però, ho anche sentito il bisogno di tornarci. Uno dei gospel della nostra tradizione religiosa dice "I'm going up the rough side of the mountain on my way home", per tornare a casa ho preso la strada più impervia. In realtà il significato profondo di casa cambia con l'esperienza della decolonizzazione, della radicalizzazione. A volte, casa è in nessun luogo. A volte si conoscono soltanto alienazione e straniamento. Allora casa non è più un solo luogo. È tante posizioni. Casa è lo spazio che rende possibili e favorisce prospettive diverse e in continuo cambiamento, uno spazio in cui si scoprono nuovi modi di vedere la realtà, le frontiere della differenza. Sperimentare e accettare dispersione e frammentazione come fasi della costruzione di un nuovo ordine mondiale che riveli appieno dove siamo e chi possiamo diventare, e che non costringa a dimenticare. "La nostra lotta è anche una lotta della memoria contro l'oblio." Tra i neri, chi è sempre vissuto nel privilegio o nel desiderio di lasciarsi alle spalle una condizione di estrema povertà per raggiungerne una di privilegio, o ancora chi, come me, ha origini modeste e si è dovuto costantemente impegnare in una lotta politica all'interno e all'esterno della comunità nera per affermare una presenza estetica e critica, ha un'esperienza radicalmente diversa dello spazio e della posizione. I neri di estrazione povera e sottoproletaria che riescono ad arrivare all'università e a frequentare ambiti culturali privilegiati, e che però non intendono dimenticare chi sono rinunciando alla propria storia e ai segni della propria diversità di classe e di cultura e trasformandosi nell'"Altro esotico", se vogliono sopravvivere con animo integro, devono creare spazi all'interno della cultura dominante. In fondo, la nostra presenza è un atto di rottura. Noi siamo talmente "Altro" da essere una minaccia, oltre che per i bianchi che pensano di essere i soli in pericolo, anche per i neri di origine borghese che non capiscono e non condividono le nostre prospettive. Ovunque andiamo, subiamo pressioni da parte di chi vorrebbe ridurci al silenzio, cooptarci o toglierci la terra sotto i piedi. Non "arriviamo" mai e, se arriviamo, non ci è consentito "restare". Una volta tornati agli spazi da cui veniamo, ci facciamo fuori con le nostre stesse mani per la disperazione, annegando nel nichilismo, preda della povertà, della dipendenza e di tutti i postmoderni modi di morire che si possono immaginare. Inoltre, quei pochi di noi che ce la fanno a rimanere in quello spazio "altro", sono spesso troppo isolati, troppo soli. Ci si può addirittura morire. Quelli di noi che restano in vita, che "ce la fanno", conservando con passione i valori della vita "in famiglia", la vita "di un tempo" che non intendiamo perdere, continuando a cercare un sapere ed esperienze nuovi, inventano spazi di apertura radicale. Privi di tali spazi non sopravviveremmo. Le nostre vite dipendono dalla nostra capacità di concettualizzare alternative improvvisando. È compito di una pratica culturale radicale teorizzare su questa esperienza in una prospettiva estetica e critica.

Per me questo spazio di apertura radicale è il margine, il bordo, là dove la profondità è assoluta. Trovare casa in questo spazio è difficile, ma necessario. Non è un luogo "sicuro". Si è costantemente in pericolo. Si ha bisogno di una comunità capace di far resistenza.

Ecco cosa ho scritto a proposito di marginalità nell'introduzione a *Feminist Theory: From Margin To Center*:

> Essere nel margine significa appartenere, pur essendo esterni, al corpo principale. Per noi, americani neri, abitanti di una piccola città del Kentucky, i binari della ferrovia sono stati il segno tangibile e quotidiano della nostra marginalità. Al di là di quei binari c'erano strade asfaltate, negozi in cui non potevamo entrare, ristoranti in cui non potevamo mangiare e persone che non potevamo guardare dritto in faccia. Al di là di quei binari c'era un mondo in cui potevamo lavorare come domestiche, custodi, prostitute, fintanto che eravamo in grado di servire. Ci era concesso di accedere a quel mondo, ma non di viverci. Ogni sera dovevamo fare ritorno al margine, attraversare la ferrovia per raggiungere baracche e case abbandonate al limite estremo della città.

C'erano leggi a governare i nostri movimenti sul territorio. Non tornare significava correre il rischio di essere puniti. Vivendo in questo modo – all'estremità –, abbiamo sviluppato uno sguardo particolare sul mondo. Guardando dall'esterno verso l'interno e viceversa, abbiamo concentrato la nostra attenzione tanto sul centro quanto sul margine. Li capivamo entrambi. Questo modo di osservare ci impediva di dimenticare che l'universo è una cosa sola, un corpo unico fatto di margine e centro. La nostra sopravvivenza dipendeva da una crescente consapevolezza pubblica della separazione tra i due luoghi e da un sempre più diffuso riconoscersi degli individui come parte necessaria e vitale di un insieme. Questo senso di appartenenza, impresso nelle nostre coscienze dalla struttura della vita quotidiana, ci ha dato una visione oppositiva del mondo – un modo di vedere sconosciuto a gran parte dei nostri oppressori. Esso ci ha sostenuti e aiutati nella lotta contro la povertà e la disperazione, rafforzando il nostro senso di identità e di solidarietà.

Anche se incomplete, queste affermazioni individuano la marginalità come qualcosa di più di un semplice luogo di privazione. Ciò che intendevo sostenere è, infatti, l'esatto contrario, ossia che la marginalità è un luogo di radicale possibilità, uno spazio di resistenza. Questa marginalità, che ho definito spazialmente strategica per la produzione di un discorso contro-egemonico, è presente non solo nelle parole, ma anche nei modi di essere e di vivere. Non mi riferivo, quindi, a una marginalità che si spera di perdere – lasciare o abbandonare – via via che ci si avvicina al centro, ma piuttosto a un luogo in cui abitare, a cui restare attaccati e fedeli, perché di esso si nutre la nostra capacità di resistenza. Un luogo capace di offrirci la possibilità di una prospettiva radicale da cui guardare, creare, immaginare alternative e nuovi mondi.

Non si tratta di una nozione mistica di marginalità. È frutto di esperienze vissute. Voglio chiarire, tuttavia, che cosa significhi lottare per mantenere questo tipo di marginalità quando si lavora, si produce, si scrive "dal centro". È da tempo che non vivo più in quel mondo segregato al di là dei binari della ferrovia. Per vivere in quel mondo era fondamentale una consapevolezza sempre maggiore del bisogno di opposizione. Quando Bob Marley canta "We refuse to be what you want us to be, we are what we are, and that's the way it's going to be" (rifiutiamo di essere ciò che voi volete farci essere, siamo quel che siamo e voi non ci potete fare proprio niente), lo spazio del rifiuto da cui si può dire no al colonizzatore, a chi ti opprime, sta sui margini. E si può solo dire no, far parlare la voce della resistenza, perché è lì che esiste un contro-linguaggio. Anche se può essere paragonata a quella del colonizzatore, la nostra lingua ha subito una trasformazione: essa è stata immediatamente cambiata. Abbandonando fisicamente quello spazio concreto ai margini, al di là della ferrovia, ho mantenuto vivo nel cuore un modo di conoscere la realtà che afferma incessantemente non solo il primato della resistenza, ma anche un bisogno di resistere sostenuto dal ricordo di un passato dove è la memoria di tante voci spezzate a far trovare a ognuno di noi la propria vera voce. È un bisogno di resistere che ci rende liberi, che decolonizza le nostre menti e tutto il nostro essere. Una volta, mentre stavo per tornare a un'università frequentata quasi esclusivamente da bianchi, mia madre mi disse: "Puoi prendere ciò che i bianchi hanno da offrirti, ma non devi amarli". Adesso, conoscendo i suoi codici culturali, so che non mi stava dicendo di non amare persone di altre razze. Parlava di colonizzazione e di cosa significa venire educati e istruiti in una cultura del dominio, per mano di chi quel dominio detiene. Diceva che ero in grado, che avevo la forza, di separare i saperi utili che avrei potuto acquisire dal gruppo dominante dalla partecipazione a forme di conoscenza che mi avrebbero portata allo straniamento, all'alienazione e, ancor peggio, all'assimilazione e alla co-optazione. Sosteneva che, per imparare, non era necessario consegnarsi a loro. Pur non essendo mai stata all'università, mia madre sapeva che più di una volta mi sarebbe capitato di affrontare situazioni in cui sarei stata "messa alla prova", "testata". Sapeva che, per farmi accettare, sarei stata costretta a diventare parte di un sistema di scambio capace di garantire il mio successo, il mio "farcela".

Mi stava ricordando che era necessario non smettere di opporsi e allo stesso tempo mi incoraggiava a non perdere quella prospettiva radicale costruita e modellata dalla marginalità.

Capire la marginalità come posizione e luogo di resistenza è cruciale per chi è oppresso, sfruttato e colonizzato. Se consideriamo il margine solo come un segno che esprime disperazione, veniamo penetrati distruttivamente da uno scetticismo assoluto. Ed è proprio lì, in quello spazio di disperazione collettiva, che la nostra creatività e la nostra immaginazione sono in pericolo, che la nostra mente viene colonizzata, che si desidera la libertà come fosse un bene perduto. Le menti che resistono alla colonizzazione lottano, in fondo, per la libertà e a essa aspirano come a un bene perduto. Esse lottano per la libertà d'espressione. Da principio la lotta potrebbe addirittura non avere come bersaglio il colonizzatore, ma prendere il via all'interno della nostra stessa comunità o della nostra famiglia, a loro volta colonizzate e segregate. Ci tengo quindi a sottolineare che non sto cercando di riabilitare e romanticizzare il concetto di marginalità spaziale, secondo cui gli oppressi vivono "in purezza", separati dagli oppressori. Voglio affermare che questi margini sono stati luoghi di repressione, ma anche di resistenza. Poiché siamo capaci di definire la natura di quella repressione, è evidente che sappiamo che il margine è un luogo di privazione. Quando, però, si tratta di parlare del margine come di un luogo di resistenza, ci facciamo più silenziosi. Quando si tratta di parlare del margine come di un luogo di resistenza, veniamo spesso ridotti al silenzio.

Costretti al silenzio. Durante gli anni dell'università, più di una volta mi sono accorta che parlavo con la voce della resistenza. Non posso certo dire che i miei discorsi fossero accettati e seguiti con intensità tale da riuscire ad alterare la relazione tra colonizzatore e colonizzato, ma ho constatato che gli studiosi che in genere si definiscono pensatori critici e radicali e le teoriche del femminismo hanno ora un ruolo fondamentale nella costruzione di un discorso sull'"Altro". Fui resa "Altro" lì, in quello spazio, in mezzo a loro. Spazio ai margini, mondo abitato e segregato del mio passato e presente. Non mi hanno incontrata in quello spazio, bensì al centro. Mi hanno accolta da colonizzatori. Aspetto che siano loro a svelarmi la natura e l'intensità della loro resistenza e a spiegarmi come siano riusciti a rinunciare al potere di agire come colonizzatori. Aspetto che diventino testimoni, capaci di raccontare. Affermano che il discorso sulla marginalità, sulla differenza, è andato oltre la discussione sul "noi e loro". Ma non dicono come ciò sia accaduto. Questo scritto è una risposta dallo spazio radicale della mia marginalità. Uno spazio di resistenza. Uno spazio che ho scelto.

Aspetto che smettano di parlare dell'"Altro" e che la finiscano di ripetere quanto sia importante parlare di differenza. Importante non è soltanto ciò di cui parliamo, ma anche come e perché decidiamo di parlare. Spesso questo discorso sull'"Altro" è anche una maschera, un parlare oppressivo che nasconde vuoti e assenze, quello spazio dove le nostre parole prenderebbero corpo se fossimo noi a parlare, se intorno a noi ci fosse silenzio e soprattutto se noi ci fossimo. Questo "noi-soggetto" è quel "noi-oggetto" nei margini del "noi e loro" quel "noi-soggetto" che abita lo spazio del margine inteso non come luogo di dominio, ma di resistenza. Entrate in quello spazio. Spesso questo discorso sull'"Altro" annulla, cancella: "Non c'è bisogno di sentire la tua voce, quando posso parlare di te meglio di quanto possa fare tu. Non c'è bisogno di sentire la tua voce. Raccontami solo del tuo dolore. Voglio sapere la tua storia. Poi te la ri-racconterò in una nuova versione. Ti ri-racconterò la tua storia come se fosse diventata mia, la mia storia. Sono pur sempre autore, autorità. Io sono il colonizzatore, il soggetto parlante, e tu ora sei al centro del mio discorso". Stop. Noi vi celebriamo come liberatori. Questo "noi-soggetto" è quel "noi-oggetto" nei margini del "noi e loro", quel "noi-soggetto" che abita lo spazio del margine inteso non come luogo di dominio, ma di resistenza. Entrate in quello spazio. Il mio è un invito deciso. Vi scrivo, vi parlo, da un luogo ai margini, un luogo dove io sono diversa, dove vedo le cose in modo differente. Sto parlando di ciò che vedo.

Parlare dai margini, parlare nella resistenza. Apro un libro. Nella quarta di copertina leggo: *mai più nell'ombra*. Un libro che suggerisce la possibilità di parlare da liberatori. Solo chi parla e chi rimane in silenzio. Solo chi vive nell'ombra – ombra in un corridoio, spazio in cui le immagini delle donne nere sembrano non aver voce, spazio in cui le nostre parole sono invocate per servire e aiutare, spazio della nostra assenza. Solo fragili echi di protesta. Noi siamo state riscritte. Siamo "Altro". Siamo il margine. Chi parla e a chi. Dove collochiamo noi stesse e i nostri compagni.

Costretti al silenzio. Temiamo chi parla di noi, chi non parla a noi e con noi. Sappiamo che cosa significa essere costretti al silenzio. Certo, sappiamo che le forze che ci hanno fatto tacere, poiché non hanno mai voluto farci parlare, sono ben diverse dalle forze che dicono: parla, raccontami la tua storia. Unica condizione: non parlare con la voce della resistenza. Parla soltanto da quello spazio al margine, che è segno di privazione, ferita, desiderio insoddisfatto. Racconta solo del tuo dolore.

Il mio è un invito deciso. Un messaggio da quello spazio al margine, che è luogo di creatività e potere, spazio inclusivo, in cui ritroviamo noi stessi e agiamo con solidarietà, per cancellare la categoria colonizzato/colonizzatore. Marginalità come luogo di resistenza. Entrate in quello spazio. Incontriamoci lì. Entrate in quello spazio. Vi accoglieremo come liberatori.

Gli spazi possono essere reali e immaginari. Possono raccontare storie e spiegare le storie. Gli spazi possono essere interrotti e trasformati attraverso pratiche artistiche e letterarie. Degli spazi ci si può appropriare.

Come nota Pratibha Parmar, "appropriazione e uso dello spazio sono atti politici".

Per parlare della posizione da cui svolgo il mio lavoro, scelgo il familiare linguaggio della politica, vecchi codici, parole come "lotta, marginalità e resistenza". Scelgo queste parole ben sapendo che non sono né più popolari né più "giuste" – le conservo insieme all'eredità politica che evocano e rappresentano, pur lavorando per cambiare ciò che affermano e per assegnare loro significati diversi, rinnovati.

Io sono nel margine. Faccio una distinzione precisa tra marginalità imposta da strutture oppressive e marginalità eletta a luogo di resistenza – spazio di possibilità e apertura radicale. Questo luogo di resistenza è permanentemente caratterizzato da quella cultura segregata di opposizione che è la nostra risposta critica al dominio.

Noi giungiamo in questo spazio attraverso la sofferenza, il dolore e la lotta. Sappiamo che la lotta è il solo strumento capace di soddisfare, esaudire e appagare il desiderio. La nostra trasformazione, individuale e collettiva, avviene attraverso la costruzione di uno spazio creativo radicale, capace di affermare e sostenere la nostra soggettività, di assegnarci una posizione nuova da cui poter articolare il nostro senso del mondo.

La coscienza della mestiza
di Gloria Anzaldúa

"La conciencia de la mestiza" / Verso una nuova coscienza

> *Por la mujer de mi raza*
> *hablará el espíritu.*[1]

Il filosofo messicano José Vasconcelos immaginava *una raza mestiza, una mezcla de razas afines, una raza de color – la primera raza síntesis del globo*. La chiamava *la raza cósmica*, una quinta razza che abbracciava le quattro grandi razze del mondo.[2] Contro la teoria della pura razza ariana e la politica di purezza razziale praticata dall'America bianca, la sua è una teoria dell'inclusione. Alla confluenza di due o più correnti genetiche, dove i cromosomi continuamente passano da una parte all'altra, questa miscela di razze, lungi dal generare esseri inferiori, offre una progenie ibrida, una specie mutevole, più malleabile, con una ricca riserva genetica. Da questa impollinazione razzialmente, ideologicamente, culturalmente e biologicamente incrociata scaturisce oggi una coscienza "aliena" – una nuova coscienza *mestiza, una conciencia de mujer*. È la coscienza delle Borderlands, delle terre di confine.

Pubblicato in: *Terre di confine. La frontera*, ed. it. a cura di Paola Zaccaria, Palomar, Bari 2006, pp. 119-129.

"Una lucha de fronteras" / Una lotta ai confini

> Perché io, *mestiza*,
> non faccio che uscire da una cultura
> ed entrare in un'altra,
> perché io sono in tutte le culture nello stesso tempo,
> *alma entre dos mundos, tres, cuatro,*
> *me zumba la cabeza con lo contradictorio.*
> *Estoy norteada por todas las voces que me hablan*
> *simultáneamente.*

L'ambivalenza di questo scontro di voci produce stati di perplessità mentale ed emotiva. Il conflitto interiore produce insicurezza e incertezza. La personalità duplice o molteplice della *mestiza* è affetta dall'irrequietudine psichica.

Nel suo stato mentale di nepantilismo (una parola azteca che vuol dire lacerata fra vie diverse), la *mestiza* è un prodotto del trasferimento dei valori spirituali e culturali di un gruppo a un altro. Poiché è triculturale, monolingue, bilingue o multilingue, o parla un *patois*, ed è in uno stato di transizione perpetua, la *mestiza* vive il dilemma della specie mista: a quale collettività presta ascolto la figlia di una madre dalla pelle scura?

El choque de un alma atrapado entre el mundo del espíritu y el munda de la técnica a veces la deja entullada. Cresciuta in una cultura intramezzata fra due culture, collocata a cavallo di tutte e tre le culture e dei loro sistemi di valori, la *mestiza* patisce una battaglia della carne, una battaglia di confini, una guerra interiore. Come tutti, noi percepiamo la visione della realtà che la nostra cultura ci comunica. Come altri che possiedono o vivono più di una cultura, anche noi riceviamo messaggi multipli, spesso opposti. La confluenza di due quadri di riferimento[3] coerenti ma spesso incompatibili causa un *choque*, una collisione culturale.

Dentro di noi e dentro la cultura *chicana*, le credenze condivise della cultura bianca aggrediscono le credenze condivise della cultura messicana, e tutte e due aggrediscono le credenze condivise della cultura indigena. Il nostro subconscio percepisce questo come un attacco contro di noi e contro le nostre credenze, come una minaccia, e per questo cerchiamo di resistervi con una presa di posizione antagonista.

Ma posizionarsi sulla riva opposta, gridare domande, sfidare le convenzioni bianche e patriarcali, non è sufficiente. Una posizione antagonista ti inchioda a un duello fra oppresso e oppressore; incatenati in una battaglia mortale come il poliziotto e il criminale, l'una e l'altro sono ridotti al comune denominatore della violenza. La posizione antagonista è una sfida orgogliosa alle idee e alle credenze della cultura dominante, ma, come ogni reazione, è limitata e subordinata a ciò contro cui reagisce. La posizione antagonista scaturisce da un'insofferenza dell'autorità esteriore e interiore e costituisce un passo avanti verso la liberazione dal dominio culturale, ma non è un modo di vita. Viene un momento, nella creazione di una nuova coscienza, in cui dobbiamo allontanarci dalla riva opposta, risanare in qualche modo la scissione che separa i due combattenti, per riuscire a collocarci nello stesso tempo su entrambe le rive e a vedere contemporaneamente con gli occhi del serpente e con gli occhi dell'aquila. Oppure possiamo decidere di sganciarci dalla cultura dominante, cancellarla come causa persa una volta per tutte, e attraversare il confine per entrare in un territorio completamente nuovo e separato. O possiamo prendere un'altra strada ancora. Le possibilità sono molte, una volta che decidiamo di agire anziché reagire.

Tollerare l'ambiguità

Tutte queste possibilità lasciano la *mestiza* dibattersi in mari inesplorati. A causa delle informazioni e dei punti di vista contraddittori che percepisce i suoi confini psicologici vengono inondati. Ha scoperto che non può trattenere concetti o idee in confini rigidi. I confini e i muri che dovrebbero tener fuori le idee indesiderate sono solo schemi radicati di comportamento, abitudini e modelli che diventano il nemico interno. Rigidità significa morte. Solo restando flessibili, la *mestiza* può estendere la psiche orizzontalmente e verticalmente. Ella deve continuamente spostarsi dentro e fuori dagli abiti mentali; dalla modalità occidentale del pensiero convergente – il ragionare analitico che tende a usare la razionalità per puntare a un singolo fine – deve muoversi verso un pensiero divergente che si allontana da modelli e fini costituiti per cercare una prospettiva più ampia, che include anziché escludere.[4]

La nuova *mestiza* sopravvive sviluppando la tolleranza per le contraddizioni, la tolleranza per l'ambiguità. Impara a essere *indiana* nella cultura messicana, messicana dal punto di vista *anglo*. Impara a fare giochi di destrezza con le culture. Ha una personalità plurale, opera secondo modalità pluralistiche – niente è respinto, il buono, il cattivo e il brutto, niente rifiutato, niente abbandonato. Oltre a sostenere le contraddizioni, sa trasformare l'ambivalenza in un'altra cosa.

A volte un evento emotivo intenso, spesso doloroso, la strappa dall'ambivalenza rovesciandola o sciogliendola. Non so in che modo questo avvenga; è un lavoro che si svolge sotterraneamente – nel subconscio. È un lavoro svolto dall'anima. Il fuoco, il fulcro, la congiunzione dove si colloca la *mestiza*, è il luogo in cui i fenomeni tendono a collidere, è il luogo dove è possibile unire ciò che è separato. Non si tratta di assemblaggio in cui ci si limita a mettere insieme pezzi distinti o separati, né di una bilancia di poteri contrapposti. Piuttosto, cercando di elaborare una sintesi, l'io aggiunge un terzo elemento che è maggiore della somma delle sue parti separate. Questo terzo elemento è una nuova coscienza – una coscienza *mestiza* – e, sebbene sia fonte di intenso dolore, trae energia da un moto creativo costante in cui gli aspetti unitari di ogni nuovo paradigma sono sottoposti a continua frammentazione.

En unas pocas centurias, il futuro apparterrà alla *mestiza*. Poiché il futuro dipende dalla frantumazione dei paradigmi, dipende dalla capacità di stare a cavallo fra due o più culture. Creando un nuovo *mythos* – cambiando il modo di percepire la realtà, di vedere noi stessi, di agire e di comportarci – la *mestiza* crea una nuova coscienza.

Il lavoro della *mestiza* consiste nel far saltare il dualismo soggetto-oggetto che la imprigiona e nel rivelarne il trascendimento nella sua carne e nelle immagini del suo lavoro. La risposta alle tensioni fra la razza bianca e quelle di colore, tra maschi e femmine, sta nella nostra capacità di risanare la scissione che sta alle fondazioni delle nostre vite, della nostra cultura, dei nostri linguaggi, dei nostri pensieri. Uno sradicamento profondo del pensiero dualistico nella coscienza individuale e collettiva è l'inizio di una lunga lotta che tuttavia potrebbe – almeno, lo speriamo – porre fine allo stupro, alla violenza, alla guerra.

"La encrucijada" / L'incrocio

> Stanno sacrificando un pollo
> a un incrocio, un mucchietto di terra
> un sacrario di fango per *Eshu*,
> divinità Yoruba dell'indeterminatezza,
> che benedice la sua scelta di via.
> E lei comincia il viaggio.

Su cuerpo es una bocacalle. La *mestiza* si è trasformata dal capro espiatorio del sacrificio nella sacerdotessa officiante all'incrocio delle strade.

In quanto *mestiza*, non ho paese, la mia patria mi ha esclusa; eppure tutti i paesi mi appartengono, perché di ogni donna sono la sorella o l'amante potenziale (in quanto lesbica non ho razza, il mio stesso popolo non mi riconosce; ma sono tutte le razze, perché in ogni razza c'è il diverso in me). Sono senza una cultura perché, in quanto femminista, sfido le credenze collettive cultural/religiose di origine maschile tanto degli indo-ispanici quanto degli *anglos*; eppure sono piena di cultura perché partecipo alla creazione di una cultura ulteriore, di una nuova storia che spieghi il mondo e la nostra presenza in esso, di un nuovo sistema di valori le cui immagini e simboli ci connettono le une alle altre e al pianeta. *Soy un amasamiento*, sono l'atto di impastare, di unire e di mettere insieme, da cui ha preso forma una creatura che appartiene sia al buio, sia alla luce, ma anche una creatura che mette in discussione la definizione di luce e di buio e ne cambia il significato.

Noi siamo il popolo che balza nel buio, noi siamo il popolo che sta sulle ginocchia delle divinità. Nella nostra carne, la ri/evoluzione risolve l'impatto fra le culture. Ci rende folli per sempre, ma se il centro tiene allora vuol dire che abbiamo fatto un passo avanti nell'evoluzione. *Nuestra alma el trabajo*, l'opus, la grande opera alchemica; il *mestizaje* spirituale, una "morfogenesi",[5] uno svolgimento inevitabile. Siamo diventati il movimento rapido del serpente.

Indigena come il mais, come il mais la *mestiza* è il prodotto di un incrocio, progettata per durare sotto ogni genere di condizioni. Come una pannocchia di mais – organo femminile seminale – la *mestiza* è tenace, avvolta stretta nel cartoccio della sua cultura. Come i grani si aggrappa alla pannocchia; con gambi spessi e forti radici di sostegno si tiene stretta alla terra – sopravviverà all'incrocio.

Lavando y remojando el maíz en agua de cal, despojando el pellejo. Moliendo, mixteando, amasando, haciendo tortillas de masa.[6] Immerge nella calce viva il mais, che si gonfia, si ammorbidisce. Con rullo di pietra su *metate* lo macina, poi macina ancora, impasta e forma, spiana le sfere rotonde di pasta in *tortillas*.

> Siamo la roccia porosa nel *metate* di pietra
> accovacciato a terra.
> Siamo il mattarello, *el maíz y agua,*
> *la masa harina. Somos el amasijo.*
> *Somos lo molido en el metate.*
> Siamo il *comal* fumante, la tortilla calda, la bocca affamata.
> Siamo la ruvida roccia.
> Siamo il movimento che macina,
> la bevanda mista, *somos el molcajete.*
> Siamo il pestello, il *comino, ajo, pimiento,*
> siamo il *chile colorado,*
> il germoglio verde che rompe la pietra.
> Resteremo.

"El camino de la mestiza" / Il viaggio della "mestiza"

Presa fra la contrazione improvvisa, il respiro risucchiato e lo spazio infinito, la donna scura è immobile, guarda il cielo. Decide di scendere nella profondità, scavandosi la strada lungo le radici degli alberi. Setacciando fra le ossa, le scuote per vedere se ancora contengono del midollo. Poi, portandosi la terra alla fronte, alla lingua, ne prende alcune, lascia le altre nel luogo di sepoltura.
Riesamina il suo fardello, conserva il diario e il libro degli indirizzi, getta via le mappe del metro. Le monete pesano, e sono le prossime ad andare, poi i biglietti di banca svolazzanti per l'aria. Tiene il coltello, l'apriscatole e la matita per le ciglia. Mette nello zaino ossa, pezzi di corteccia, *hierbas*, piuma d'aquila, pelle di serpente, registratore, sonaglio e tamburo, e si avvia a diventare una vera *tolteca*.[7]

Per prima cosa, fa l'inventario. *Despojando, desgranando, quitando paja.* Che cos'è, esattamente, che ha ereditato dagli antenati? Il peso che porta – qual è il bagaglio della madre indiana, qual è il bagaglio del padre ispanico, qual è il bagaglio che ha ricevuto dagli *anglos*?
Pero es difícil distinguere fra *lo heredado, lo adquirido, lo impuesto.* Passa la storia al setaccio, vaglia le menzogne, guarda le forze cui noi come razza, noi come donne, siamo state parte. *Luego bota lo que no vale, los desmientos, los desencuentos, el embrutecimiento. Aguarda el juicio, hondo y enraízado, de la gente antigua.* È una rottura consapevole con le tradizioni oppressive di tutte le culture e tutte le religioni. Comunica questa rottura, documenta questa lotta. Reinterpreta la storia e, usando simboli nuovi, dà forma a nuovi miti. Adotta nuove prospettive verso la gente di pelle scura, le donne, i diversi. Rinforza in sé la tolleranza (e l'intolleranza) per l'ambiguità. È disposta a condividere, a rendersi vulnerabile a modi stranieri di vedere e di pensare. Abbandona ogni idea di sicurezza, di familiarità. Decostruire, costruire. Diventa una *nahual*, che sa trasformarsi in albero, in coyote, in un'altra persona. Impara a trasformare il piccolo "me" nell'Io totale. *Se hace moldeadora de su alma. Según la concepción que tiene de si misma, asi será.*

"Que no se nos olvide los hombres"

> *Tú no sirves pa' nada –*
> non sei buona a niente.
> *Eres pura vieja.*

"Sei solo una donna" significa che ti manca qualcosa. È l'opposto di essere un *macho*. Il significato moderno della parola "machismo", come il concetto stesso, è in realtà un'invenzione *anglo*. Per uomini come mio padre, essere "macho" significava essere abbastanza forti da proteggere e mantenere mia madre e noi, e tuttavia essere capaci di mostrare amore. Il *macho* di oggi non è più sicuro della propria capacità di nutrire e proteggere la sua famiglia. Il suo "machismo" è un adattamento all'oppressione, alla povertà, alla scarsa stima di sé. È il prodotto del dominio gerarchico maschile. L'*anglo*, sentendosi inadeguato e inferiore e senza potere, disloca o trasferisce questi stati d'animo sul *chicano* umiliandolo. Nel mondo dei *gringos*, il *chicano* soffre di un eccesso di umiltà e invisibilità autoindotta, di vergogna e disprezzo di sé. Fra i *latinos*, il *chicano* soffre di un senso di inadeguatezza linguistica e del relativo disagio. Con i nativi americani, soffre di amnesia razziale che gli fa dimenticare il nostro sangue comune, e soffre di senso di colpa perché la parte spagnola di lui ha preso la loro terra e li ha oppressi. Ha una *hybris* ipercompensatoria quando sta con i messicani di oltre confine. Ricopre un senso profondo di vergogna razziale.

La perdita del senso di dignità e rispetto nel *macho* genera un falso *machismo* che induce disprezzo e persino violenza verso le donne. Questo comportamento sessista coesiste con un amore per la propria madre, che viene prima di ogni altro. Figlio devoto, porco maschilista. Per lavare la vergogna per le proprie azioni, per la sua stessa esistenza, e per fare i conti con la bestia nello specchio, ricorre alla bottiglia, alla sniffata, alla siringa, al pugno.

Anche se "capiamo" le cause profonde dell'odio e della paura nei maschi, e le conseguenti offese alle donne, non le perdoniamo, non le assolviamo, non siamo più disposte a tollerarle. Dagli uomini della nostra razza esigiamo l'ammissione/riconoscimento/rivelazione/testimonianza del fatto che ci feriscono, ci violano, hanno paura di noi e del nostro potere. Devono dichiarare che cominceranno a porre fine al loro modo di agire che ci fa soffrire e ci umilia. Ma più che parole esigiamo azioni. Diciamo: svilupperemo un'uguaglianza di potere con voi e con coloro che ci hanno umiliati.

È assolutamente necessario che le *mestizas* si aiutino fra loro per cambiare gli elementi sessisti della cultura indio-messicana. Fin quando le donne saranno offese, lo saranno l'indiano e il nero in tutti noi. La lotta della *mestiza* è in primo luogo una lotta femminista. Fino a quando *los hombres* penseranno che per essere uomini devono *chingar mujeres* e altri uomini, finché gli verrà insegnato che sono superiori e quindi culturalmente privilegiati rispetto a *la mujer*, finché essere una *vieja* sarà motivo di derisione, non ci sarà nessun vero risanamento nella nostra psiche. Abbiamo fatto dei passi avanti – abbiamo tutto questo amore per la Madre, la buona madre. Il prossimo passo è disimparare la dicotomia *puta/virgen*, e vedere Coatlalopeuh-Coatlicue nella Madre, *Guadalupe*.[8]

La tenerezza, segno di vulnerabilità, è così temuta che viene rovesciata sulle donne insieme con gli insulti e le botte. Gli uomini, più ancora delle donne, sono incatenati ai ruoli sessuali. Almeno, le donne hanno il fegato di evadere da questa schiavitù. Solo gli uomini gay hanno avuto il coraggio di esporsi alla donna dentro di sé e di sfidare la mascolinità corrente. Ho intravisto in qualche uomo eterosessuale, isolato e raro, gli inizi di una nuova specie, ma sono confusi, invischiati in comportamenti sessisti che non sono riusciti a sradicare. Abbiamo bisogno di una nuova mascolinità, e il nuovo uomo ha bisogno di un movimento.

Sarebbe un'ingiustizia grossolana fare degli uomini che trasgrediscono la norma generale tutto un fascio con l'uomo come oppressore. *Asombra pensar che nos hemos quedado en ese pozo oscuro donde el mundo encierra a las lesbianas. Asombra pensar que hemos, como femenistas y lesbia-*

*nas, cerrado nuestros corazónes a los hombres, a nuestros
hermanos los jotos, desheredados y marginales como noso-
tros.* Supremi attraversatori di culture, gli omosessuali hanno legami assai intensi con i diversi bianchi, neri, asiatici,
nativi americani, latini, e con i diversi in Italia, in Australia, e nel resto del pianeta. Siamo di tutti i colori, tutte le
classi, tutte le razze, tutte le epoche. Il nostro ruolo consiste nel connettere le persone le une alle altre – i neri con
gli ebrei con gli indiani con gli asiatici con i bianchi con gli
extraterrestri; nel trasferire idee e informazioni da una
cultura all'altra.

Gli omosessuali di colore conoscono meglio le altre
culture; sono sempre stati all'avanguardia (anche se spesso senza rivelarsi) di tutte le lotte di liberazione in questo
paese; hanno sofferto più ingiustizie di tutti e sono soprav-
vissuti nelle condizioni più impossibili. I *chicanos* devono
prendere atto del contributo politico e artistico dei loro
diversi. Gente, ascoltate quello che dice la vostra *jotería*.

Il *mestizo* e l'omosessuale esistono in questo momento
e in questa fase del *continuum* evolutivo per una ragione
precisa. Siamo una fusione che dimostra che tutto il sangue è strettamente intrecciato e intessuto insieme, e che
siamo procreati da anime simili.

Note

[1] Questa è la mia utilizzazione dell'idea di José Vasconcelos, *La Raza Cósmica: Misión de la Raza Ibero-Americana*, Aguilar S.A. de Ediciones, México 1961.

[2] José Vasconcelos, *La Raza Cósmica*, cit. [il termine *raza*, come il suo calco inglese *race*, non possiede nell'uso dei messico-americani le stesse connotazioni che ne hanno fatto un termine stigmatizzato nel linguaggio euroamericano. Viene generalmente utilizzato per indicare la popolazione etnicamente e culturalmente mista che abita i territori del Sud-Ovest degli Stati Uniti, e si sovrappone in gran parte a *chicano*. Per questo, lo manteniamo anche in traduzione].

[3] Arthur Koestler la definisce "bisociazione": Albert Rothenberg, *Emerging Goddess. The Creative Process in Art, Science, and Other Fields*, University of Chicago Press, Chicago 1979, p. 12.

⁴ Le mie definizioni di "convergente" e "divergente" derivano in parte da Albert Rothenberg, *Emerging Goddess...*, cit., pp. 12-13.

⁵ Prendo in prestito qui la teoria delle "strutture dissipative" del chimico Ilya Prigogine. Prigogine ha scoperto che le sostanze non interagiscono in modi prevedibili, come la scienza aveva sempre insegnato, ma in modalità diverse e fluttuanti, producendo strutture nuove e più complesse: è una specie di nascita chiamata "morfogenesi" che crea variazioni imprevedibili. Cfr. Harold Gilliam, *Searching for a New World View*, in "This World", January 1981, p. 23.

⁶ *Tortillas de masa*: le tortillas di mais sono di due tipi, quelle lisce e uniformi fatte nello stampo per tortillas che si comprano di solito in fabbrica o al supermercato, e le *gorditas*, fatte mescolando *masa* con lardo o grasso o burro (mia madre a volte ci mette pezzetti di pancetta o *chicharrones*).

⁷ Gina Valdés, *Puenter y Fronteras: Coplas Chicanas*: Castle Lithograph, Los Angeles, CA 1982, p. 2.

⁸ Nel saggio *Entrare nel serpente* Anzaldúa collega Coatlicue, divinità nahuatl della vita e della morte, dea-madre, e la dea-serpente Coatlalopeuh, con il culto sincretico messico-americano della vergine di Guadalupe e altre figure femminili della mitologia *chicana*. [*N.d.C.*]

Soggetti eccentrici

di Teresa de Lauretis

Nel pensiero femminista il termine "coscienza" è in bilico sul confine che congiunge e allo stesso tempo distingue termini opposti in diversi campi teorici: soggetto e oggetto, sé e altro/altra, privato e pubblico, oppressione e resistenza, dominazione e capacità di agire, e così via. Nei primi anni settanta, al suo primo tentativo di autodefinirsi, il femminismo pose la domanda: "Chi o che cosa è una donna? Chi o che cosa sono io?". E nel porre questa domanda il femminismo – un movimento sociale delle donne per le donne – scoprì l'*inesistenza* della donna; ovvero, il paradosso di un essere che è allo stesso tempo assente e prigioniero nel discorso, di cui continuamente si discute pur rimanendo esso, di per sé, non esprimibile; un essere spettacolarmente esibito eppure non rappresentato o addirittura irrappresentabile, invisibile e tuttavia costituito come oggetto e garanzia della visione: un essere la cui esistenza e specificità vengono a un tempo affermate e negate, messe in dubbio e controllate.[1]

In un secondo momento di autoriflessione, nel porsi questa stessa domanda, il femminismo si è reso conto di come una teoria femminista debba partire da questo pa-

Pubblicato in: *Soggetti eccentrici*, Feltrinelli, Milano 1999, pp. 11-13, 45-57.

Questo saggio è la versione italiana, da me tradotta e in parte riscritta, di un mio saggio dal titolo *Eccentric Subjects*, scritto in inglese nel 1987 e pubblicato sulla rivista statunitense "Feminist Studies", 16, 1990, pp. 115-150. Sono grata a Liana Borghi per averlo diffuso in Italia nella versione americana e a Ilaria Sborgi per una prima bozza di traduzione circolata in manoscritto.

radosso e affrontarlo direttamente. Poiché se la costituzione del soggetto sociale dipende dal nesso linguaggio/soggettività/coscienza – se, in altre parole, ciò che è personale è politico, dato che il politico diventa personale attraverso i suoi effetti soggettivi nell'esperienza del soggetto – allora l'ambito del sapere femminista, l'oggetto teorico, il metodo critico e le modalità di conoscenza che vogliamo rivendicare come femministi, sono essi stessi intrappolati nel paradosso "donna". Sono, cioè, esclusi dal discorso teorico ufficiale e tuttavia imprigionati al suo interno, oppure relegati in una stanza tutta per loro ma non riconosciuti nella propria specificità.

In ciò precisamente consistono la peculiarità del discorso teorico e il portato epistemologico del femminismo: il suo stare contemporaneamente dentro e fuori, ovvero eccedere, le proprie determinazioni sociali e discorsive. La consapevolezza di questa sua particolare natura segna un terzo momento per la teoria femminista. Nelle pagine che seguono individuerò quattro punti che a mio avviso costituiscono lo stadio attuale di ripensamento ed elaborazione di nuovi termini:

1) la riarticolazione del soggetto, ora concepito come mobile o molteplice, ossia organizzato attraverso coordinate variabili di differenza;

2) il riesame delle relazioni tra forme di oppressione e modalità di conoscenza formale, cioè del fare teoria;

3) l'emergere di una concezione della marginalità come posizione politica e dell'identità come disidentificazione;

4) l'ipotesi di un autodislocamento, al tempo stesso sociale e soggettivo, esterno e interno, politico e personale, che caratterizza il movimento e la teoria di un soggetto eccentrico.

Tali elaborazioni dovrebbero dissipare la visione di un femminismo al singolare, unificato o nelle sue strategie retoriche e politiche o nei suoi termini di analisi concettuale. Eppure questa visione è ancora prevalente in ambito accademico nonostante l'enfasi attualmente posta sulle differenze, enfasi che produce un numero indefinito di femminismi ibridi o variamente aggettivati (femminismo bianco, nero, terzomondista, ebreo, socialista, marxista, liberale, culturale, post strutturalista, psicanalitico, e così via). Qui, tuttavia, userò il termine "teoria femminista", così come i termini "coscienza" o "soggetto" al singolare per indicare non una prospettiva singola e unificata bensì un processo di conoscenza che si modifica a seconda della specificità storica ed è segnato dalla presenza simultanea, e spesso contraddittoria, di quelle differenze in ciascuna delle sue istanze e delle sue pratiche. Un processo di conoscenza che, di volta in volta, cerca di dar conto del proprio posizionamento ideologico.

Teorizzare il femminismo come comunità dai confini labili, in cui le identità e le differenze vengano espresse e rinegoziate attraverso rapporti sia interpersonali sia politici, si accorda con la ridefinizione di esperienza (individuale) come processo continuo di scambio e mediazione tra pressioni esterne e resistenze interne. In questo senso identità viene a significare un'autocollocazione, una scelta – sempre sovradeterminata dall'esperienza – tra le possibili posizioni accessibili nel campo sociale, ossia che possono essere assunte dal soggetto involontariamente (ideologicamente) oppure sotto forma di coscienza politica.[2]

Il soggetto di tale coscienza femminista non è più quello inizialmente definito in base al solo asse del genere, dall'opposizione uomo-donna, e costituito puramente dall'oppressione, repressione o negazione della propria differenza sessuale. In primo luogo, tale soggetto è assai meno puro. Anzi, è con più probabilità ideologicamente complice dell'"oppressore" di cui può occupare il posto in certe relazioni socio-sessuali, anche se non in altre. In secondo luogo non è un soggetto unitario, sempre uguale a se stesso, dotato di identità stabile; né un soggetto unicamente diviso tra mascolinità e femminilità. È invece un soggetto che occupa posizioni molteplici, distribuite su vari assi di differenza, e attraversato da discorsi e pratiche che possono essere, e spesso lo sono, reciprocamente contraddittori. È costituito, come il soggetto postmoderno, marginale, immaginato da Samuel Delany, di "frammenti i cui aspetti costitutivi includono sempre altri oggetti, altri soggetti, altri sedimenti, per cui la nozione di 'altro' [altro da sé] si sgretola sotto il peso stesso dell'analisi che il 'sé' applica per localizzarlo".[3] Infine, e ciò è forse ancor più significativo, il soggetto nella teoria femminista ha la capacità di agire, di muoversi o dislocarsi in modo autodeterminato, di prendere coscienza politica e responsabilità sociale, pur nella sua contraddittorietà o non coerenza.

Ho detto più sopra che la teoria femminista si è affermata e resa autonoma in un'ottica postcoloniale. Voglio adesso ripeterlo in un altro modo: se si può dire che la storia del secondo femminismo sia cominciata "quando sono venuti a convergere testi femministi scritti da donne e un movimento femminista cosciente di sé",[4] si può poi aggiungere che una teoria femminista in quanto tale comincia quando la critica femminista delle formazioni socioculturali (discorsi, forme di rappresentazione, ideologie) diventa consapevole di sé e si volge al proprio interno per interrogare la propria complicità con quelle ideologie: per interrogare il suo stesso corpo eterogeneo di scritture e di interpretazioni, i loro presupposti concettuali, le pratiche cui danno luogo e dalle quali emergono. Comincia dunque, la teoria femminista, con il "riconoscere il nostro posizionamento, il dare un nome alla terra dalla quale proveniamo, le condizioni che abbiamo dato per scontate", come scrive Adrienne Rich in un saggio del 1984, *Notes Toward a Politics of Location* (Politica del posizionamento).[5] Quindi passa a esaminare il carattere situato, storico e politico del proprio pensiero. Ma poi, per poter andare avanti con il lavoro di trasformazione sociale e soggettiva, *per poter sostenere il movimento*, deve di nuovo dis-locarsi, dis-identificarsi da quei presupposti e da quelle condizioni. Questa teoria femminista, che ora è appena all'inizio, non solo allarga e riconfigura i precedenti confini discorsivi con l'inclusione di nuove categorie, ma insieme rappresenta e mette in atto una trasformazione della coscienza storica.

A mio parere, la trasformazione comporta uno spostamento, un vero e proprio dis-locamento: lasciare o rinunciare a un posto che è sicuro, che è "casa" in tutti i sensi – socio-geografico, affettivo, linguistico, epistemologico – per un altro posto, sconosciuto, in cui si è non solo affettivamente ma anche concettualmente a rischio; un posto dal quale parlare e pensare sono incerti, insicuri, non garantiti (ma andarsene non è una scelta perché lì, comunque, non si poteva più vivere). Sia dal lato affettivo sia da quello epistemologico lo spostamento è doloroso, è fare teoria sulla propria pelle, "una teoria in carne e ossa" (Moraga).[6] È un continuo attraversamento di frontiere (*Borderlands. La Frontera* è il titolo del libro di Gloria Anzaldúa sulla "nuova *mestiza*"), anzi un ridisegnare la mappa dei confini tra corpi e discorsi, identità e comunità, il che, forse, spiega perché sono state principalmente le femministe di colore e lesbiche ad affrontare il rischio.

Tale dis-locamento, tale dis-identificazione da un gruppo, una famiglia, un sé, una "casa", diciamo pure anche da un femminismo tenuti insieme dalle esclusioni e dalla repressione che sottendono ogni ideologia del medesimo, è altresì un dislocamento del proprio modo di pensare; comporta nuovi saperi e nuove modalità di conoscenza che permettono di rivedere sia la teoria femminista sia la realtà sociale da un punto di vista allo stesso tempo interno ed esterno alle loro determinazioni. A mio avviso tale punto di vista o posizione discorsiva eccentrica è necessario al pensiero femminista; necessario tanto a sostenere la capacità di movimento del soggetto quanto a sostenere il movimento femminista stesso. È una posizione raggiunta sia concettualmente sia nelle altre dimensioni della soggettività; è fonte di resistenza e di una capacità di agire e di pensare in modo eccentrico rispetto agli apparati socio-culturali dell'eterosessualità, attraverso un processo di "conoscenza insolita" (Frye), una "pratica cognitiva" (Wittig) che non è solo personale e politica ma anche testuale, una pratica di linguaggio nel senso più lato.

Una figura testuale di tale soggettività eccentrica è il titolo di un saggio di Monique Wittig, *One Is Not Born a Woman* (Donna non si nasce). La frase, tratta da *Il secondo sesso* di Beauvoir, è riproposta con sottolineatura ironica dall'autrice di *Il corpo lesbico*. Ripetendo la frase, ma spostando l'enfasi dalla parola "nasce" alla parola "donna", Wittig richiama la definizione convenzionale (eterosessuale) della donna data da Beauvoir e la dis-loca; la nega, ma senza cancellarla; ne sposta il significato riscrivendola o inserendola in una prospettiva eccentrica.[7] Spostamento di enfasi in un testo critico, dunque una pratica testuale, che non a caso ci rimanda al soggetto scrivente e al dis-locamento geografico e culturale della stessa Wittig dalla Francia agli Stati Uniti, dove attualmente vive e lavora. Nelle pagine seguenti userò questo testo, straordinariamente ricco di suggerimenti teorici, per riunire le tracce di un disegno che ho inseguito nel mio girovagare intertestuale attraverso lo spazio discorsivo di scritti di donne lontane (o vicine) tra loro quanto lo sono la Francia del 1949 e la *frontera* Messico-Stati Uniti nell'anno domini 1987.

Come Beauvoir, Hartsock e MacKinnon, anche Wittig parte dalla premessa che le donne non siano "un gruppo naturale" con delle caratteristiche biologiche comuni, la cui oppressione sarebbe dovuta a quella stessa "natura", ma siano invece una categoria sociale: il prodotto di rapporti economici di sfruttamento e di una costruzione ideologica. Per cui (ma qui già Wittig lascia Beauvoir per seguire invece l'analisi femminista materialista di Christine Delphy), le donne sono una classe sociale con interessi comuni basati sulla loro condizione specifica di sfruttamento e dominazione, cioè l'oppressione di genere, la quale offre loro una prospettiva, una posizione di conoscenza e di lotta, analoga (come sostiene Hartsock, che però, come si è visto, va in una direzione assai diversa) a quella del proletariato. Le donne, quindi, possono prendere coscienza di sé in quanto classe, e questa presa di coscienza in un movimento politico è ciò che rappresenta il femminismo.

"La condizione delle donne," scrive Delphy, "è diventata 'politica' nel momento in cui ha dato inizio a una lotta, e quando, contemporaneamente, si è cominciato a pensarla come oppressione. L'oppressione del proletariato era la premessa necessaria per la teoria marxiana del capitale e la concettualizzazione di quella oppressione era possibile soltanto dalla particolare posizione degli oppressi; allo stesso modo "è soltanto dal punto di vista e dall'esperienza di vita delle donne che la loro condizione può essere vista come oppressione". Il movimento delle donne, e la concettualizzazione femminista dell'esperienza delle donne, come oppressione esercitata e articolata in base al loro sesso o genere, fanno della sessualità uno dei massimi luoghi della lotta di classe. Questo arricchisce l'analisi storica materialista di una nuova dimensione di esperienza, e dà luogo a una comprensione della sfera politica che "potrebbe rovesciarla completamente. Ovvero si potrebbe dire che la consapevolezza delle donne di essere oppresse cambi la definizione stessa di oppressione".[8]

Tale ridefinizione dell'oppressione come categoria politica e soggettiva, alla quale si arriva solo dal punto di vista delle oppresse, attraverso una lotta e come forma di coscienza, va distinta dalla categoria economica dello sfruttamento, che è una categoria oggettiva; e si riallaccia invece alla definizione di oppressione formulata già alla metà degli anni settanta dal collettivo femminista afroamericano Combahee River Collective, che per primo ha teorizzato una politica identitaria (*identity politics*).

> Le femministe nere e molte altre donne nere che non si definiscono femministe hanno tutte vissuto l'oppressione sessuale come un fattore costante della nostra vita quotidiana. [...] Tuttavia, non avevamo modo di concettualizzare ciò che per noi era così evidente, quello che *sapevamo* che stava realmente succedendo [...] prima di acquisire i concetti di politica sessuale, dominio patriarcale e, più importante ancora, femminismo, ossia l'analisi e la pratica che noi donne usiamo per lottare contro la nostra oppressione. [...]
> Questo rivolgere l'attenzione alla nostra oppressione è incorporato nel concetto di politica identitaria. Noi crediamo che la politica più profonda e potenzialmente più radicale provenga direttamente dalla nostra identità. [...] Sebbene siamo femministe e lesbiche, ci sentiamo solidali con gli uomini neri progressisti e non auspichiamo il frazionamento preteso dalle separatiste bianche. [...] Lottiamo insieme agli uomini neri contro il razzismo, mentre lottiamo contro gli

uomini neri per quanto riguarda il sessismo. [...] È necessario articolare la vera situazione di classe di persone che non sono semplicemente lavoratori/lavoratrici prive di razza e di sesso, bensì persone per cui l'oppressione razziale e sessuale sono fattori determinanti nella loro vita lavorativa ed economica. Sebbene siamo essenzialmente d'accordo con la teoria di Marx, nella misura in cui si applicava alle specifiche relazioni economiche da lui analizzate, sappiamo anche che la sua analisi deve essere estesa ulteriormente affinché comprendiamo la nostra specifica condizione economica di donne nere.[9]

L'analisi dell'oppressione economica e sociale si articola sui vari assi secondo cui sono organizzate e gerarchizzate le differenze di classe, razza o colore, genere e sessualità, appartenenza etnica ecc.; e si articola, da una parte, in relazione alla soggettività e all'identità, e, dall'altra, in relazione alla capacità di resistenza e di azione da parte del soggetto. È tale analisi che rappresenta la nozione di coscienza che ho cercato di delineare come storicamente specifica del femminismo occidentale odierno. Non a caso, quindi, l'analisi di Delphy ha vari punti in comune anche con quella postmarxista di MacKinnon.

"La sinistra rifiuta un'analisi materialista [solo in relazione all'oppressione delle donne], perché ciò potrebbe condurre alla conclusione che sono gli uomini a beneficiare dello sfruttamento patriarcale, e non il capitale," scrive Delphy in risposta alle femministe marxiste inglesi Michèle Barrett e Mary MacIntosh, dal momento che "gli uomini sono la classe che opprime e sfrutta le donne". Se le femministe socialiste insistono nel vedere l'oppressione delle donne come "conseguenza secondaria dell'antagonismo di classe *tra uomini*", e se tanto desiderano esimere gli uomini dalla responsabilità dell'oppressione delle donne, ciò può solo derivare dalla convinzione "che ci debbano essere necessariamente, tra la maggior parte degli uomini e delle donne, dei rapporti stretti e permanenti in ogni momento", convinzione fondata sull'ideologia dell'eterosessualità (e fermamente asserita da Beauvoir nel brano sopra citato). Delphy conclude con quella che vorrebbe essere una profezia: "Credo che questo sarà il prossimo dibattito nel movimento [...] la rottura dell'ultima barriera ideologica *e* la via di uscita dal tunnel sulla questione del rapporto tra lesbismo e femminismo".[10] Ma nel saggio citato sopra, *One Is Not Born a Woman* (scritto negli Stati Uniti ma approssimativamente nello stesso periodo e nello stesso contesto politico, cioè il lavoro della rivista "Questions féministes", cui era stata vicina prima di lasciare la Francia), Wittig ha già oltrepassato quella barriera e portato l'analisi di Delphy molto più lontano.

In effetti, la via d'uscita dal tunnel porta a un bivio per la teoria femminista: una strada (se le donne non sono una classe di per sé) porta di nuovo al paradosso della donna, alla differenza sessuale, alla filastrocca di genere, razza e classe, al dibattito sulle priorità, e così via; l'altra strada (se le donne sono una classe oppressa che lotta per la scomparsa di tutte le classi) porta alla scomparsa delle donne in quanto classe, ossia la scomparsa delle donne in quanto donne. La divergenza di quest'ultima strada, quella presa da Wittig, dagli scenari di un futuro femminista cui ho accennato nella prima parte, diviene drastica quando Wittig immagina come sarebbero le persone oggi chiamate donne in tale società senza donne. Il suggerimento le viene dalla presenza, nel mondo di oggi, di una "società lesbica" che, per quanto marginale, funziona per certi versi autonomamente dall'istituzione eterosessuale. Poiché, sostiene Wittig, le lesbiche non sono donne: "Il rifiuto di diventare (o rimanere) eterosessuali ha sempre voluto dire rifiutare di diventare un uomo o una donna, consciamente oppure no. Per una lesbica questo va oltre il rifiuto del *ruolo* 'donna'. È il rifiuto del potere economico, ideologico e politico dell'uomo".[11] Tornerò su questo punto dopo aver riassunto la tesi di Wittig.

Situandosi nell'ambito del femminismo materialista che qui ho chiamato postmarxista, anche Wittig mette in campo il femminismo liberale e il materialismo storico e con mossa strategica li pone l'uno contro l'altro e ciascuno contro se stesso, dimostrando che sono entrambi inadeguati per definire il soggetto in termini materialisti. Prima mobilita i concetti marxisti di ideologia, classe e relazioni sociali per criticare il femminismo dell'omologazione: i termini dell'equazione genere = differenza sessuale, sostiene Wittig, costruiscono la donna come una "formazione immaginaria" in base al valore biologico-erotico delle donne per gli uomini; ciò rende impossibile capire come gli stessi termini "donna" e "uomo" siano "categorie politiche e non dati naturali", e quindi porre in questione le vere relazioni socio-economiche istaurate e mantenute dal genere. Poi, però, rivendicando la nozione femminista del sé, di una soggettività che, sebbene prodotta socialmente, è percepita e vissuta dall'individuo nella sua singolarità concreta, corporea, Wittig usa *questa* nozione contro il marxismo, il quale, da parte sua, nega una soggettività individuale ai membri delle classi oppresse. Sebbene "materialismo e soggettività si siano sempre esclusi a vicenda", coscienza di classe e soggettività individuale vanno tenute in conto entrambe: senza quest'ultima, scrive, "non ci può essere alcuna lotta o trasformazione reale. Ma è vero anche l'opposto: senza il concetto di classe e la coscienza di classe non esistono soggetti reali, esistono solo individui alienati".

Ciò che unisce le due concezioni, materialismo e femminismo, e permette di ridefinire sia la coscienza di classe sia la soggettività individuale come storia personale, o riscrittura di sé nel senso individuato poc'anzi a proposito del saggio politico-autobiografico di Pratt, è il concetto di oppressione che, si è visto, si è venuto elaborando nella teoria femminista dagli anni ottanta in poi.

> Quando scopriamo che le donne sono oggetti di oppressione e di appropriazione, nel momento stesso in cui siamo capaci di percepire ciò, diventiamo soggetti nel senso di soggetti cognitivi, tramite un'operazione di astrazione. La coscienza dell'oppressione non è solo una reazione (per combattere) contro l'oppressione. È anche la completa rivalutazione concettuale del mondo sociale, la sua completa riorganizzazione per mezzo di nuovi concetti, dal punto di vista dell'oppressione [...] chiamiamola una pratica cognitiva soggettiva. L'andirivieni tra i livelli della realtà (la realtà concettuale e

la realtà materiale dell'oppressione, che sono entrambe realtà sociali) è conseguito attraverso il linguaggio.[12]

La "pratica cognitiva soggettiva" di Wittig è una riconcettualizzazione del soggetto, del rapporto tra soggettività e socialità, e della conoscenza stessa, da una posizione che viene esperita come autonoma dall'eterosessualità istituzionale e quindi eccede i limiti del suo orizzonte discorsivo-concettuale.

> Lesbica è il solo concetto che io conosca che sia al di là delle categorie del sesso (donna e uomo), perché il soggetto designato (lesbica) *non* è una donna né economicamente né politicamente né ideologicamente. Perché ciò che costituisce una donna è una specifica relazione sociale con un uomo, una relazione che precedentemente abbiamo chiamato servitù, una relazione che implica un obbligo personale e fisico, così come economico (residenza forzata, lavoro domestico non retribuito, doveri coniugali, produzione illimitata di prole ecc.), una relazione cui le lesbiche sfuggono, rifiutando di diventare o di rimanere eterosessuali.[13]

Ecco quindi in che senso Wittig propone la scomparsa delle donne come obiettivo del femminismo. La lotta contro gli apparati ideologici e le istituzioni socio-economiche dell'oppressione delle donne consiste nel rifiutare i termini del contratto eterosessuale, non solo nella pratica del vivere ma anche nella pratica del conoscere. Consiste nel concepire il soggetto sociale in modo eccentrico, in termini autonomi o eccedenti le categorie del genere. "Lesbica" è uno di questi.

La difficoltà di capire o definire un termine che non fa parte di un dato sistema concettuale, sostiene Marilyn Frye, sta nel fatto che il linguaggio su cui si basa quel sistema non è adatto a definirlo. Come mai, si chiede Frye, "quando cerco di nominarmi e spiegare come o chi sono, la mia lingua madre mi offre una parola [...] che vuol dire 'un'abitante di Lesbo'?". Il termine "lesbica" dimostra di essere straordinariamente resistente alle procedure standard di analisi semantica, perché le lesbiche non sono contemplate dallo schema concettuale dominante, così come sono assenti dal lessico ufficiale della lingua inglese; a tal punto che anche il tentativo di arrivare a una definizione del termine "lesbica" con una serie di riferimenti incrociati presi da vari dizionari è "un flirt con il non senso, una danza attraverso una regione di lacune cognitive e spazi semantici negativi". Tuttavia, aggiunge Frye, l'essere fuori del sistema concettuale ci mette "nella posizione di vedere cose che non possono essere viste dall'interno"; consente "un riorientamento dell'attenzione [e] delle proprie capacità percettive", e quindi la messa in questione della realtà sociale data.[14] In altre parole, se questa posizione è fuori dal sistema concettuale, assumerla o occuparla significa dissociarsi, dis-identificarsi, dis-locarsi e acquisire un punto di vista eccentrico al sistema.

Come la donna bianca "infedele alla civiltà" di cui scrive Rich in *Disloyal to Civilization*,[15] come la "nuova *mestiza*" di Anzaldúa e le "donne di casa mia" di Smith, la lesbica di Frye "infedele alla realtà fallocratica" è il soggetto di un "conoscere insolito", una pratica cognitiva, una forma di coscienza che non è primordiale, universale o connaturata al pensiero umano, come credeva Beauvoir, ma è storicamente determinata e tuttavia assunta soggettivamente, politicamente. Come loro, la lesbica di Wittig non è semplicemente una persona con una particolare "preferenza sessuale", tanto meno una femminista con una "priorità politica"; è un soggetto eccentrico al campo sociale, costituito in un processo di interpretazione e di lotta, di riscrittura di sé in relazione a un'altra cognizione del sociale, della storia, della cultura.

Credo sia questa la "società lesbica" di cui parla Wittig: non un termine che designa un tipo di organizzazione sociale (non tradizionale), né il programma per una società futuristica, utopica o distopica, come quelle immaginate in *The Female Man* di Joanna Russ o come la comunità di amazzoni in *Les guérillères* della stessa Wittig. Mi pare invece un termine teorico, la figura di uno spazio concettuale ed esperienziale ritagliato dal campo sociale, uno spazio di contraddizioni, nel "qui e ora", che devono essere affermate ma non risolte; spazio in cui l'"Altro/a inappropriato/a", come l'immagina Trinh T. Min-ha, "si muove sempre con almeno due/quattro gesti: quello di affermare 'io sono come te' mentre indica insistentemente la differenza; e quello del ricordare 'io sono diversa' mentre sconvolge qualsiasi definizione di alterità si sia raggiunta".[16]

I termini "lesbica" e "società lesbica" sostengono la tensione di questo gesto multiplo e contraddittorio. Nel mentre asserisce che le lesbiche non sono donne, Wittig ci mette in guardia contro gli scritti delle "lesbofemministe" in America e altrove, che ci vorrebbero di nuovo intrappolate nel mito della donna. Però rifiutare di essere una donna non ci fa diventare uomo. Infine, dunque, "una lesbica *deve* essere qualcos'altro, non-donna e non-uomo".[17] Perciò, quando Wittig conclude "siamo noi che storicamente dobbiamo accollarci il compito di definire il soggetto individuale in termini materialisti", quel *noi* è una figura concettuale: il punto di vista eccentrico dal quale riscrivere sia il marxismo sia il femminismo, ricollegando la critica del sistema sesso/genere con l'"economia politica del sesso", come auspicava tempo fa Gayle Rubin.[18]

Insisto. Il "noi"' di Wittig non si riferisce a donne privilegiate, "qualificate per spiegare la condizione della donna", come pensava Beauvoir. La "società lesbica" non si riferisce a una qualche collettività di donne omosessuali, così come il termine "lesbica" non si riferisce semplicemente a una donna lesbica. Sono invece i termini concettuali, teorici, di una forma di coscienza femminista che può esistere storicamente soltanto nel "qui e ora" come coscienza di *qualcos'altro*. *Noi, lesbica, mestiza* e *altra inappropriata* sono tutte figure di quella posizione critica che ho cercato di fare emergere e di riarticolare da vari testi del femminismo contemporaneo: una posizione raggiunta attraverso pratiche di dislocamento politico e personale, attraversando i confini tra identità e comunità socio-sessuali, tra corpi e discorsi. La posizione di un soggetto eccentrico.

Note

[1] Per la distinzione tra "donna" (o Donna) e "donne" – distinzione cruciale ai fini di comprendere lo statuto delle donne nei discorsi dominanti della cultura occidentale – si veda il mio libro *Alice Doesn't: Feminism, Semiotics, Cinema* (Indiana University Press, Bloomington 1984), due capitoli del quale sono ora tradotti in *Sui generis. Scritti di teoria femminista* (Feltrinelli, Milano 1996). In uno di questi, *Semiotica ed esperienza*, vengono introdotti e discussi i concetti di esperienza, soggettività e (auto)coscienza che sono di particolare rilevanza tanto per questo saggio quanto per la teoria femminista.

[2] L'assunzione dell'identità di "donne di colore" (*women of color*) negli Stati Uniti (o "donne nere" [*black women*] nel Regno Unito) da parte di donne che appartengono a gruppi etnici e a culture diversissime tra loro (asiatiche, native americane, afroamericane, caraibiche, *chicanas*, latino-americane, e così via) è un esempio di coscienza personale-politica che non si basa semplicemente su differenze etniche o culturali *rispetto* alla cultura bianca dominante; una coscienza personale-politica che non è affatto l'opposizione di valori culturali stabili in una data minoranza etnica a valori culturali della maggioranza, pensati come altrettanto stabili. L'identità di donna di colore è emersa ed è stata elaborata dalla specifica esperienza storica del razzismo nella società anglo-americana, dominata dagli interessi economici e culturali dei bianchi. Si è sviluppata dalla consapevolezza della necessità politica e personale di costruire comunità attraverso, nonostante, in tensione o perfino in contraddizione con i valori culturali del proprio gruppo etnico, della propria famiglia, della propria "casa". Si vedano Cherrie Moraga, *Loving in the War Years*; Mirtha Quintanales, *I Paid Very Hard far My Immigrant Ignorance*; Melanie Kaye-Kantrowitz, *Some Notes on Jewish Lesbian Identity*; Cheryl Clarke, *Lesbianism: An Act of Resistance*; Merle Woo, *Letter to Ma*, tutti in Cherrie Moraga e Gloria Anzaldúa, *The Bridge Called My Back: Writings by Radical Women of Color*, Kitchen Table/Women of Color Press, New York 1983.

[3] Samuel R. Delany, *Interview with Takayuki Tatsumi*, in "Diacritics", 16, autunno 1986.

[4] Elaine Marks, Isabelle de Courtivron, *New French Feminism: an Anthology*, University of Massachusetts Press, Amheist 1980, p. 3.

[5] Il saggio, pubblicato in *Blood, Bread, and Poetry* (Norton, New York 1986), pp. 210-231, è parzialmente tradotto in italiano con il titolo *Politica del posizionamento* (in "Mediterranean", 2, 1996, pp. 15-22). La traduzione dei brani citati in questo testo è mia. A Rich non piace il termine "teoria", le pare troppo occidentale e troppo centrato sugli interessi dei bianchi, astratto dalle azioni umane e poi "rifilato alla gente sotto forma di slogan" (p. 213). La teoria del femminismo bianco occidentale non ha ancora preso in considerazione il femminismo delle donne di colore, Rich giustamente contesta nel 1984. Oggi però il ter-

mine "teoria femminista" e le diverse pratiche critiche che ne fanno parte sono accolti da molte scrittrici di colore, soprattutto in ambito universitario (si veda, per esempio, bell hooks).

[6] Cherrie Moraga in Cherrie Moraga, Gloria Anzaldúa, *This Bridge Called my Back. Writings by Radical Women of Color*, Kitchen Table, Women of Color Press, New York 1983, p. 23.

[7] Monique Wittig, *One Is Not Born a Woman*, in Id., *The Straight Mind and other Essays*, Beacon Press, Boston 1992, pp. 9-20.

[8] Christine Delphy, *A Materialist Feminism Is Possible*, in Id., *Close to Home: A Materialist Analysis of Women's Oppression*, Hutchinson, London 1984, pp. 178-181.

[9] Barbara Smith, *Home Girls: A Black Feminist Anthology*, Kitchen Table/Women of Color Press, New York 1983, pp. 274-278.

[10] Christine Delphy, *A Materialist Feminism is Possible*, in *Close to Home. A Materialist Analysis of Women's Oppression*, University of Massachusetts Press, Amherst 1984.

[11] Monique Wittig, *One Is Not Born a Woman*, cit., p. 13.

[12] Ivi, pp. 18-19.

[13] Ivi, p. 20.

[14] Marilyn Frye, *The Politics of Reality. Essays in Feminist Theory*, Crossing Press, Trumansburg, NY, 1983, pp. 160, 154, 171.

[15] In Adrienne Rich, *On Lies, Secrets, and Silence. Selected Prose, 1966-1978*, Norton, New York 1979, pp. 275-310. Questo saggio non è tradotto nella edizione italiana.

[16] Trinh T. Minh-ha, *Introduction*, in "Discourse", 1986-1987, p. 9.

[17] Monique Wittig, *One Is Not Born a Woman*, cit., p. 13.

[18] *The Traffic in Women* (1975), tradotto in italiano con il titolo *Lo scambio delle donne*, in "Nuova DWF", 1, 1976.

La differenza che abbiamo attraversato

di Rosi Braidotti

Uno schema di lavoro

Punto di partenza della mia ipotesi di nomadismo femminista è l'affermazione che la teoria femminista non rappresenta solo un movimento di opposizione critica alla falsa universalità del soggetto. Essa è anche l'espressione positiva del desiderio delle donne di affermare e rappresentare varie forme di soggettività. Questo progetto implica sia la critica delle esistenti definizioni e rappresentazioni delle donne sia la creazione di nuove immagini della soggettività femminile. La sua premessa fondamentale (sia critica che creativa) è la necessità di porre delle donne in carne e ossa in posizione di soggettività discorsiva. Qui i termini chiave sono, da un lato, l'essere incarnati e le radici corporee della soggettività; dall'altro, la volontà di ricollegare la teoria alle pratiche. Per essere più chiara suddividerò il progetto del nomadismo femminista in tre fasi, ognuna delle quali è legata alla differenza sessuale. Non si tratta di tre livelli disposti in un ordine dialettico ma piuttosto di piani che possono essere compresenti cronologicamente mentre ogni singolo livello si presenta come opzione percorribile per la prassi politica e teorica. La distinzione che di conseguenza metto in opera tra "differenza tra uomo e donna", "differenze tra donne" e "differenze all'interno di ciascuna donna" (cfr. tabb. 1, 2, 3) non va assunta come una distinzione categorica; è piuttosto un esercizio

Pubblicato in: *Nuovi soggetti nomadi*, a cura di Anna Maria Crispino, Luca Sossella editore, Roma 2002, pp. 107-124.

131

di nominazione che attiene alle diverse facce di un unico fenomeno complesso.

Questo schema non è neppure un paradigma: è una mappa, una cartografia che riproduce attraverso la lente della differenza sessuale i vari piani di complessità che soggiacciono a una epistemologia nomade. I vari livelli possono essere collocati sia nello spazio che nel tempo; esplicitano strutture differenziate di soggettività e al contempo momenti diversi nel processo del divenire-soggetto. Di conseguenza non vanno pensati in sequenza o in ordine logico. Seguendo il tracciato nomade che delineo in questo testo, si può accedere alla mappa a *ogni livello e in ogni momento*. Vorrei ribadire il fatto che i vari livelli sono compresenti, coesistono nella vita quotidiana e non sono facilmente distinguibili l'uno dall'altro. E proprio questa possibilità di transitare da un livello a un altro, in un fluire di esperienze, di sequenze temporali e di strati di significazione, rappresenta la chiave d'accesso a quella modalità nomade che sostengo non solo dal punto di vista intellettuale ma anche come pratica esistenziale.

La questione centrale in gioco a questo livello di analisi è la critica dell'universalismo identificata nel maschile e del maschile come autoproiezione di uno pseudouniversale. A ciò si affianca la critica dell'idea di "altro" come svalorizzazione. Da una prospettiva fortemente hegeliana, cinquant'anni fa Simone de Beauvoir formulava un'analisi da antesignana dell'universalismo del soggetto. Confrontandosi con questo schema di contrapposizioni, affermava che l'opzione teorica e politica delle donne andava individuata e praticata nella lotta per conquistare la trascendenza e in questo modo guadagnarsi gli stessi diritti alla soggettività di cui gli uomini sono titolari. Come rileva Judith Butler,[1] nella sua lucida analisi di questa fase hegeliana nella storia della teoria femminista, de Beauvoir vede la differenza incarnata dalle donne come qualcosa di ancora *non rappresentato*. Simone de Beauvoir ne conclude che a questa entità, così svalorizzata e falsamente rappresentata, può e deve essere data rappresentazione. E che questo è il compito prioritario del movimento femminista.

Le teoriche della differenza, come Luce Irigaray, che assumono invece una prospettiva post strutturalista, vanno oltre la dialettica. Irigaray considera l'"alterità" delle donne non solo come qualcosa che non è ancora rappresentato ma come ciò che rimane *non rappresentabile* entro questo schema di rappresentazione. La donna come "altro" resta eccedente rispetto al paradigma fallologocentrico che fa coincidere il maschile con il (falso) universale. In questo modo dunque, il rapporto tra il soggetto e l'altro non è reversibile, tutt'altro: i due poli dell'opposizione sono in un rapporto asimmetrico. Sotto la dicitura "la doppia sintassi" Luce Irigaray difende questa differenza irriducibile e irreversibile ponendola come fondamento per una nuova fase della politica femminista. Per Irigaray, in altre parole, è necessario riconoscere come una realtà fattuale e storica il fatto che non esiste simmetria tra i sessi e che questa asimmetria è stata disposta gerarchicamente a opera di un regime fallologocentrico. Una volta riconosciuto che si è fatto della differenza un significante negativo, il progetto femminista tenta ora di rovesciarne la definizione in termini positivi.

Tabella 1. Differenza sessuale
Primo livello: differenze tra uomini e donne

Soggettività come vs	donna come
Fallologocentrica	Mancanza e/o eccesso
Nozione universale del soggetto	L'altra rispetto al soggetto
Coincidente con la coscienza	Priva di coscienza
Autoregolativa	Incontrollata
Agente razionale	Irrazionale
Titolare di razionalità	Eccedente la razionalità
Capacità di trascendenza	Confinata all'immanenza
Origini corporee, o oggettivazione del corpo	Corporeità sfruttata e ridotta al silenzio

Il punto di partenza del progetto della differenza sessuale – primo livello – resta dunque la volontà politica di affermare la specificità dell'esperienza corporea e del vissuto delle donne; il rifiuto di disincarnare la differenza sessuale facendone un nuovo presunto soggetto "postmoderno" e "antiessenzialista" e la volontà di ricollegare tutto il dibattito sulla differenza all'esistenza corporea e all'esperienza delle donne.

Dal punto di vista politico, questo progetto implica il rifiuto dell'emancipazionismo perché esso porta all'omologazione, vale a dire all'assimilazione delle donne a modalità di pensiero e di prassi maschili e di conseguenza a una serie di valori a esse collegati. Gli sviluppi socio-economici più recenti nella condizione delle donne nelle società postindustriali occidentali hanno infatti dimostrato che – a parte il persistere di forme classiche di discriminazione che stanno portando a un processo di femminilizzazione della povertà – l'emancipazione femminile può facilmente tramutarsi in un percorso a senso unico verso un mondo maschile.

Questo avvertimento ci viene da pensatrici femministe molto diverse tra loro come Luce Irigaray,[2] Antoinette Fouque[3] e Marguerite Duras[4] che mettono in guardia le donne dall'investire tutto il loro tempo e le loro energie nel correggere gli errori e risarcire le colpe della cultura maschile. Un investimento di gran lunga migliore e più redditizio consiste nel cercare di elaborare forme alternative della soggettività femminile in un processo che si definisce anche come un'affermazione della positività della differenza sessuale. Questo mutamento di prospettiva è stato un passaggio nient'affatto facile nella prassi femminista.[5] Ha creato, infatti, un'ondata di polemiche e in molti casi dei conflitti tra donne, resi ancora più acuti dallo scarto generazionale.[6] L'aspetto su cui la polemica è stata più aspra e protratta nel tempo è l'opposizione tra l'antiemancipazionismo professato dalle teoriche della differenza da una parte e, dall'altra, le accuse di "essenzialismo" lanciate dalle pensatrici di ispirazione egualitaria contro le sostenitrici della differenza sessuale.

Lungi dal separare la lotta per l'uguaglianza dall'affermazione della differenza, considero le due questioni complementari e inserite in un'evoluzione storica senza soluzione di continuità. Il movimento delle donne è lo spazio in cui la differenza sessuale diventa operativa adottando la strategia della lotta per l'uguaglianza dei sessi all'interno di un ordine culturale ed economico dominato dal controllo omosociale maschile. La posta in gioco è la definizione di "donna" come altro da un non-uomo.

Una delle questioni cruciali dell'ipotesi che propongo è come si possa sostenere sia il tramonto del paradigma classico della soggettività sia la specificità di un soggetto femminile alternativo. Dato che la riaffermazione della differenza sessuale da parte delle femministe si colloca nello stesso momento storico in cui si afferma la modernità stessa, vale a dire nel momento in cui decade il paradigma razionalista e naturalista, le femministe hanno il duplice compito di far valere, da una parte, il bisogno di una nuova visione della soggettività in senso più generale e, dall'altra, una visione specificamente sessuata della soggettività femminile.

L'analisi del primo livello di differenza sessuale è stata in seguito messa in discussione non solo dal mutato contesto politico e intellettuale ma anche dalle evoluzioni interne al movimento femminista stesso. Da un lato, l'etica esistenzialista della solidarietà è stata sottoposta a revisione anche dalle affermazioni della psicanalisi e del post strutturalismo riguardo alla coesistenza di sapere e potere, affermazioni che hanno modificato l'interpretazione di fenomeni come l'oppressione e la liberazione. Dall'altro, una nuova generazione di femministe è divenuta sempre più insofferente nei confronti della generalizzazione compiuta da de Beauvoir, cioè dell'assunzione di tutte le donne come "il secondo sesso". Con gli anni settanta l'asse politico e teorico si è spostato dal problema dell'asimmetria tra i sessi a quello dell'esplorazione della differenza sessuale incarnata ed esperita dalle donne.

In quest'ambito il problema fondamentale è come creare, legittimare e rappresentare la molteplicità delle forme alternative della soggettività femminile femminista senza ricadere nel relativismo. Il punto di partenza, il riconoscimento della parola *donna* come un contenitore semantico generale che raggruppa diversi tipi di donne, diversi livelli di esperienza e diverse identità.

La nozione di *donna* si riferisce a un soggetto femminile, sessuato, che si costituisce, come la psicanalisi ci suggerisce in modo convincente, mediante un processo di identificazione con delle posizioni culturalmente disponibili organizzate secondo la dicotomia dei generi. In quanto "secondo sesso" all'interno della dicotomia patriarcale dei generi il termine *donna* si inscrive in ciò che Kristeva chiama il tempo lungo, lineare della storia.[7] Come punto di partenza della coscenza femminista, comunque, l'identità femminile appartiene anche e contemporaneamente a una temporalità diversa: a un senso del tempo più profondo e più discontinuo, il tempo della trasformazione, della resistenza, delle genealogie politiche e del divenire. Da una parte abbiamo il tempo teleologico e dall'altra il tempo del sorgere della coscienza: la storia e l'inconscio.

Definisco femminismo quel movimento che lotta per cambiare i valori attribuiti alle donne e le loro rappresentazioni (la *Donna*) scaturite dal tempo lungo della storia patriarcale, ma anche dal tempo profondo dell'identità di ognuna. Il progetto femminista, in altre parole, abbraccia sia il livello della soggettività, nel senso dell'agire storico e del processo di acquisizione di diritti politici e sociali, sia il livello dell'identità legato alla coscienza, al desiderio e alla politica del personale. Esso copre sia il livello conscio che quello inconscio.

Quello femminista è un soggetto storico perché è coinvolto nel patriarcato tramite la negazione. Esso è però anche legato all'identità femminile, allo spazio del personale. La *donna*, per dirla altrimenti, va situata in una posizione strutturalmente diversa da quella della femminista; essendo, infatti, strutturata come il referente dell'alterità è specularmente contrapposta al maschile come referente della soggettività. Il secondo sesso si trova in un'opposizione dicotomica rispetto al maschile in quanto rappresentativo

Tabella 2. Differenza sessuale
Secondo livello: differenze tra donne

Donna come l'altro	Campo di tensione critica	Donne in carne e ossa
Come istituzione e rappresentazione	Soggettività femminista forte	Esperienza Incarnazione
		Saperi situati Saperi basati sull'esperienza femminile
Vedi primo livello	Positività della differenza sessuale come progetto politico	Acquisizione di soggettività Molteplicità delle differenze (razza, età, classe ecc.)
	Genealogie femminili femministe, o contro memoria	
	Politica di collocazione e resistenza	
	Dissimmetria tra i sessi	

dell'universale. Di conseguenza, il femminismo richiede una distinzione epistemologica e politica tra *donna* e *femminista*. Femminista è sia la spinta verso l'inserimento delle donne all'interno della storia patriarcale (la fase emancipatoria, o primo livello di differenza sessuale) sia l'interrogazione dell'identità personale sulla base dei rapporti di potere, e questo è il femminismo della differenza (secondo livello della differenza sessuale). Da un'angolatura diversa, posso dire che il punto di partenza di una coscienza femminista consiste in una distanza critica dall'istituzione e rappresentazione della donna; il movimento delle donne si fonda sull'opinione condivisa che tutte le donne siano accomunate dalla condizione di "secondo sesso".

Si può considerare questa comunanza come condizione sufficiente per l'elaborazione di una posizione del soggetto femminista; il riconoscimento dell'esistenza di un legame di similitudine tra le donne è alla base della coscienza femminista perché stabilisce un patto tra donne. Quel momento è la pietra miliare che permette di articolare la posizione o la prospettiva femminista.

Ma questo riconoscere una comune condizione di sorellanza nell'oppressione non può essere l'obiettivo ultimo; le donne avranno anche in comune situazioni ed esperienze, ma non sono, comunque, tutte *uguali*. A questo riguardo, l'idea della politica della collocazione è dirimente e, una volta tradotta in una teoria del riconoscimento delle molteplici differenze esistenti tra donne, può evidenziare l'importanza di rifiutare ogni generalizzazione sulle donne per tentare invece di essere il più possibile consapevoli del luogo dal quale si parla. L'idea chiave consiste nel guardare alla natura *situata* delle affermazioni in contrapposizione alla modalità universalistica delle enunciazioni. Tradotta in termini di pratiche politiche la strategia della collocazione determina il proprio approccio al tempo e alla storia. Dal mio punto di vista, il senso della collocazione ha a che fare con la contro memoria, o l'elaborazione di genealogie alternative. Vuol dire che fa differenza avere una memoria storica dell'oppressione e dell'esclusione in quanto donne piuttosto che fungere da referente empirico di un gruppo dominante, come accade agli uomini.

È necessario perciò riformulare il problema del rapporto tra *donna* e *femminista*. Come sostiene Teresa de Lauretis, ogni donna si trova a doversi confrontare con una certa immagine di *donna*, che rappresenta il modello culturalmente dominante dell'identità femminile. Per le femministe, quindi, l'elaborazione di una soggettività politica ha come presupposto il riconoscimento della distanza esistente tra la *donna* e le donne reali. Teresa de Lauretis ha definito questo passaggio come il riconoscimento di una "differenza essenziale" tra la donna come rappresentazione (la *donna* come *imago* culturale) e la donna come esperienza (donne reali come agenti di cambiamento).

Con il contributo delle teorie semiotiche e psicanalitiche si giunge così a stabilire una fondamentale differenza tra la *donna* come significante codificato nel corso di una lunga storia di opposizioni binarie e il significante *femminista* come quello che si basa sul riconoscimento della *donna* come immagine costruita. Il riconoscimento dello iato esistente tra *donna* e donne è fondamentale, così come cruciale è la determinazione necessaria a cercarne delle rappresentazioni adeguate, sia a livello politico che simbolico.

Prima che si creino le condizioni di possibilità nella filosofia della differenza sessuale è però necessario porre la distinzione *donna*/donne come gesto fondante per l'esistenza stessa del pensiero femminista. Questo passo iniziale comporta l'affermazione di una differenza essenziale e irriducibile che ho definito secondo livello di differenza sessuale, o differenze tra donne.

Ritornando quindi alle mie osservazioni iniziali sul femminismo e la modernità: la teoria femminista *in quanto* filosofia della differenza sessuale identifica il concetto di *donna* come essenza storica nel preciso momento della storia in cui questo stesso concetto viene decostruito e messo in discussione. La crisi della modernità rende accessibile alle donne l'essenza della femminilità come costruzione storica sulla quale è necessario intervenire. La *donna* cessa quindi di essere il modello culturalmente dominante e normativo della soggettività femminile, trasformandosi in un *topos* identificabile per l'analisi: come una costruzione (de Lauretis); una mascherata (Butler); un'essenza positiva (Irigaray); o una trappola ideologica (Wittig), per citare solo alcune delle definizioni che ne sono state fornite.

A me sembra che una posizione femminista nomade renda possibile la coesistenza di queste diverse rappresentazioni – che sono anche modalità interpretative della soggettività femminile – e che favorisca la discussione. Se non si instaura un'attitudine di flessibilità nomade queste diverse definizioni e interpretazioni favoriranno invece elementi di divisione nella prassi femminista.

Un altro problema che emerge a questo punto è l'importanza di trovare forme adeguate di rappresentazione per queste nuove figurazioni del soggetto femminile. Ho già argomentato quanto in questa fase sia cruciale disporre di figurazioni alternative, mettere all'opera una grande creatività per superare gli schemi concettuali dominanti. Per ottenere questo risultato abbiamo bisogno non solo di un approccio transdisciplinare ma anche di scambi più efficaci tra teoriche e artiste, docenti universitarie e menti creative. Tornerò su questo punto.

Il terzo livello di analisi mette in luce la complessità della struttura incarnata del soggetto. Dire *corpo* significa fare riferimento a una dimensione di materialità corporea, un sostrato di materia vivente dotata di memoria. Nei termini suggeriti da Deleuze, vi vedo un puro fluire di energia, capace di variazioni multiple. Il "sé", inteso come un'entità provvista di identità, è ancorato a questa materia viva, la cui materialità è codificata e trasposta in linguaggio. La concezione post psicanalitica del soggetto corporeo che assumo qui implica che il corpo non può essere compreso o rappresentato appieno: eccede la rappresentazione. Una differenza all'interno di ogni entità: ecco un modo per esprimere questa condizione. Per me l'identità è un gioco di aspetti, quelli multipli, frammentari del sé; è un gioco di relazione in quanto richiede il legame con l'"altro"; è retrospettiva perché si determina attraverso memorie e reminiscenze all'interno di un processo genealogico. E, infine, ma non meno importante, l'identità è fatta di identificazioni successive, vale a dire di immagini interiorizzate che eludono il controllo razionale.

Questa fondamentale non-coincidenza di identità e coscienza implica anche che ciascuna/o ha un rapporto immaginario con la propria storia, la propria genealogia e le proprie condizioni materiali.

Tabella 3. Differenza sessuale
Terzo livello: differenze all'interno di ogni donna

Ogni donna in carne e ossa o soggetto femminile femminista è:
Una molteplicità in se stessa: scissa, frammentata
Una rete di livelli di esperienza (come già rilevato nei livelli I e II)
Una memoria vivente e una genealogia incarnata
Non solo un soggetto conscio, ma anche soggetto del proprio inconscio: identità come identificazioni
In un rapporto immaginario con diverse variabili come: classe sociale, razza, età, scelte sessuali

Sottolineo questo punto perché fin troppo spesso nella teoria femminista si confonde con una certa leggerezza il livello dell'identità con le questioni legate alla soggettività politica. Nel mio schema di pensiero, l'identità gode di un rapporto privilegiato con i processi inconsci, mentre la soggettività politica è una posizione conscia e volontaria: desiderio inconscio e scelta consapevole non sempre coincidono.

Pensare l'identità come qualcosa di complesso e di molteplice sarebbe utile alle femministe anche per affrontare le proprie contraddizioni e discontinuità interiori, se possibile con un po' di umorismo e di leggerezza. Credo sia importante dare spazio ai momenti contraddittori, alla confusione e alle incertezze da non considerare come sconfitte o derive verso comportamenti "politicamente poco corretti". In questo senso non potrebbe esserci nulla di più antitetico, rispetto a quel nomadismo che sto propugnando, del moralismo femminista.

La questione centrale qui in gioco è quindi come evitare di ripetere il meccanismo delle esclusioni all'interno di un processo che mira alla legittimazione di un soggetto femminista alternativo. Come evitare la ricodificazione in termini egemonici del soggetto femminile, e come mantenere una concezione aperta della soggettività quando si tenta di imporre la presenza politica e teorica di un'altra idea della soggettività? Secondo una concezione che vede il soggetto, da una parte, ancorato alle proprie condizioni storiche e, dall'altra, scisso o multiplo, la capacità di sintesi dell'"Io" è solo una necessità grammaticale, una narrazione teorica che tiene insieme gli strati differenziati, i frammenti integrati dell'orizzonte sempre mutevole della propria identità. L'idea di "differenza all'interno" di ogni soggetto è tributaria della teoria e della pratica psicanalitica nel senso che, come questa, vede il soggetto come punto di confluenza di diversi registri discorsivi che si richiamano a diversi strati di esperienza vissuta.

Nel ricondurre questo discorso al dibattito sulla politica della soggettività portato avanti all'interno della pratica femminista della differenza sessuale, si pone la "seguente domanda: che cos'è la *tecnologia del sé* operante nell'espressione della differenza sessuale?

All'interno di questo ragionamento e tenendo ferme le distinzioni di livello che ho proposto, diventa plausibile anche porre la soggettività femminista come un oggetto del desiderio delle donne. Una femminista potrebbe quindi essere vista come una donna che desidera ardentemente, tende a, è spinta verso il femminismo. Potrei definire questa ipotesi una lettura "intensiva" della posizione femminista, che verrebbe quindi intesa non soltanto come un impegno volontario nei confronti di una serie di valori o convinzioni politiche, ma anche in termini di passioni e desideri che la sostengono e la motivano.[8] Questa "topologia" della passione è un tipo di approccio ispirato a Nietzsche tramite Deleuze; ci permette di considerare le opzioni della volontà non come posizioni trasparenti, autoevidenti ma piuttosto come scelte pluristratificate. Una sana ermeneutica del sospetto nei confronti delle proprie convinzioni non equivale a una forma di cinismo, né di nichilismo, anzi: è un modo per restituire alle convinzioni politiche la loro pienezza, il loro essere incarnate e, di conseguenza, la loro parzialità.

Come osserva Maaike Meijer,[9] solo di rado capita che si applichi una lettura psicanalitica "intensiva" all'analisi della politica. Quelle poche volte che accade, come nel caso del nazismo, solitamente si tende a spiegare la dinamica motivazionale di forze oscure e terrificanti. È come se il far riferimento a una topologia delle passioni politiche possa solo implicare connotazioni negative. Vorrei, invece, richiamare l'idea della positività delle passioni proposta da Deleuze – una nozione che egli esplora avvalendosi di Nietzsche e Spinoza – per rispondere di un "desiderio di femminismo" come passione felice, affermativa. Il femminismo libera nelle donne anche il desiderio di libertà, levità, giustizia e autorealizzazione. E questi valori non corrispondono solo a convinzioni politiche razionali, ma anche a oggetti di intenso desiderio. Questo spirito di allegria era presente nei primi tempi del movimento femminista, quando appariva così chiaro che la gioia e il riso erano affermazioni ed emozioni politiche profonde. Non ne rimane molta di spinta gioiosa in questi tetri giorni della postmodernità, eppure faremmo bene a ricordare la forza eversiva del riso dionisiaco. Vorrei che il femminismo si liberasse dei suoi atteggiamenti seriosi e dogmatici e riscoprisse l'allegria di un movimento che aspira a cambiare la vita.[10]

Italo Calvino[11] sostiene che le parole chiave che ci occorrono per uscire dal tunnel della crisi postmoderna sono: leggerezza, velocità e molteplicità. Il terzo livello di differenza sessuale ci avverte di quanto sia importante che un tocco leggero accompagni la complessità delle strutture politiche ed epistemologiche del progetto femminista.

Per il nomadismo

Trasponendo questi tre livelli di differenza sessuale in una sequenza temporale, seguendo lo schema di Kristeva menzionato in precedenza, si può dire che i primi due rientrano nel tempo lungo, lineare della storia, mentre il terzo appartiene al tempo interiore, discontinuo della genealogia. Il problema è, comunque, come pensare l'interconnessione esistente tra di loro, vale a dire come rispondere di un processo del *divenire* mentre si cerca di dare efficacia all'agire delle donne nella storia.

Riassumendo, direi che parlare "in quanto donna femminista" non significa riferirsi a un paradigma dogmatico ma piuttosto a un intreccio di questioni che si giocano su diversi strati, registri e livelli del sé.

Nella mia ipotesi di ragionamento, il progetto della differenza sessuale si pone in questi termini: è storicamente e politicamente urgente, nel *qui e ora* del mondo comune delle donne, portarsi alla ribalta e agire secondo la differenza sessuale. Un'urgenza dovuta anche al contesto storico, specialmente in Europa, entro il quale si sta realizzando l'affermazione di posizioni fondate sulla differenza.

Considero il femminismo come una strategia per erodere la nozione storica di *donna* in un momento della storia in cui essa ha perduto la sua unità sostanziale. Come prassi politica e teorica, quindi, il femminismo può essere visto come qualcosa che svela e consuma i diversi strati di rappresentazione della *donna*. Il mito della *donna* come "altro" è ora uno spazio vacante dove donne diverse possono agire il loro divenire soggettivo. La questione, per il soggetto femminista, è come intervenire sull'idea di *donna* nel contesto storico presente in modo da creare nuove condizioni per il divenire soggetto delle donne qui e ora.

Nell'affrontare il divenire soggetto delle donne il punto di partenza è la politica della collocazione. Essa implica la critica delle identità dominanti e dei rapporti di potere e un'assunzione di responsabilità nei confronti delle condizioni sociali che condividiamo. Questo a sua volta impone non solo il riconoscimento delle differenze tra donne ma anche la pratica della decodifica: esprimere e condividere nel linguaggio le condizioni di possibilità delle scelte politiche e teoriche di ciascuna. Responsabilità e posizionalità sono inscindibili. Nel sottolineare l'importanza di rispondere dei propri investimenti – specialmente ad altre donne – ritengo indispensabile tenere in considerazione il livello del desiderio inconscio e quindi dei rapporti immaginari con le condizioni materiali che strutturano la nostra vita. Come afferma Caren Kaplan: "Un'assunzione di responsabilità di questo tipo può iniziare a spostare la base della prassi femminista da un relativismo autoritario [...] alle complesse pratiche interpretative che riconoscono il ruolo storico della mediazione, del tradimento e dell'alleanza nei rapporti tra donne in diverse collocazioni".[12]

Alla domanda: da dove viene il cambiamento? La mia risposta è: il nuovo si crea rivisitando e consumando il vecchio fino alla fine. Come nel pasto totemico di Freud, bisogna assimilare ciò che è morto prima di poter andare verso un nuovo ordine. La ricerca di soluzioni richiede la ripetizione mimetica e la consumazione del vecchio. Questo tipo di risposta, a sua volta, influenza il mio modo di vedere le vie d'uscita dal territorio del fallologocentrismo. La scelta che tradizionalmente si offre al femminismo sembra essere, da una parte, un superamento del dualismo dei generi che neutralizzi le differenze o, dall'altra, l'estremizzazione della differenza, ipersessualizzata in maniera strategica. La mia ipotesi di differenza sessuale come strategia nomade è a favore dell'affermazione estrema dell'identità sessuata come modalità di ribaltamento della definizione gerarchica delle differenze. Questo può portare alla ripetizione, ma ciò che qui conta, soprattutto, è il fatto che essa mette le donne in grado di agire.

Il soggetto-donna femminista è uno dei termini in un processo che non deve e non può essere costretto in una semplificazione che lo riduca a una forma di soggettività lineare e teleologica. Esso andrebbe visto come l'intersezione del desiderio soggettivo e della volontà di trasformazione sociale. Ed è per questo che voglio arrivare a sostenere che la differenza sessuale permette di affermare forme alternative della soggettività politica femminista: le femministe sono le donne post-*donna*.

Il soggetto femminista è nomade perché è intensivo, multiplo, incarnato e quindi perfettamente culturale. Ritengo che questa figurazione possa essere assunta come un tentativo di fare i conti con ciò che definisco il nuovo nomadismo della nostra condizione storica. Ho già detto che il metodo con cui affrontare la ridefinizione della soggettività femminile implica in via preliminare che si lavori sul magazzino di immagini, concetti e rappresentazioni delle donne, dell'identità femminile, così come sono stati codificati dalla cultura in cui viviamo.

Un esempio perfetto di corpo a corpo nomadico con le essenze storiche, volto a dislocarne la carica normativa, ci viene offerto dall'artista americana Cindy Sherman. Nel suo *History Portraits*[13] Sherman mette in scena una serie di metabolizzazioni di figure, caratteri ed eroi storici che l'autrice impersona con una formidabile mescolanza di precisione e ironia. Attraverso una serie di autoritratti parodici nei quali si presenta sotto diverse sembianze come tanti "altri", Sherman accompagna gli spostamenti di collocazione con una forte affermazione politica riguardo all'importanza dell'agire che dichiara il suo luogo di enunciazione esattamente negli spostamenti, nelle transizioni e nelle ripetizioni mimetiche.[14] In altre parole, un'intera storia di dominazioni e il modo in cui il linguaggio fallologocentrico struttura le nostre posizioni di discorso in quanto soggetti, mi fanno pensare che prima di abbandonare il significante *donna* le femministe devono riappropriarsene e riattraversarne la poliedrica complessità, perché è questa complessità che definisce quell'identità che condividiamo in quanto femministe di sesso femminile.

Porre in primo piano gli spostamenti nomadi vuol dire per me sottolineare quanto sia fondamentale non escludere nessuno dei livelli che disegnano la mappa della soggettività femminile femminista. Quel che conta è saper nominare e rappresentare zone di transito tra questi livelli, l'andare, il processo, il passare. Mettendola in questi termini, allora, mi pongo in uno spazio intermedio tra alcune delle maggiori figurazioni della soggettività oggi operanti all'interno del femminismo. La figura del cyborg di Donna Haraway, per esempio, rappresenta un grande e significativo contributo a livello della soggettività politica, perché propone un riallineamento delle differenze di razza, genere, classe e degli altri assi di differenziazione che induce una collocazione plurisfaccettata per l'azione femminista. Tuttavia ritengo che la figura del cyborg prefiguri un mondo "al di là dei generi", in quanto considera l'identità sessuata come qualcosa di obsoleto senza peraltro indicare quali siano i passi da compiere e le possibili vie per uscire dal vecchio sistema costruito sulla polarizzazione dei generi.

Occorre invece riuscire a nominarli questi passi, spostamenti e vie di uscita che potrebbero consentire alle donne di superare il dualismo fallologocentrico dei generi. In altre parole, c'è bisogno di prestare attenzione al livello dell'identità, delle identificazioni inconsce e del desiderio per poi coniugare questi livelli con delle trasformazioni politiche motivate dalla volontà.

La figura del cyborg risulta molto utile per capire queste ultime, ma riguardo alla questione dell'identità, dell'identificazione e dei desideri inconsci, invece, non offre un grande contributo.

In maniera simile, le figurazioni per una nuova umanità femminista proposte da Luce Irigaray, con la loro enfasi sulla mitologia femminile ("le due labbra", "la mucosa", "il divino"), suggeriscono un'esplorazione inedita delle strutture profonde dell'identità femminile. Irigaray difende la sua immersione mimetica nella fantasmagoria femminile dell'inconscio come la strategia privilegiata che consente di ridefinire sia l'identità femminile che la soggettività femminista. Tuttavia, legando le due insieme così strettamente, Irigaray non riesce a rispondere della molteplicità delle differenze tra le donne, soprattutto sul terreno delle identità culturali ed etniche.

Il soggetto nomade di cui parlo è una figurazione che sottolinea il bisogno di azione sia a livello di identità e di soggettività, sia a livello delle differenze tra donne. Questi differenti requisiti corrispondono a momenti diversi, vale a dire, a diverse collocazioni nello spazio, a pratiche diverse. Questa molteplicità si trova all'interno di una sequenza temporale che, in quanto pluristratificata, può lasciar spazio alle discontinuità e perfino alle contraddizioni.

Per affrontare questo processo, una femminista deve partire riconoscendo se stessa come non univoca, come soggetto scisso più volte su assi di differenziazione molteplici. Prestarvi attenzione richiede forme di prassi adeguatamente diversificate.

Per dirla più chiaramente: come Nietzsche, Deleuze e Irigaray non credo che mutamenti e trasformazioni, come, per esempio, un nuovo sistema simbolico di donne, possano essere prodotti a opera della semplice volontà. La via per trasformare la realtà psichica non sta nell'autonominazione volontaria, che nella migliore delle ipotesi risulta essere una forma estrema di narcisismo, e nella peggiore la faccia melanconica del solipsismo. Il mutamento può essere prodotto, piuttosto, soltanto mediante l'incarnazione de-essenzializzata oppure la strategica incarnazione ri-essenzializzata: *erodendo* cioè le strutture pluristratificate del proprio sé incarnato.

Come il graduale mutamento di pelle, il cambiamento lo si guadagna attraverso un accurato lavoro di erosione; è la consumazione, la metabolizzazione del vecchio che può generare il nuovo. La differenza non è il risultato della forza di volontà, ma di tante, interminabili ripetizioni. Finché non avremo attraversato i molteplici strati di significato di *donna* – per quanto fallico esso sia – non sono disposta ad abbandonare quel significante.

Il motivo per cui voglio continuare a lavorare proprio intorno a quel termine – le donne come soggetti femminili femministi della differenza sessuale – che va decostruito, nasce dall'enfasi posta sulla politica del desiderio. Ritengo che non possano esservi mutamenti sociali senza aver prima costruito nuovi soggetti desideranti: molecolari, nomadi, multipli. Si deve partire lasciando spazio alla sperimentazione, alla ricerca, alla transizione. Divenire nomadi.

Ciò non significa sostenere un facile pluralismo. Si tratta piuttosto di un appello appassionato al riconoscimento del bisogno di rispettare la molteplicità e di trovare forme dell'agire che riflettano la complessità, senza annegarci dentro.

Inoltre, ritengo che una gran parte dei conflitti e delle polemiche tra femministe potrebbe essere evitata se cominciassimo a stabilire delle distinzioni più rigorose in merito alle categorie di pensiero che utilizziamo e alle pratiche politiche che ne costituiscono la posta in gioco. Rispondere in prima persona sia delle categorie che delle pratiche è il primo passo verso l'elaborazione di una teoria femminista nomade in cui si possa assumere la responsabilità, scambiare, parlare delle discontinuità, delle trasformazioni, degli spostamenti di livelli e di collocazioni, in modo che le nostre differenze possano generare forme incarnate, situate di responsabilità, di narrazioni, di lettura degli scenari. Così da poterci posizionare come intellettuali femministe, come viaggiatrici attraverso paesaggi ostili, armate di mappe che ci siamo fatte da noi, pronte a seguire sentieri che spesso sono evidenti solo ai nostri occhi, ma che in compenso possiamo narrare, scambiare e di cui possiamo rendere conto.

Caren Kaplan lo esprime in modo limpido:

Dobbiamo andarcene di casa perché le nostre case sono spesso teatro di razzismo, sessismo e altre pratiche sociali dannose. Lì dove arriviamo a collocarci nei termini delle nostre storie e differenze specifiche deve esserci posto per ciò che può essere salvato del passato e per ciò che di nuovo può essere creato.[15]

Il nomadismo: la differenza sessuale come ciò che offre collocazioni mobili per molteplici voci incarnate femminili e femministe.

Note

[1] Judith Butler, *Subjects of Desire: Hegelian Reflections in Twentieth-Century France*, Columbia University Press, New York 1987; Id., *Gender Trouble*, Routledge, New York-London 1991.

[2] Luce Irigaray, *Égales à qui?* in "Critique", 43, 1987, pp. 420-437.

[3] Antoinette Fouque, *Women in Movements: Yesterday, Today, and Tomorrow*, in "Differences", 1991, XIII, 3, pp. 1-25.

[4] *An Interview*, in *Shifting Scenes: Interviews on Women, Writing, and Politics in Post-68 France*, a cura di Alice Jardine, Anne Menke, Columbia University Press, New York 1991, p. 74.

[5] Dorothy Kaufmann, *Simone de Beauvoir: Questions of Difference and Generation*, in "Yale French Studies", 72 , 1986; cfr. anche *Conflicts in Feminism*, a cura di Marianne Hirsch e Evelyne Fox Keller, Routledge, New York-London 1990.

[6] Emblematica di questo cambiamento di prospettiva è la polemica che oppose Foucault a Sartre sulla questione del ruolo degli intellettuali e Cixous e de Beauvoir sulla "liberazione" delle donne. Per una sintesi di questi dibattiti si veda il mio *Dissonanze. Le donne e la filosofia contemporanea*, La Tartaruga, Milano 1994.

[7] Julia Kristeva, *Women's Time*, in *Feminist Theory: A Critique of Ideology*, a cura di Nannerl O. Keohane, University of Chicago Press, Chicago 1988.

[8] Su questo punto sono in debito con la discussione su femminismo e psicanalisi che ebbe luogo nel corso del seminario di dottorato del programma di *Women's Studies* a Utrecht nel marzo-aprile 1993; in particolare con gli interventi di Maaike Meijer e Juliana de Novellis.

[9] *Ibid*.

[10] Questo fu un famoso slogan del maggio '68 a Parigi.

[11] Italo Calvino, *Lezioni americane. Sei proposte per il prossimo millennio*, Garzanti, Milano 1988.

[12] Caren Kaplan, *The Politics of Location as Transnational Feminist Critical Practice*, in *Scattered Hegemonies: Post-modernity and Transnational Feminist Practices*, a cura di Caren Kaplan, Inderpal Grewal, University of Minnesota Press, Minneapolis-London 1994.

[13] Cindy Sherman, *History Portraits*, Rizzoli, New York 1991.

[14] Sono grata a Joan Scott per avermi segnalato questo aspetto dell'opera di Sherman.

[15] Caren Kaplan, *Deterritorializations: the rewriting of home and exile in western feminist discourse*, in "Cultural Critique", 1987, p. 194.

Parte terza

TRA NATURA E TECNICA. QUESTIONI DI ETICA E BIOETICA CONTEMPORANEE

Un manifesto per cyborg:
scienza, tecnologia e femminismo socialista
nel tardo ventesimo secolo[1]

di Donna Haraway

*Sogno ironico di un linguaggio comune per donne nel cir-
cuito integrato*

In questo saggio mi propongo di costruire un ironico
mito politico fedele al femminismo, al socialismo e al materialismo. E forse più fedele ancora; come l'empietà, e
non come la venerazione o l'identificazione. Da sempre
l'empietà richiede che prendiamo molto sul serio le cose.
Perciò non conosco posizione migliore all'interno delle tradizioni religioso-secolari ed evangeliche della politica statunitense, non escluso il femminismo socialista. L'empietà
ci protegge dal moralismo ufficiale che abbiamo introiet-
tato, ma ribadisce che c'è bisogno di una comunità. L'empietà non è apostasia. L'ironia investe contraddizioni che
non sono riducibili a un tutto più vasto neanche dialetti-
camente, descrive la tensione che si produce tenendo insieme cose magari vere e necessarie ma incompatibili. L'ironia è umorismo e gioco serio. L'ironia è, inoltre, una strategia retorica e un metodo politico che il femminismo socialista dovrebbe valorizzare di più. Al centro della mia
fede ironica, della mia empietà, c'è l'immagine del cyborg.

Un cyborg è un organismo cibernetico, un ibrido di
macchina e organismo, una creatura che appartiene tanto
alla realtà sociale quanto alla finzione. La realtà sociale è
costituita dalle relazioni sociali vissute, è la nostra princi-

Pubblicato in: *Manifesto cyborg. Donne, tecnologie e biopolitiche del
corpo*, con saggio introduttivo di Rosi Braidotti, Feltrinelli, Milano 1995,
pp. 39-41, 55-59, 68-73, 82-84.

pale costruzione politica, una finzione che trasforma il mondo. I movimenti internazionali delle donne hanno costruito l'"esperienza delle donne", svelando o rivelando cosa sia questo cruciale oggetto collettivo: una esperienza che è al tempo stesso una finzione e un fatto di massima rilevanza politica. La liberazione si fonda sulla costruzione della coscienza, sull'assunzione immaginativa dell'oppressione e quindi della possibilità. Il cyborg è una questione di finzione e di esperienza vissuta che trasforma quello che conta per esperienza delle donne alla fine del ventesimo secolo. È una lotta per la vita e la morte, ma il confine tra fantascienza e realtà sociale è un'illusione ottica.

La fantascienza contemporanea è piena di cyborg: animali e macchine insieme, creature che popolano mondi ambiguamente naturali e artefatti. Anche la medicina moderna è piena di cyborg, di accoppiamenti tra organismo e macchina, ciascuno concepito come dispositivo in codice, in una intimità e con un potere che non sono stati generati nella storia della sessualità. Il "sesso" dei cyborg ci ricorda un po' l'amabile barocco replicativo delle felci e degli invertebrati, graziosi profilattici organici contro l'eterosessismo. La replicazione del cyborg non è collegata alla riproduzione organica. L'incubo del taylorismo[2] appare un sogno in confronto alla colonizzazione cyborg dei moderni metodi di produzione. E anche la guerra moderna è un'orgia cyborg, codificata da C[3]I (comando-controllo-comunicazione-*intelligence*),[3] una voce da 84 miliardi di dollari nel bilancio della difesa americana per il 1984. Vorrei sostenere il cyborg come finzione cartografica della nostra realtà sociale e corporea, e come risorsa immaginativa ispiratrice di accoppiamenti assai fecondi. La biopolitica di Michel Foucault non è che una fiacca premonizione di quel campo aperto che è la politica cyborg.

Alla fine del ventesimo secolo, in questo nostro tempo mitico, siamo tutti chimere, ibridi teorizzati e fabbricati di macchina e organismo: in breve, siamo tutti dei cyborg. Il cyborg è la nostra ontologia, ci dà la nostra politica. Il cyborg è un'immagine condensata di fantasia e realtà materiale, i due centri congiunti che insieme strutturano qualsiasi possibilità di trasformazione storica. Nelle tradizioni della scienza e della politica "occidentale" la tradizione del capitalismo razzista e fallocentrico; la tradizione del progresso; la tradizione dell'appropriazione della natura come risorsa per la produzione di cultura; la tradizione della riproduzione del sé dallo specchio dell'altro, la relazione tra organismo e macchina, è stata una guerra di confine. Le poste in gioco di questa guerra sono stati i territori della produzione, riproduzione e immaginazione. Questo saggio vuole essere un argomento a sostegno del *piacere* di confondere i confini e della nostra *responsabilità* nella loro costruzione. Cerco inoltre di contribuire alla cultura e alla teoria del femminismo socialista in maniera postmoderna, non naturalista, e secondo la tradizione utopica, immaginando un mondo senza genere che forse è un mondo senza genesi, ma può essere anche un mondo senza fine. L'incarnazione del cyborg sfugge a qualsiasi parabola di redenzione; e nemmeno segue un calendario edipico, o tenta di sanare le terribili scissioni del genere nell'utopia orale simbiotica o nell'apocalisse postedipica. Come sostiene Zoe Sofoulis in *Lacklein*, uno scritto inedito su Jacques Lacan, Melanie Klein e la cultura nucleare, i mostri più terribili e forse più promettenti dell'universo cyborg prendono corpo in narrative non-edipiche di cui è necessario comprendere la diversa logica di repressione, se vogliamo sopravvivere.

L'informatica del dominio

Nel tentativo di elaborare una nuova posizione epistemologica e politica, vorrei abbozzare il ritratto di una possibile unità, un ritratto che si ispira ai principi del progetto femminista e socialista. La cornice del mio bozzetto è costituita dall'entità e dall'importanza delle trasformazioni dei rapporti sociali collegati alla scienza e alla tecnologia in tutto il mondo. Sostengo la necessità di una politica radicata in vari progetti volti a mutare drasticamente la natura stessa di classe, razza e genere in un emergente sistema di assetto mondiale che è analogo, per novità e portata, a quello creato dal capitalismo industriale. Il nostro è un tragitto che porta da una società organica e industriale a un sistema informatico polimorfo, da tutto lavoro a tutto divertimento, un gioco mortale. Possiamo elencare queste dicotomie, materiali quanto ideologiche, nella seguente tabella di transizione dalla vecchia e comoda dominazione gerarchica alla nuova rete angosciante che ho chiamato informatica del dominio:

Rappresentazione	Simulazione
Romanzo borghese, realismo	Fantascienza, postmodernismo
Organismo	Componente biotica
Profondità, integrità	Superficie, confine
Calore	Rumore
Biologia come pratica clinica	Biologia come inscrizione
Fisiologia	Ingegneria della comunicazione
Piccolo gruppo	Sottosistema
Perfezione	Ottimizzazione
Eugenetica	Controllo della popolazione
Decadenza, *Montagna Incantata*[3]	Obsolescenza, *Future Shock*[4]
Igiene	*Stress management*
Microbiologia, tubercolosi	Immunologia, AIDS
Divisione organica del lavoro	Ergonomia/cibernetica del lavoro
Specializzazione funzionale	Costruzione modulare
Riproduzione	Replicazione
Specializzazione organica dei ruoli sessuali	Strategia di ottimizzazione genetica
Determinismo biologico	Inerzia evolutiva, vincoli
Ecologia comunitaria	Ecosistema
Catena razziale dell'essere[5]	Neoimperialismo, umanesimo da Nazioni Unite

Gestione scientifica della casa/ della fabbrica	Fabbrica globale/*cottage* elettronico
Famiglia/Mercato/Fabbrica	Donne nel circuito integrato
Salario familiare	Valore comparato[6]
Pubblico/Privato	Cittadinanza cyborg
Natura/Cultura	Campi di differenza
Cooperazione	Miglioramento delle comunicazioni
Freud	Lacan
Sesso	Ingegneria genetica
Lavoro	Robotica
Mente	Intelligenza artificiale
Seconda guerra mondiale	Guerre stellari
Patriarcato capitalista bianco	Informatica del dominio

Questo schema offre diversi spunti interessanti.[7] Innanzitutto, gli oggetti del lato destro non possono essere codificati come "naturali", e il prenderne atto sovverte anche la codifica naturalistica del lato sinistro. Non possiamo tornare indietro, ideologicamente o materialmente. Non è solo "dio" che è morto, è morta anche la "dea"; o meglio, vengono entrambi rivitalizzati nei mondi pervasi dalla politica microelettronica e biotecnologica. Se parliamo di componenti biotiche non dobbiamo pensare in termini di proprietà essenziali, ma in termini di progettazione, di proprietà di confini, tassi di flusso, logica dei sistemi, costi di abbassamento dei confini. La riproduzione sessuale è uno dei tanti tipi di strategia riproduttiva, con i suoi costi e i suoi profitti, come qualsiasi altra funzione del sistema ambientale. Le ideologie della riproduzione sessuale non possono più rifarsi razionalmente ai concetti di sesso e di ruolo sessuale in quanto aspetti organici di oggetti naturali come gli organismi e le famiglie. Sarà facile smascherare l'irrazionalità di tale prospettiva e, ironicamente, la denuncia di questa irrazionalità può accomunare i manager che leggono "Playboy" e le femministe radicali antiporno.

Le ideologie sull'umana diversità, come il discorso sulla razza, devono essere formulate in termini di frequenze di parametri, quali i gruppi sanguigni o i quozienti di intelligenza. È "irrazionale" invocare concetti come primitivo e civilizzato. Per i liberali e i radicali, la necessità di sistemi sociali integrati apre il campo a una nuova pratica detta "etnografia sperimentale", in cui un oggetto organico si dissolve nell'attenzione prestata al gioco della scrittura. Sul piano dell'ideologia, vediamo il razzismo e il colonialismo tradursi in linguaggi di sviluppo e sottosviluppo, percentuali e vincoli della modernizzazione. Si può ragionevolmente pensare a qualsiasi oggetto o persona in termini di smontaggio e riassemblaggio: nessuna architettura "naturale" vincola la progettazione dei sistemi. I distretti finanziari di tutte le città del mondo, le aree di libero scambio ed *export-processing* proclamano questo dato di fatto elementare del "tardo capitalismo". L'intero universo degli oggetti che possono essere scientificamente conosciuti deve essere formulato come un problema di ingegneria della comunicazione (per i manager) o una teoria del testo (per coloro che oppongono resistenza). Entrambe sono semiologie cyborg.

Ci si aspetterebbe che le strategie di controllo si concentrassero sulle condizioni al contorno e sulle interfacce, sui tassi di flusso attraverso i confini, e non sull'integrità degli oggetti naturali. L'"integrità" o la "sincerità" del sé occidentale apre il campo a procedure decisionali e a sistemi esperti. Per esempio, le strategie di controllo applicate alla capacità femminile di dar vita a nuovi esseri umani verranno sviluppate nei linguaggi del controllo della popolazione e della massimizzazione dei traguardi per i singoli *decision-makers*. Le strategie di controllo verranno formulate in termini di quote, costi dei vincoli, gradi di libertà.[8] Gli esseri umani, come ogni altro componente o sottosistema, devono essere collocati in un sistema architettonico le cui modalità operative di base siano probabilistiche e statistiche. Gli oggetti, gli spazi o i corpi non sono intrinsecamente sacri, qualsiasi componente può essere interfacciata con ogni altra, purché sia possibile costruire uno standard e un codice di elaborazione comune del linguaggio. Lo scambio in questo mondo trascende la traduzione universale compiuta dai mercati capitalisti che

Marx ha analizzato così bene. La patologia privilegiata a cui vanno soggetti tutti i tipi di componenti di questo universo è lo stress, il collasso della comunicazione.[9] Il cyborg non è soggetto alla biopolitica di Foucault: il cyborg simula la politica, agendo in un campo operativo molto più potente.

Questo tipo di analisi degli oggetti di conoscenza scientifici e culturali, che esistono in senso storico a partire dalla Seconda guerra mondiale, ci fa notare alcune gravi carenze dell'analisi femminista, che ha proceduto come se il dualismo organico e gerarchico che ha strutturato il discorso dell'"Occidente" da Aristotele in poi dettasse ancora legge. Esse sono state cannibalizzate o, per dirla con Zoe Sofia (Sofoulis), sono state "tecno-digerite". Le dicotomie tra mente e corpo, animale e umano, organismo e macchina, pubblico e privato, natura e cultura, uomini e donne, primitivo e civilizzato, sono tutte messe ideologicamente in discussione. La situazione effettiva delle donne è la loro relazione di integrazione/sfruttamento con un sistema mondiale di produzione/riproduzione e comunicazione detto informatica del dominio. La casa, il luogo di lavoro, il mercato, l'arena pubblica, il corpo stesso, tutto può essere disperso e interfacciato in modi polimorfi e pressoché infiniti, con conseguenze importanti per le donne e per altri, conseguenze che variano molto a seconda delle persone e che rendono i potenti movimenti d'opposizione internazionale difficili da immaginare, ma essenziali per sopravvivere. Un buon modo per ricostruire la politica del socialismo femminista è sviluppare una teoria e una pratica rivolte alle relazioni sociali della scienza e della tecnologia, ed è cruciale che siano inclusi i sistemi dei miti e significati che strutturano la nostra immaginazione. Il cyborg è una sorta di sé postmoderno collettivo e personale, disassemblato e riassemblato. È il sé che le femministe devono elaborare.

Le tecnologie della comunicazione e le biotecnologie sono gli strumenti principali per ricostruire i nostri corpi. Questi strumenti incorporano e impongono nuove relazioni sociali per le donne di tutto il mondo. Le tecnologie e i discorsi scientifici possono essere in parte intesi come formalizzazioni, come momenti congelati della fluida interazione sociale che li costituisce, ma dovrebbero anche essere visti come strumenti per imporre significati. Il confine tra mito e mezzo, strumento e concetto, sistemi storici di relazioni sociali e anatomie storiche di corpi possibili, inclusi gli oggetti di conoscenza, è permeabile. In realtà, il mito e il mezzo si costituiscono a vicenda.

Donne nel circuito integrato

Vorrei tracciare un quadro riassuntivo delle collocazioni storiche delle donne nelle società industriali avanzate e di come queste posizioni siano state in parte ristrutturate dalle relazioni sociali di scienza e tecnologia. Se mai è stato ideologicamente possibile caratterizzare le vite delle donne attraverso la distinzione tra sfera pubblica e privata suggerita dalle immagini della divisione della vita della classe lavoratrice tra la fabbrica e la casa, della vita borghese tra il mercato e la casa, e dell'esistenza di genere nell'ambito del personale e del politico, oggi questa ideologia appare fuorviante, anche ai fini di dimostrare come entrambi i termini di queste dicotomie si costruiscano reciprocamente, in teoria e in pratica. Preferisco un'immagine ideologica reticolare, che suggerisca la profusione di spazi e di identità e la permeabilità dei confini nel corpo personale e nel corpo politico. La "reticolarità" è sia una pratica femminista sia una strategia corporativa delle multinazionali; per i cyborg oppositivi c'è la tessitura.[10]

Ritornerò dunque all'immagine iniziale dell'informatica del dominio per delineare l'immagine del "posto" delle donne nel circuito integrato, prendendo in esame solo alcuni luoghi sociali idealizzati visti soprattutto nella prospettiva delle società capitaliste avanzate: la Casa, il Mercato, il Posto di Lavoro Salariato, lo Stato, la Scuola, l'Ospedale e la Chiesa. Ciascuno di questi spazi idealizzati è logicamente e praticamente implicato in ogni altro luogo, forse analogo a una foto olografica. Vorrei sottolineare l'effetto delle relazioni sociali mediate e imposte dalle nuove tecnologie per contribuire a formulare le analisi e il lavoro pratico di cui abbiamo bisogno. Non esiste comunque un "posto" per le donne in queste reti, ci sono solo geometrie della differenza e contraddizioni cruciali per le identità cyborg delle donne. Se impariamo a leggere questi intrecci di potere e di vita sociale, potremo studiare nuovi accoppiamenti, nuove coalizioni. Non c'è modo di leggere la lista che segue in una prospettiva di "identificazione", di un sé unitario. Il problema è la dispersione; l'obiettivo è sopravvivere alla diaspora.

Casa: donne capofamiglia, monogamia seriale, fuga degli uomini, solitudine delle donne anziane, tecnologia del lavoro domestico, lavoro a domicilio pagato, ritorno allo sfruttamento del lavoro a cottimo, aziende a sede domiciliare e pendolarismo telematico, *cottage* elettronico, senzacasa urbani, emigrazione, architettura modulare, rafforzamento (simulato) della famiglia nucleare, intensa violenza domestica.

Mercato: le donne continuano a lavorare come consumatrici, e costituiscono il *target* per l'acquisto della profusione di prodotti delle nuove tecnologie (soprattutto quando la competizione tra le nazioni industrializzate e quelle in via di industrializzazione richiede, al fine di evitare una pericolosa disoccupazione di massa, nuovi e sempre più vasti mercati per beni di sempre più dubbia necessità); potere d'acquisto bimodale, con *target* pubblicitario su vari gruppi affluenti e voluta disattenzione verso i precedenti mercati di massa; importanza crescente dei mercati informali di lavoro e beni di consumo paralleli alle strutture del mercato affluente ad alta tecnologia; sistemi di sorveglianza attraverso il trasferimento elettronico dei fondi; intensa astrazione (mercificazione) commerciale dell'esperienza, che produce teorie della comunità inefficaci e utopiche, oppure il loro equivalente cinico; estrema mobilità (astrazione) dei sistemi di *marketing* e finanziari;

compenetrazione dei mercati del sesso e del lavoro; sessualizzazione intensificata del consumo astratto e alienato.

Posto di Lavoro Salariato: forte e continua divisione razziale e sessuale del lavoro, ma considerevole aumento della presenza delle donne bianche e delle persone di colore nelle categorie occupazionali privilegiate; impatto delle nuove tecnologie sul lavoro femminile d'ufficio, nei servizi, in manifattura (soprattutto tessile), in agricoltura, in elettronica; ristrutturazione internazionale delle classi lavoratrici; elaborazione di nuove distribuzioni del tempo per facilitare l'economia del lavoro a domicilio (tempo flessibile, part-time, straordinario, nessun orario); lavoro in casa e lavoro fuori; forte pressione verso il doppio livello della struttura salariale; quantità considerevole di persone che al mondo dipendono dal denaro in contanti, senza alcuna esperienza e speranza futura di un impiego stabile; buona parte del lavoro diventa "marginalizzato" o "femminilizzato".

Stato: progressiva erosione dello stato assistenziale; decentralizzazioni con incremento della sorveglianza e del controllo; cittadinanza attraverso la telematica; imperialismo e potere politico sotto forma di scarto di informazioni tra ricchi e poveri; sviluppo della militarizzazione alto-tecnologica, sempre più contrastata da diversi gruppi sociali; riduzione dei lavori di servizio civile in seguito alla massiccia concentrazione di capitali nel lavoro d'ufficio, con implicazioni di mobilità occupazionale per le donne di colore; privatizzazione crescente della vita e della cultura materiale e ideologica; stretta integrazione di privatizzazione e militarizzazione, forme alto-tecnologiche della vita pubblica e personale della borghesia capitalista; invisibilità reciproca dei diversi gruppi sociali, innescata dal meccanismo psicologico della paura di nemici astratti.

Scuola: sempre più stretta connessione tra i bisogni alto-tecnologici del capitale e l'istruzione pubblica a ogni livello, diversificata per razza, classe e genere; inserimento di corsi manageriali nell'istruzione riformata e riconvertita, a spese delle rimanenti strutture educative progressiste e democratiche per alunni e insegnanti; istruzione per l'ignoranza e la repressione delle masse nella cultura tecnocratica e militarizzata; incremento dei culti misterici antiscientifici nei movimenti politici radicali e del dissenso; permanenza di un relativo analfabetismo scientifico tra le donne bianche e la gente di colore; progressivo orientamento industriale dell'istruzione (specialmente di quella superiore) da parte delle multinazionali scientifiche (soprattutto nelle compagnie che dipendono dall'elettronica e dalla biotecnologia); *élites* numerose e con un alto livello di istruzione in una società progressivamente bimodale.

Ospedale: intensificazione delle relazioni macchina-corpo; rinegoziato delle metafore pubbliche che incanalano l'esperienza personale del corpo, soprattutto in relazione alla riproduzione, alle funzioni del sistema immunitario e ai fenomeni di stress; intensificazione delle politiche riproduttive in risposta alle implicazioni storiche mondiali dell'irrealizzato ma potenziale controllo, da parte delle donne, della propria relazione con la riproduzione; comparsa di nuove malattie, storicamente specifiche, lotta per i significati e gli strumenti della salute in ambienti pervasi dai prodotti e dai processi dell'alta tecnologia; femminilizzazione progressiva del lavoro sanitario; lotta accesa per la responsabilità dello stato in campo sanitario; continuità del ruolo ideologico dei movimenti salutisti popolari come forma importante della politica americana.

Chiesa: predicatori elettronici fondamentalisti "super-salvatori" che celebrano l'unione del capitale elettronico con il dio feticcio automatizzato; importanza crescente delle Chiese nella resistenza allo stato militarizzato; lotta centrale per i significati e l'autorità della donna nella religione; perdurante rilevanza della spiritualità, intrecciata al sesso e alla salute, nella lotta politica.

L'informatica del dominio è caratterizzata dal massiccio intensificarsi dell'insicurezza e dell'impoverimento culturale e dal frequente insuccesso delle reti di sussistenza per i più vulnerabili. Poiché molte di queste immagini si intrecciano alle relazioni sociali della scienza e della tecnologia, è evidente la necessità di una politica femminista-socialista che si indirizzi verso la scienza e la tecnologia. Si sta facendo molto in questo momento, e il terreno per il lavoro politico è fertile. Per esempio, gli sforzi per sviluppare forme di lotta collettiva per le lavoratrici salariate, come il Distretto 925 del SEIU,[11] dovrebbero essere una priorità per tutte noi. Questi sforzi si collegano strettamente alla ristrutturazione tecnica dei processi lavorativi e alla riforma delle classi lavoratrici. Questi sforzi stanno anche portando a ipotizzare un tipo più completo di organizzazione del lavoro che includa la comunità, la sessualità e le questioni familiari sinora non privilegiate dai sindacati industriali che sono costituiti da una maggioranza di maschi bianchi.

La ristrutturazione collegata alle relazioni sociali di scienza e tecnologia suscita forti ambivalenze. Ma in fondo non è necessario sentirsi depressi per i rapporti che le donne di questa fine secolo hanno con il lavoro, la cultura, la produzione di conoscenza, sessualità e riproduzione. Per eccellenti motivi, molto marxismo riconosce facilmente la dominazione, ma fatica a capire ciò che può sembrare solo falsa coscienza e complicità nella propria oppressione da parte dei soggetti del tardo capitalismo. È cruciale ricordarsi che ciò che si perde, soprattutto dal punto di vista delle donne, è spesso costituito da forme virulente di oppressione, nostalgicamente naturalizzate nonostante costituiscano violazioni palesi e ripetute. L'ambivalenza verso la frantumazione dell'unità, mediata dalla cultura alto-tecnologica, richiede non tanto l'organizzazione della coscienza in categorie di "lucida critica a fondamento di una solida epistemologia politica" contro la "falsa coscienza manipolata", quanto una duttile comprensione di nuovi piaceri, esperienze e poteri veramente capaci di cambiare le regole del gioco.

Possiamo sperare che dalla base emergano nuovi tipi di unione attraverso la razza, il genere e la classe, mentre queste unità elementari dell'analisi femminista-socialista subiscono anch'esse trasformazioni multiformi. In tutto il mondo si sta aggravando la sofferenza collegata alle relazioni sociali di scienza e tecnologia, ma ciò che prova la gente non è del tutto chiaro, e ci mancano collegamenti tanto capillari da permetterci di costruire collettivamente efficaci teorie dell'esperienza. Gli sforzi attuali per chiarire la nostra stessa esperienza, siano essi marxisti, psicanalitici, femministi, antropologici, sono rudimentali.

Sono consapevole della bizzarra prospettiva che risulta dalla mia posizione storica: il dottorato in biologia di una ragazza cattolica irlandese è stato reso possibile dall'impatto che ha avuto lo *Sputnik* sulla politica educativa statunitense in campo scientifico.[12] Il mio corpo e la mia mente sono stati costruiti tanto dalla corsa agli armamenti e dalla guerra fredda che sono seguite alla Seconda guerra mondiale, quanto dal movimento delle donne. È meglio riporre la speranza negli effetti contraddittori di politiche che, disegnate per produrre leali tecnocrati americani, hanno anche prodotto un grande numero di dissidenti, piuttosto che concentrarsi sugli insuccessi attuali.

La parzialità permanente del punto di vista femminista si riflette sulle nostre aspettative riguardo alle forme di organizzazione e partecipazione politica: non abbiamo bisogno di totalità per lavorare bene. Il sogno femminista di un linguaggio comune, come tutti i sogni di un linguaggio perfettamente vero, di una verbalizzazione dell'esperienza perfettamente fedele, è un sogno totalizzante e imperialista. In questo senso, anche la dialettica è un linguaggio di sogno, che aspira a risolvere le contraddizioni. Forse, ironicamente, possiamo imparare dalla nostra fusione con gli animali e le macchine come non essere l'Uomo, l'incarnazione del *logos* occidentale. Dal punto di vista del piacere, in queste fusioni potenti e proibite, rese inevitabili dalle relazioni sociali di scienza e tecnologia, potrebbe davvero esistere una scienza femminista.

Nell'immaginario occidentale, i mostri hanno sempre tracciato i confini della comunità. I centauri e le amazzoni dell'antica Grecia, immagini della disgregazione del matrimonio e della contaminazione del guerriero con l'animalità e la donna, hanno stabilito i limiti dell'accentrata *polis* del maschio umano greco. I gemelli indivisi e gli ermafroditi erano il confuso materiale umano della Francia agli albori della modernità, il cui discorso si fondava sulle categorie di naturale e soprannaturale, medico e legale, portento e malattia, che sono centrali nella definizione dell'identità moderna.[13] Le scienze evoluzioniste e comportamentiste di scimmie e scimpanzé hanno disegnato i confini multipli delle identità industriali del tardo ventesimo secolo. I mostri cyborg della fantascienza femminista delineano possibilità e confini politici piuttosto diversi da quelli proposti dalla finzione terrena dell'Uomo e della Donna.

Molto consegue dal riuscire a pensare le immagini dei cyborg come altri dai nostri nemici. I nostri corpi, noi stessi: i corpi sono mappe del potere e dell'identità. I cyborg non fanno eccezione; un corpo cyborg non è innocente, non è nato in un giardino, non cerca un'identità unitaria e quindi non genera antagonistici dualismi senza fine (o fino alla fine del mondo). Il cyborg presume l'ironia; uno è troppo poco, e due è solo una possibilità. L'intenso piacere della tecnica, la tecnica delle macchine, non è più un peccato, ma un aspetto dello stare nel corpo. La macchina non è un *quid* da animare, adorare e dominare; la macchina siamo noi, i nostri processi, un aspetto della nostra incarnazione. Noi possiamo essere i responsabili delle macchine, *loro* non ci dominano né ci minacciano; noi siamo i responsabili dei confini, noi siamo loro. Fino a ora (sembra un secolo) avere un corpo femminile sembrava scontato, organico, necessario, e consisteva nella capacità di fare da madre e nelle sue estensioni metaforiche. Solo stando fuori posto abbiamo potuto godere dell'intenso piacere delle macchine e quindi appropriarcene, col pretesto che in fondo si trattava di un'attività organica. Il mito dei cyborg considera più seriamente l'aspetto parziale, a volte fluido, del sesso e dell'abitare sessualmente il corpo. Il genere in fondo potrebbe non essere l'identità globale, pur avendo un respiro e una profondità radicati nella storia.[14]

La complessa questione ideologica di cosa conti come attività quotidiana, come esperienza, può essere esplorata sfruttando l'immagine dei cyborg. Le femministe hanno sostenuto di recente che le donne sono dedite alla quotidianità, che le donne in certo qual modo provvedono alla vita quotidiana più degli uomini, e che quindi occupano, potenzialmente, una posizione epistemologica privilegiata. Questa è in parte un'affermazione innegabile, che rende visibile la svalutata attività femminile e la colloca alla base della vita. *La* base della vita? Ma allora, tutta l'ignoranza delle donne, le esclusioni e le carenze di abilità e conoscenza? Che dire dell'accesso maschile alla competenza quotidiana, al saper costruire, smontare, giocare con le cose? Che dire delle altre assunzioni di corpo? Il genere cyborg è una possibilità locale che si prende una vendetta globale. La razza, il genere, e il capitale richiedono una teoria cyborg di parti e di interi. Nei cyborg non c'è la pulsione a produrre una teoria totale, ma c'è un'intima esperienza dei confini, della loro costruzione e decostruzione. C'è un sistema di miti in attesa di diventare un linguaggio politico su cui basare un modo di guardare la scienza e la tecnologia e di sfidare l'informatica del dominio per un'azione potente.

Un'ultima immagine. Gli organismi e la politica organismica, olistica, dipendono dalle metafore di rinascita e invariabilmente attingono alle risorse del sesso riproduttivo. Vorrei suggerire che i cyborg hanno più a che fare con la rigenerazione e guardano con sospetto alla matrice riproduttiva e alla nascita in genere. Per le salamandre, dopo una ferita, come per esempio la mutilazione di un arto, c'è una rigenerazione che comporta la ricrescita di una struttura: e il recupero di una funzione, con la possibilità costante di una gemellazione o di altre strane produzioni topografiche al posto della mutilazione. L'arto ricresciuto può essere mostruoso, doppio, potente. Siamo stati tutti feriti, in profondità. Abbiamo bisogno di rigenerazione, non di rinascita, e le possibilità della nostra ricostituzione includono il sogno utopico della speranza in un mondo mostruoso senza il genere.

Le immagini possono aiutarci a esprimere due tesi cruciali a questo saggio: primo, la produzione di teorie universali e totalizzanti è un grave errore che esclude gran parte della realtà, e questo forse sempre, ma certamente ora; in secondo luogo, assumersi la responsabilità delle relazioni sociali della scienza e della tecnologia significa rifiutare una metafisica antiscientifica, una demonologia della tecnologia, e di conseguenza significa accettare il difficile compito di ricostruire i confini della vita quotidiana, in parziale connessione ad altri, in comunicazione con tutte le nostre parti. Il punto non è solo che la scienza e la tecnologia offrono all'umanità il mezzo di ottenere grandi soddisfazioni e sono matrici di complesse dominazioni. Le immagini cyborg possono indicarci una via di uscita dal labirinto di dualismi attraverso i quali abbiamo spiegato a noi stessi i nostri corpi e i nostri strumenti. Questo è il sogno non di un linguaggio comune, ma di una potente eteroglossia infedele. È l'immaginazione di una femminista invasata che riesce a incutere paura nei circuiti dei supersalvatori della nuova destra. Significa costruire e distruggere allo stesso tempo macchine, identità, categorie, relazioni, storie spaziali. Anche se entrambe sono intrecciate nella danza a spirale, preferisco essere cyborg che dea.

Note

[1] La ricerca è stata finanziata da una sovvenzione del senato accademico dell'Università di California a Santa Cruz (UCSC). Una prima versione del saggio sull'ingegneria genetica è apparsa come *Lieber Kyborg als Göttin: für eine sozialistisch feministische Unterwanderung der Gentechnologie*, in Bernd-Peter Lange e Anna Maria Stuby (a cura di), *1984*, in

"Argument-Sonderband", 105, Berlin 1984, pp. 66-84. Il manifesto cyborg ha avuto origine dalla mia relazione *New Machines, New Bodies, New Communities: Political Dilemmas of a Cyborg Feminist*, al convegno "The Scholar and the Feminist X: The Question of Technology", tenutosi al Barnard College nell'aprile 1983.

Le persone collegate al comitato di Storia della coscienza della UCSC hanno influenzato moltissimo questo saggio, che si può quasi definire un prodotto collettivo, anche se coloro che cito magari non riconoscerebbero le loro idee. In particolare, hanno contribuito al manifesto cyborg i partecipanti ai corsi di Scienza, politica e teoria femminista e ai corsi di Teoria e metodo. Devo molto soprattutto a Hilary Klein (*Marxism, Psychoanalysis, and Mother Nature*, in "Feminist Studies", 15, 2, 1989, pp. 255-278), Paul Edwards (*Border Wars: the Science and Politics of Artificial Intelligence*, in "Radical America", 19, 6, 1985, pp. 39-52), Lisa Lowe (*French Literary Orientalism: The Representation of 'Others' in the Texts of Montesquieu, Flaubert, and Kristeva*, tesi di dottorato, UCSC 1986) e James Clifford (*On Ethnographic Allegory*, in James Clifford e George Marcus [a cura di], *Writing Culture: The Poetics and Politics of Ethnography*, University of California Press, Berkeley 1985).

Fa parte di questo saggio il mio contributo a *Poetic Tools and Political Bodies: Feminist Approaches to High Technology Culture*, un seminario collettivo tenutosi al convegno della California American Studies Association (1984) con la partecipazione delle dottorande di Storia della coscienza Zoe Sofoulis (*Jupiter Space*); Katie King (*The Pleasures of Repetition and the Limits of Identification in Feminist Science Fiction: Reimagination of the Body after the Cyborg*) e Chela Sandoval (*The Construction of Subjectivity and Oppositional Conciousness in Feminist Film and Video*). La teoria delle coscienze antagoniste, in contrapposizione, di Sandoval è stata pubblicata col titolo *Yours in Struggle: Women Respond to Racism: A Report on the National Women's Studies Association* (Center for Third World Organizing, Oakland [1981]). Sulle interpretazioni semiotico-psicanalitiche della cultura nucleare di Sofoulis, vedi Zoe Sofia [alias Sofoulis], *Exterminating Fetuses: Abortion, Disarmament, and the Sexo-Semiotics of Extra-Terrestrialism*, in "Diacritics", 14, 2, 1984, pp. 47-59. I saggi inediti di King (*Questioning Tradition: Canon Formation and the Veiling of Power; Gender and Genre: Reading the Science Fiction of Joanna Russ; Varley's Titan and Wizard: Feminist Parodies of Nature, Culture and Hardware*) hanno influenzato profondamente il manifesto cyborg. Barbara Epstein, Jeff Escoffier, Rusten Hogness e Jaye Miler hanno discusso e rivisto il testo con me. I membri del Silicon Valley Research Project dell'UCSC e i partecipanti ai convegni e ai gruppi di lavoro dell'SVRP sono stati molto importanti, specialmente Rick Gordon, Linda Kimball, Nancy Snyder, Langdon Winner, Judith Stacey, Linda Lim, Patricia Fernandez-Kelly e Judith Gregory. Vorrei infine ringraziare Nancy Hartsock per anni di amicizia e discussioni su teoria e fantascienza femminista. Ringrazio anche Elizabeth Bird per il mio slogan politico preferito: "Cyborg per la sopravvivenza terrestre".

169

² Il termine si riferisce alle teorie dell'ingegnere Frederick Winslow Taylor (1856-1915), fondatore della scienza dell'organizzazione del lavoro che dagli Stati Uniti si è estesa a tutte le nazioni industriali. Le sue teorie sull'organizzazione di fabbrica sfruttavano a pieno regime la catena di montaggio, mutando radicalmente la funzione degli operai. Se il periodo di più dura e sperimentale applicazione di queste teorie si ebbe in America tra il 1890 e il 1915, tuttavia uno degli assunti basilari del taylorismo, la divisione fra attività esecutive e attività di programmazione e controllo come fattore di aumento della produttività, permane alla base dell'attività di gran parte delle aziende nel secondo dopoguerra. [*N.d.T.*]

³ *La montagna incantata* (1924; Corbaccio, Milano 1992), il famoso romanzo di Thomas Mann ambientato in un lussuoso sanatorio di Davos, incentrato sul dialogo tra Giovanni Castorp e il professor Naphta, personaggio ispirato direttamente a György Lukács, può essere letto come il romanzo della decadenza europea allo scoppio della Prima guerra mondiale. Mann lo definì "un dialogo-standard sulla malattia". Nella citazione di Haraway è implicito l'accostamento tra il discorso sulla sifilide di Mann e quello sul sistema immunitario di questo saggio. [*N.d.T.*]

⁴ Il libro di Alvin Toffler, *Future Shock* (Random House, New York 1970; tr. it. *Lo chock del futuro*, Rizzoli, Milano 1971) mise a fuoco come le super tecnologie stessero accelerando i mutamenti sociali nella direzione di una società mobile, modulare, fratturata, usa-e-getta. Uno dei paragrafi del libro si intitola *Il cyborg tra noi*. [*N.d.T.*]

⁵ Haraway, con un'operazione chiaramente antirazzista, allaccia il concetto di una presunta gerarchia tra le razze all'idea di una catena dell'essere, concetto notoriamente ispirato a concezioni platoniche e neoplatoniche, secondo cui si giustificherebbe come necessaria una tassonomia dei primati e un ordinamento gerarchico della natura a discendere dall'Essere primo. Vedi Arthur O. Lovejoy, *The Great Chain of Being. A Study of the History of an Idea*, Harvard University Press, Cambridge, MA 1936 (tr. it. *La grande catena dell'essere*, 1966; Feltrinelli, Milano 1981) [*N.d.T.*]

⁶ *Comparable worth* è una rivendicazione iniziata negli Stati Uniti negli anni ottanta dalle impiegate allo scopo di combattere la discriminazione in base al sesso per ciò che riguarda a) pari opportunità di impiego e carriera; b) parità salariale per lavori diversi di valore paragonabile, cioè equivalenti in termini di qualifica, preparazione, educazione, condizioni lavorative. [*N.d.T.*]

⁷ Questo schema è stato pubblicato nel 1985. I miei sforzi precedenti per interpretare la biologia come un discorso cibernetico di comando-controllo e gli organismi come "oggetti tecnico-naturali di conoscenza" si trovano nei miei saggi: *The Biological Enterprises: Sex, Mind, and Profit from Human Engineering to Sociobiology*, in "Radical History Review", 20, 1979, pp. 206-237 (ris. in *Simians, Cyborgs, and Women: The Reinvention of Nature*, Free Association Books, London 1991); *Signs of Dominance: from a Physiology to a Cybernetics of Primate Society*, in "Stu-

dies in History of Biology", 6, 1983, pp. 129-219; *Class, Race, Sex, Scientific Objects of Knowledge: a Socialist-Feminist Perspective on the Social Construction of Productive Knowledge and Some Political Consequences*, in Violet Haas e Carolyn Perucci (a cura di), *Women in Scientific and Engineering Professions*, University of Michigan Press, Ann Arbor 1984, pp. 212-229.

[8] Questo passo esemplifica molto bene l'intreccio di registri linguistici nella scrittura di Haraway, e quindi la difficoltà di tradurla. Il discorso su *boundaries* e *constraints*, qui tradotti con "limiti", "vincoli" e "confini", gioca su riferimenti incrociati socio-politici ed economici per quanto i termini vengano usati nel contesto specifico della meccanica e/o della biologia. I "gradi di libertà" che sembrano semplicemente riferirsi alla logica del dominio tra gli umani, sono anche una proprietà che la meccanica razionale attribuisce a un punto nello spazio. [*N.d.T.*]

[9] E. Rusten Hogness, *Why Stress? A Looking al the Making of Stress, 1936-56*, 1983, inedito.

[10] Questo tema della rete contrapposta alla tela è alla base di un altro testo base della letteratura politica radicale nell'America della fine degli anni ottanta, quello di Hakim Bey, *TAZ*, Ed. Shake, Milano 1993. "Perciò la Tela, per creare condizioni favorevoli alla TAZ, diverrà parassita della Rete – ma possiamo concepire questa strategia come un tentativo verso la costruzione di una Rete autonoma e alternativa, 'libera' e non più parassita, che servirà da base per 'la nuova società emergente' dal 'guscio della vecchia'. La Contro-rete e la TAZ possono essere considerate, parlando praticamente, come fini a se stesse – ma teoricamente possono essere viste come forme di lotta verso una realtà diversa." [*N.d.R.*]

[11] Negli Stati Uniti, è il Sindacato internazionale degli impiegati nei servizi e negli uffici pubblici.

[12] Il lancio dello *Sputnik* nello spazio, avvenuto il 4 ottobre 1957, venne interpretato negli Stati Uniti come un segno della superiorità sovietica sia nel campo militare sia nel settore della ricerca scientifica applicata. Malgrado i cospicui fondi economici riservati alla ricerca, appare drammatica la debolezza del sistema formativo americano, allora diviso tra i due diversi indirizzi *liberal* ed *educationist*. Si rivalutò quindi il vecchio "apprendimento formale", a sua volta reintrodotto in Urss già dai primi anni di Stalin, che sembrava assicurare migliori risultati finali nella ricerca applicata. A seguito di un intenso dibattito pedagogico furono quindi introdotte negli USA delle specifiche tecnologie di "istruzione programmata", che consentivano di definire l'apprendimento adattandone i contenuti alle abilità e al ritmo individuali, svolgendo degli esercizi "programmati" tramite "macchine per insegnare" (*teaching machines*). In questo dibattito assunsero rilevanza le posizioni teoriche espresse dallo psicologo Burrhus F. Skinner, il quale attualizzò in campo formativo alcuni risultati tratti dai suoi precedenti studi sul condizionamento animale. [*N.d.R.*]

[13] Page DuBois, *Centaurs and Amazons*, University of Michigan Press, Ann Arbor 1982; Lorraine Daston e Katherine Park, *Hermaphrodites in*

Renaissance France, inedito; Katherine Park e Lorraine Daston, *Unnatural Conceptions: The Study of Monsters in Sixteenth and Seventeenth Century France and England*, in "Past and Present", 92, 1981, pp. 20-54. Il nome "mostro" ha la stessa radice del verbo dimostrare.

[14] In questo paragrafo è particolarmente difficile tradurre la parola *embodiment* che Haraway usa spesso, nelle sue varianti verbali e aggettivali. Il concetto di corporeità, di assunzione, frequentazione, abitazione, infestazione del corpo o radicamento in esso, di "incarnazione" intesa in senso laico, è centrale per l'epistemologia e la coscienza situata delle nuove soggettività. [*N.d.T.*]

Il lato nascosto della democrazia: la generazione tra desiderio, tecnica e biopolitica

di Françoise Collin

Il campo della generazione – scarto intenzionalmente il termine "riproduzione" –[1] è messo a soqquadro, sia in virtù dello sviluppo delle biotecnologie, sia per ragioni di ordine sociale e culturale. In tale scenario, sembra rendersi più che mai necessaria una riformulazione delle rappresentazioni e delle norme che l'hanno secolarmente organizzata.[2]

La divisione tra sfera pubblica (*polis*) e ambito privato – inteso in modo più preciso come ambito domestico (*oikos*) –, che condizionava la distinzione gerarchica tra uomini e donne, padri e madri, e che ha di secolo in secolo consentito di ammantare, ovvero occultare, l'abisso che circonda l'origine della vita, ha smesso di essere netta. In questo momento di messa allo scoperto, la generazione appare "dis-istituita", nel senso che l'istituzione secolare non rappresenta più una cornice predisposta a inquadrarla.

Ma le donne occupano una posizione peculiare nell'approccio a tale fenomeno? Mi pare di sì, per alcune ragioni che mi appresto a chiarire. In effetti, le donne hanno un rapporto alla generazione che non è stato né identico, né parallelo a quello degli uomini, sia dal punto di vista biologico, sia dal punto di vista storico o culturale, e sono state e sono diversamente coinvolte tanto nei suoi mutamenti attuali quanto in quelli a venire. Inoltre, non si deve dimenticare che sono delle donne, raccolte in gran numero

Titolo originale: *La génération ou la face cachée de la démocratie*, in *Genre et bioéthique*, Marie-Geneviève Pinsart (a cura di), Vrin, Paris 2003; tr. it. di Eleonora Missana.

nel movimento femminista, che, all'inizio degli anni settanta, rivendicando pubblicamente il loro diritto alla contraccezione e all'aborto, hanno affermato per la prima volta la necessità di un nuovo rapporto alla generazione, considerata fino a quel momento come un "destino naturale". Anche se poi sono seguite altre rivendicazioni, riguardanti la politica e il lavoro, è sintomatico che il primo tema aggregante sia stato quello.

Le pratiche anticoncezionali e abortive, o anche infanticide, certamente non mancavano in passato: ma si trattava di atti clandestini, che lasciavano la maternità alla sua fatalità biologica fondamentale. Negli anni settanta, le donne hanno rivendicato pubblicamente il diritto di non avere figli, se e quando non ne volevano. Sono uscite dalla clandestinità. Hanno fatto del loro influsso nella generazione una sfida pubblica. In effetti, non era più per loro soltanto questione di "fare" ma anche di "dire". È per tale ragione che la dichiarazione pubblica di alcune personalità di aver fatto ricorso all'aborto era in sé un atto politico: che avessero abortito di per sé importava in realtà ben poco.

Consacrando la separazione tra la sessualità e la generazione, le donne hanno rivendicato allora non tanto il diritto alla maternità senza sessualità che oggi propongono le biotecnologie, quanto piuttosto – più semplicemente – il diritto alla sessualità senza maternità. Questo era il senso della rivendicazione, in fondo modesta – e che oggi ci si stupisce abbia potuto suscitare tanto scandalo –, della formula "Un figlio se lo voglio, quando voglio". In tale prospettiva, un figlio non sarebbe più stato l'esito di un processo biologico fatale, ma di una parola materna che l'avrebbe convocato e nominato.

Le donne esigevano in tal modo di esercitare una parte di potere sulla trasmissione della vita che esse assicuravano, potere di cui erano state fino a quel momento espropriate. Se in quella rivolta alcune hanno potuto considerare la maternità come un ostacolo al loro sviluppo umano – si pensi ad esempio a Simone de Beauvoir –, molte altre l'hanno rivendicata come una ricchezza specifica, a patto di viverla alle loro condizioni. E innanzi-

tutto hanno rivendicato di poter decidere della sua opportunità o meno. Alcune ne hanno fatto perfino il paradigma di una nuova forma di relazione umana, una forma
in cui il *caring* – la cura dell'altro – o ancora la dimensione del dono, secondo un vocabolario recentemente riabi-
litato,[3] investono la forma dello scambio.

Quella rivendicazione può essere interpretata in due
modi profondamente diversi, se pur connessi, a seconda
che la si inscriva nel registro del volere o in quello del desiderio. L'affermazione "Un figlio se voglio" può infatti essere intesa sia come un'estensione del moderno dominio
del soggetto, una vittoria su quella che era stata fino ad
allora concepita come una fatalità, sia come l'introduzione del simbolico in un fenomeno consegnato fino a quel
momento alle donne unicamente nella sua parte biologica
o considerata come tale; in questo secondo caso, "Io voglio
che tu sia – *volo ut sis*"[4] attesta il fatto che il figlio delle
donne è un figlio della parola quanto lo è della carne.

Le donne in rivolta degli anni settanta erano quindi le
precorritrici di quei "biopoteri" galoppanti che allora già
tramavano, spesso a loro insaputa, e che occupano oggi il
nostro orizzonte? Ne sono state i sintomi, o, senza saperlo,
gli strumenti? I biopoteri possono infatti essere letti e inter-
pretati come la radicalizzazione delle spinte in avanti prodotte dal quel movimento,[5] ma anche come una loro distor-
sione, o una loro reiscrizione: non quindi un superamento
ma una riconfigurazione del vecchio dominio patriarcale
mediante lo spostamento dei suoi agenti. È così che Jean-
Pierre Baud può affermare che "le questioni evocate dalla
bioetica attingono dalle profondità della storia occidentale", segnata da un'estensione continua della "legge dei maschi" contro la Signora della vita attraverso "l'azione con-
giunta della Chiesa e della medicina istituzionalizzata".[6]

Potenza materna e potere paterno

Non ci si può interrogare sul divenire della generazione senza tener conto del ruolo che vi hanno giocato nei

secoli i due sessi, in virtù del loro apporto specifico ma soprattutto dell'impalcatura simbolica e giuridica che ha rivestito e organizzato quella specificità. Ciò che è stato definito con il termine generale di patriarcato indica ad esempio l'occultamento universale e difensivo della potenza materna da parte del potere paterno nell'organizzazione della famiglia e nella relazione di quest'ultima con la sfera pubblica.

Al di là delle sue variazioni storiche e culturali, la relazione generazionale è stata pensata come un'"invariante", una struttura. Una struttura che sembrava assegnare i posti e i ruoli in funzione degli apporti paterni e materni, tradendo in realtà soprattutto la preoccupazione di contrastare o per lo meno di arginare la potenza che avrebbe trasferito il potere generazionale dalla parte di quelle che mettevano al mondo, ovvero le donne. L'ammissione di tale ambiguità si rivela negli scritti di molti filosofi, che pur riconoscendo il legame prioritario e privilegiato del bambino con la madre, in virtù del quale il bambino dovrebbe essere affidato al potere della madre, rivendicano contemporaneamente il loro comune assoggettamento al marito, ovvero al padre, come capo della famiglia, il solo suscettibile di rappresentarla nello spazio pubblico. Perché questo gioco di prestigio abbia successo è sufficiente distinguere tra stato di natura e stato di diritto. "Se non c'è alcun contratto, il dominio appartiene alla madre [...] poiché il fanciullo è inizialmente in potere della madre, la quale può nutrirlo o esporlo: se lo nutre, egli deve la propria vita alla madre, ed è pertanto obbligato a obbedire a lei piuttosto che ad altri; di conseguenza a quest'ultima appartiene il dominio su di lui,"[7] scrive Hobbes. O ancora Fichte: "L'embrione si forma nel corpo della madre come una parte che le appartiene".[8] Ma il diritto, contraddicendo su questo punto la natura, rimetterà le cose in buon ordine.

La maternità è certa, la paternità incerta: questo fatto, sottolineato per secoli dai filosofi, governa tutta la strutturazione dell'ordine generazionale. Il pensiero dominante – che si può qualificare come maschile –, così come si esprime nei miti o nelle filosofie, attesta una vera ossessione per quel fenomeno strano e un po' terrorizzante – quello scandalo – per cui ogni umano, di qualunque sesso sia, e in modo esemplare un umano di sesso maschile, esce dal corpo di una donna, senza che per molto tempo si sia potuto identificare l'apporto seminale dell'uomo nella fecondazione. I dispositivi sociali e simbolici prendono atto di questo fatto stupefacente e tentano di contrastarne il trauma. La secolare impalcatura patriarcale (o patrocentrica) mira a neutralizzare quella potenza, incastrandola in un dispositivo di potere di cui gli uomini, e in modo esemplare i padri, sono i depositari e i custodi.

L'argomentazione tesa a giustificare tale dispositivo si dispiega in senso proprio *ad hominem* e *ad feminam*. Mentre quando si tratta di decidere della *priorità* tra uomo e donna nell'accesso alla posizione di capofamiglia l'argomento della potenza "naturale" (fisica) è determinante, in questo caso, al contrario, è proprio dove non c'è potenza che c'è, o ci deve essere, potere. Laddove tutto attesta l'importanza materna, occorre inventare un contrappeso paterno. Per una singolare e ingegnosa inversione di dati, il ruolo del sesso che mette al mondo verrà screditato come semplicemente biologico e naturale, elevando alla qualità del simbolico, poiché inverificabile, il ruolo dell'altro sesso, che controllerà quindi tutto il dispositivo della filiazione. A questa lettura politica del fenomeno si può aggiungere una lettura economica sottolineando, come fa Mary O'Brien, il fatto che "la paternità è l'esempio perfetto della possibilità di ottenere qualcosa senza pagarne il prezzo".[9] In tal modo s'intende porre in risalto la prossimità del lavoro materno al lavoro dell'operaio, o meglio dello schiavo, che produce un plusvalore che non gli viene compensato.

Tale impianto compensatorio che definisce la costruzione patriarcale trova ancora la sua espressione e giustificazione ai giorni nostri in un certo discorso della psicanalisi, scienza peraltro nuova e innovatrice ma non sempre affrancata dai presupposti storico-sociali delle sue origini. È l'incerto del padre che ne spiega l'importanza e consente – o rende necessario – lo slittamento costante dal "papà" al "Padre", e dal corpo al Nome. La genetica sarà almeno servita a correggere quest'enfasi consentendo l'identificazione empirica del padre. Grazie a essa, quest'ultimo ridiscende sulla terra, e perfino nella terra[10]: anche lui è biologicamente certo e geneticamente verificabile.[11] Il Padre, quanto a lui, può risalire nel cielo delle Idee. Egli è, al di là della sessuazione, luogo della Parola: Terzo, Dio o Legge (secondo i termini di Lacan), di cui nessun sesso si può appropriare. Non si può infatti essere contemporaneamente uno dei due genitori e colui che li eccede.

Questa ripartizione gerarchica binaria che colloca la madre dalla parte del processo naturale e il padre dalla parte della parola istituente – la madre è un corpo, il padre è un nome – ha visto vacillare la sua pertinenza a partire dal movimento di contestazione delle donne. In un certo senso può sembrare che lo sviluppo intensivo delle biotecnologie prenda il via da quel movimento estendendo all'infinito il controllo sulla generazione. Tali tecnologie non incastonano più il fatto generazionale – la trasmissione della vita – in una costruzione simbolica e istituzionale patrocentrica, ma lo intagliano e lo lavorano nella materia stessa. I fantasmi non si traducono più in leggi: incidono nel vivo. Le biotecnologie non manipolano più il senso ma i geni, inscrivendo le "nascite miracolose" non più nel mito ma nel reale. La generazione si trasforma in fabbricazione. Nel momento in cui la fortezza simbolica è minacciata, è la materia che occorre modificare. Presto anche lo "stato di natura" smetterà di pendere a favore delle madri.

Le nascite miracolose: dal mito alla scienza

In ogni tempo sono state allestite parate contro l'evidenza della nascita dalla madre. I nostri miti religiosi sono pieni di quelle nascite miracolose "che travestono l'esperienza"[12] e ne occultano il carattere traumatico. Si tratta di ricoprire l'insopportabile del ventre materno, di trasfigurarlo o di riappropriarsene. Questi allestimenti costituiscono "un immenso smacco inflitto alla maternità",[13] come enuncia e dimostra tra gli altri Nicole Loraux a proposito della Grecia antica. Perché se è vero che Atena è all'origine della *polis*, è altrettanto vero che è uscita armata di tutto punto dalla testa di Zeus: da una parte ha quindi un'origine puramente paterna e dall'altra è vergine e non ha figli. Se è necessario, nel reale, avere a che fare con la maternità, quest'ultima sarà confinata nella sfera domestica. Le donne ateniesi sono membri della collettività territoriale ma non della collettività politica.

Anche il racconto cristiano mette in scena, e in modo centrale, una "nascita miracolosa": l'incarnazione di Dio fatto uomo. Fatto uomo e nato da una donna, vergine come Atena ma vergine-madre. Si potrebbe vedere in quella nascita, tanto celebrata nella pittura occidentale, una riabilitazione della maternità. Ma di una maternità senza sessualità: Maria è vergine. E di una maternità sottomessa agli ordini di lassù: il padre, vero attore, non è niente meno che Dio.

La figura di Maria è ambigua: da un lato "serva del Signore", semplice canale della volontà divina ("che mi sia fatto secondo la vostra parola"), che riceve l'inseminazione della Parola celeste, annunciando la fecondazione senza copulazione, dall'altro co-redentrice, donna fuori serie, santificata e magnificata precisamente per quel servizio; il corpo materno non è qui semplice ricettacolo ma vero e proprio tabernacolo, come pone in luce in età contemporanea, tra gli altri, il film di Jean-Luc Godard *Je vous salue, Marie*.

Tale fecondazione diretta da parte di Dio si ritrova nella tradizione mistica, fecondazione che non riguarda in questo caso un figlio della carne ma un figlio spirituale che può sottrarsi al potere paterno terrestre, incluso quello rappresentato dai vicari della Chiesa. Lo stesso Giovanni della Croce è in preda alle doglie e partorisce. Secondo le analisi di Caroline Walker Bynum, la tradizione cristiana, trasversalmente alla sua misoginia, include importanti elementi di maternalizzazione divina. L'assoggettamento a Dio Padre libera in effetti in certo qual modo dall'assoggettamento patriarcale empirico. La Città di Dio conferma e contesta le leggi della Città terrena con un'ambivalenza mai del tutto risolta. La Legge del Padre celeste assicura e discredita al contempo la Legge dei padri terrestri, secondo la teoria delle due Città. Così, ad esempio, per innovare, una Teresa d'Avila si collega direttamente a Dio. Il prezzo pagato è quello del piacere (sessuale) ma non del godimento: né Simone de Beauvoir, né dopo di lei Lacan si sono sbagliati quando hanno evocato il fuoco mistico come un "di più", un eccedente della legge fallica, di cui si rivendica il dire, qualificato da Lacan stesso come *dieur*...[14]

L'ambiguità del mito però dissimula o maschera più di quanto non modifichi la struttura patriarcale del funzionamento effettivo delle società. La *polis* greca – tranne che nella favola platonica della *Repubblica*, e a certe condizioni – esclude le donne, che vengono relegate in ciò che si definisce privato e che è piuttosto il domestico: associate agli schiavi nello spazio economico della produzione e riproduzione. Il regno delle madri – il famoso "matriarcato" celebrato da Bachofen e talvolta sognato da certe femministe – non avrà avuto luogo, fino a che la genitorialità non si moltiplichi e si dissolva sotto le forme del sapere e della tecnica (regno eminentemente fallico che alcuni osservatori imputano peraltro al distruttivo trionfo della maternalizzazione o femminilizzazione del mondo).[15]

Si passa dalla ripartizione rigida dei ruoli secolari alla loro disseminazione. Ma questa disseminazione, sotto l'effetto di ciò che Foucault ha indicato con il termine generale di "biotecnologie", segna la fine del patriarcato o la sua reincarnazione in nuovi attori? Un'analisi pessimista del fenomeno condurrebbe a dire che, se il patriarcato si sgretola, è perché, nella forma antica, non è più indispensabile all'appropriazione del potere generazionale.

Le nascite miracolose della genetica

La genetica non è certo una scienza recente: la determinazione del gene come supporto dell'ereditarietà risale alla fine del XIX secolo, anche se tale nozione ha subito vari aggiustamenti successivi. E l'eugenetica è definita a partire dal 1883 da Francis Galton, poi da William Bateson, e ispira alcune pratiche selettive condotte, tra l'altro, negli Stati Uniti, prima di guadagnare la tragica celebrità che le conferisce l'ambizione razziale del nazismo. Ma ciò che caratterizza l'eugenetica della nostra epoca è che la produzione del vivente possa esercitarsi indipendentemente e al di fuori della relazione sessuale e sessuata e senza obbligare nessuno: il vivente è diventato un prodotto isolabile, che si può scambiare a livello mondiale e sfruttare nelle sue diverse componenti, così come attestano le banche dello sperma, lo stoccaggio di embrioni congelati, il lavoro sul gene. Non si tratta più di correggere una vita ma di fabbricare una vita, o semplicemente vita, a partire dalle sue diverse componenti isolate e riassemblate. La fabbricazione dell'umano ideale o considerato come tale non richiede più l'accoppiamento di esemplari umani selezionati e indotti a forza: le cellule sono ormai accoppiate o suddivise senza di loro. Produrre vita è competenza della tecnica, meno soggetta della copulazione al caso. Il normale può trionfare sul patologico, ma qual è la norma?

Ciò che tuttavia continuerà per qualche tempo a ostacolare la produzione libera e anonima dell'umano è la gestazione, che ancora necessita del corpo di una donna. L'utero continua a essere un complemento indispensabile del laboratorio, che è in grado di comporre un embrione ma non di svilupparlo unicamente nel proprio ambiente. Ma è solo questione di tempo.

Senza voler elaborare uno scenario catastrofico, sarà allora possibile immaginare, a partire da geni selezionati e condizionati, una produzione, per fecondazione in vitro o clonazione, di cittadini modello affidati a genitori adottivi che se ne mostrino degni. Sarebbe una forma modernizzata dello scenario immaginato da Platone, nel V secolo a.C., in una Grecia considerata come la culla della ragione occidentale.

Due considerazioni vengono tuttavia a mitigare questo preoccupante panorama. La prima riguarda la libertà di decidere lasciata ai genitori potenziali in merito alle manipolazioni e ai correttivi genetici dell'embrione che è destinato a diventare il loro bambino. Tale libertà infatti è, com'è noto, ristretta e costretta dalle proposte del "mercato" scientifico e medico: c'è una legge, alla lunga irresistibile, della domanda e dell'offerta. Non si resiste alla fascinazione dei possibili, in materia di progetto genitoriale come in materia di comunicazione. La modesta ecografia ha costituito un primo ingresso in questo ingranaggio. Il dispiegamento dei possibili costringe il reale. Si vedono così donne sterili incatenate a lunghi e dolorosi processi di fecondazione artificiale sciupare anni preziosi della loro vita quando precedentemente avrebbero elaborato il loro lutto investendo su un altro progetto o avrebbero optato per l'adozione.

La seconda considerazione è di maggior peso: per quanto potente, l'elemento biologico non determina tutta la costituzione di un individuo. L'apporto dei fattori culturali ed educativi rimane immenso, come dimostra il confronto tra i destini dei gemelli biologici educati in ambienti diversi. La genetica non rappresenta fortunatamente la totalità dell'umano. I biopoteri costituiscono una componente determinante, ma non l'unica, dei mutamenti dell'organizzazione della trasmissione nella società attuale.

Femminismo e tecnoscienza

Mentre le rivendicazioni femministe "Un figlio se voglio quando voglio" significavano in negativo: "Nessun figlio che non sia stato chiamato dai miei auspici", o "che io non abbia desiderato", il dispositivo sviluppato dalla tecnoscienza significa piuttosto in positivo: "Un figlio se lo voglio, quando voglio", e ancora di più "Il figlio che voglio". In tal modo si presenta decisamente come un progresso dell'"era della tecnica".

Non si tratta ormai più di applicare alla generazione l'antico sogno della ragione calcolatrice riducendola a una combinazione con più varianti; né semplicemente di decidere se far essere o meno una vita, ma di decidere "come" farla essere, nelle sue componenti biologiche. Laddove tutta la storia patriarcale si è fondata sull'organizzazione e il recupero della generazione materna sotto l'ordine paterno del senso e della legge, le manipolazioni genetiche tentano di dominarne direttamente le procedure, producendo contemporaneamente forme inedite e multiple di genitorialità. La genitorialità è ormai *à la carte*.

Tale disseminazione delle modalità riproduttive è una forma di liberazione oppure al contrario rafforza l'Uno del potere che redige la carta, quell'Uno ormai identificato con "la" Scienza invisibile che investe i suoi innumerevoli servitori, alla maniera di una nuova Chiesa, e costringendo il desiderio a formularsi in richiesta? In tale moltiplicazione, si assiste alla "fine del patriarcato", come alcune/i hanno proclamato, oppure a un suo rinnovamento sotto le vesti di un camice bianco? La risposta non è univoca e si decide senza dubbio a seconda della situazione. La genitorialità è divenuta esplorativa, con i suoi rischi, le sue erranze e anche i suoi errori. Il disordine cerca il suo nuovo ordine, i suoi nuovi ordini.

La questione della definizione dei genitori, che si era già posta nel caso dei figli adottivi, si è ulteriormente complicata. Chi è la madre? Quella che dona i suoi ovuli, quella che porta il bambino nella pancia, quella che lo cresce? Chi è il padre? Quello che dona il suo sperma, quello che accompagna la madre, quello che lo cresce? In una stessa filiazione si possono ormai avere più madri e più padri congiunti o successivi, alcuni anonimi, altri con un nome.

Questa crescente complessità della parentela si coniuga con i mutamenti affettivi e sociali della stessa struttura familiare: le unioni successive favoriscono quelle che si chiamano "famiglie ricomposte" o "allargate" con la conseguente moltiplicazione delle figure materne e paterne. E la pratica tradizionale dell'adozione che risolveva la questione della genitorialità a favore dei genitori adottivi è rimessa in questione dalla rivendicazione del diritto del bambino a riconoscere le sue origini biologiche.[16]

Di fronte a un tale rimescolamento delle qualificazioni biologiche, educative e simboliche delle figure paterne e materne si rende oggi necessario un nuovo pensiero esplorativo che individui i confini di ciò che è accettabile o meno, con quali conseguenze e a quali condizioni. La risposta alla questione: Chi è il padre? Chi è la madre? è diventata problematica o è stata ufficialmente problematizzata, tanto in seguito alla moltiplicazione di ciascuna di queste figure quanto grazie alla minor distinzione delle loro specifiche posizioni. Si tratta quindi di ridefinire le forme della genitorialità umana, ovvero le condizioni di ciò che impropriamente si chiama la sua riproduzione, quando si dovrebbe parlare piuttosto di rinnovamento. In tale ridefinizione, le posizioni paterne e materne sono dislocate.

L'embrione tra persona e cosa

Si può oggi sorridere dell'ingenuità della lotta condotta dalle femministe e da tante donne (noi stesse) per ottenere la depenalizzazione dell'aborto in determinate condizioni e il libero accesso ai contraccettivi. Sorridere dell'ingenuità di quelle combattenti esposte alla pubblica riprovazione, e talvolta duramente penalizzate, quando nello stesso momento in cui subivano autentici processi alle streghe per aver osato attentare al carattere sacro della *vita*, gli scienziati nei loro laboratori si abbandonavano impunemente a ogni sorta di sperimentazione biotecnologica, alle manipolazioni genetiche più varie condotte su embrioni.

A posteriori, appare ancora più chiaramente che ciò che animava i grandi discorsi morali – politici e religiosi – che stigmatizzavano la distruzione della vita nelle sue primissime manifestazioni – distruzione assimilata all'omicidio – e quelle che se ne erano rese "colpevoli", fosse anche solo a titolo di intermediarie, mirava in effetti alla libertà che le donne rivendicavano sui loro corpi. Perché la distruzione di un embrione da parte di una donna che l'aveva concepito senza volerlo era assimilata a una manovra criminale mentre la manipolazione e la distruzione dello stesso embrione, spezzettato, congelato, ricomposto e manipolato in laboratorio in nome del progresso scientifico e da parte di scienziati, per lo più uomini, era già all'opera senza suscitare la minima riprovazione?[17] Quando si trattava delle donne, ogni iniziativa era, e rimane ancora in molti casi, tacciata come crimine. Se invece si parla di scienziati, ogni intervento è giustificato esplicitamente o tacitamente in nome del miglioramento della specie umana. L'eugenetica diventa umanesimo. La produzione del vivente in laboratorio è quotata in borsa. Lo sviluppo delle ricerche e delle sperimentazioni sulla riproduzione, fino alla clonazione, è tutt'al più oggetto di qualche raccomandazione formulata da dotti comitati di etica che funzionano a circuito chiuso, o di legislazioni confuse, che variano a seconda degli stati, legislazioni che rimangono per lo più disattese. Stuoli di embrioni vengono stoccati in frigoriferi per essere sottoposti a manipolazioni successive o essere distrutti con la dicitura di "sovrannumerari", mentre nessun embrione distrutto da una donna in difficoltà è mai stato definito in tal modo. Relativamente alla decisione di una donna, l'embrione è sacro. Se in relazione alla decisione di uno scienziato, l'embrione è o può essere un semplice materiale sperimentale utile al progresso dell'umanità.

Per giustificare questo diverso e iniquo trattamento della medesima pratica, si è utilizzato a pretesto proprio il fatto che un embrione non acquisisce la sua statura umana, non diventa una "persona" nel senso giuridico del termine se non all'interno dell'utero di una madre potenziale che gli conferirebbe così la sua qualità propriamente umana. In Francia, il Consiglio costituzionale ha convalidato "una distinzione divenuta fondamentale tra gli embrioni *in vivo*, che hanno diritto al rispetto dovuto a ogni essere umano dall'inizio della sua vita, e gli embrioni *in vitro*, che non beneficiano di una tale protezione",[18] distinzione che consente di assicurare il controllo delle donne e la libertà degli scienziati. È noto però che in caso di fecondazione assistita l'istanza medica lascia che molti embrioni si sviluppino nell'utero per distruggerne immediatamente alcuni, quelli che sarebbero affetti da una malattia ereditaria o i più fragili. Si tratta in quel caso di embrioni *in vitro* posti nell'*in vivo* perché l'intervento possa sfuggire alla qualifica di pratica abortiva? Alla questione tanto spesso posta: "L'embrione è da considerarsi una vita umana sin dai primi giorni della sua formazione?" la risposta è "Sì", accompagnata da qualche concessione ottenuta con grande sforzo e sempre sotto la minaccia di venire revocata, quando è una donna che vuole intervenire sul proprio corpo in nome della propria libertà, è "No" quando è la scienza che interviene sul suo corpo in nome del progresso (o del "regresso") dell'umanità. D'altronde, il danno provocato alla vita di un feto nel corpo della madre da una manovra medica maldestra o in seguito a un qualsivoglia incidente non può in ogni caso, secondo la legge francese, essere qualificato come omicidio involontario.[19] In tal caso, il feto – l'*in vivo* – non è più una persona.

Si può quindi constatare come la determinazione dell'inizio dell'umano vari a seconda di criteri, che dipendono più dalla qualità degli agenti di intervento che dal grado di sviluppo della vita.

Dal pubblico al privato o l'astuzia democratica

La generazione, intesa fino a questo momento come un fatto naturale, gestito nelle tenebre del privato, o più esattamente del domestico, sotto la custodia delle madri fino a che i bambini raggiungono l'età adulta e la società dei pari, è divenuta d'un tratto una questione di carattere pubblico, afferisce cioè all'ambito del progetto e della deliberazione.

Tale deliberazione mi pare dipendere più da un progetto politico che da un progetto etico – che non saprebbe "a quale santo votarsi": essa richiede accordi e decisioni che determinano forme d'avvenire in nome di principi che non sono scontati.

Il concepimento di una vita è diventato non solo un progetto ma un diritto: il diritto di avere un bambino, e anche un bambino perfetto. Fa ormai parte dei diritti dell'uomo, spesso confusi nelle società liberali con il diritto ai beni disponibili? La generazione potrebbe quindi essere accostata a una forma di libero servizio. A ciascuno il suo bambino, a seconda degli assetti congiunturali dei suoi attori biologici ed educativi diversamente combinati. Si può scegliere. Concludere il proprio affare. Ma la scelta aumenta davvero la libertà?

Questa evoluzione, questo passaggio della generazione dal privato al pubblico o per lo meno al sociale, pone retrospettivamente in luce un impensato della modernità democratica, concepita come rapporto contrattuale da libertà a libertà. Tale visione non può in effetti far altro che mantenere all'ombra del focolare una relazione che offende costitutivamente il suo principio ugualitario: quella della messa al mondo di un umano per unilaterale decisione.

Se la scelta generazionale costituisce da un lato un'estensione della libertà, pubblicamente riconosciuta, dei genitori potenziali e sembra fortificare sotto questo aspetto l'ambizione della modernità democratica attraverso l'estensione dei diritti a un dominio lasciato fino a questo momento alla fatalità, dall'altro lato non fa che mettere ancor più in evidenza il carattere unilaterale di questa estensione di libertà.

In effetti, ormai l'umanità non è più soggetta a un processo generazionale che avanza suo malgrado, ma sono individui determinati che, come genitori potenziali, decidono unilateralmente non soltanto di far essere altri viventi senza che questi abbiano, per definizione, potuto essere consultati ma di farlo sotto tali o talaltre condizioni biologiche e sociali. Proprio in virtù dell'estensione della libertà, la generazione è più che mai un'impresa asimmetrica che offende il contratto supposto tra uguali. Ciò che si tramava nell'oscurità del privato, sotto la forma di un destino del quale uomini e donne erano alla mercé spesso loro malgrado, fa ormai parte della decisione. La radicalizzazione della scelta generazionale mette ancora più in evidenza la violenza che essa esercita decidendo la messa al mondo di nuovi venuti e l'accettabilità del loro stato.

I filosofi della modernità non sono stati insensibili all'obiezione che la relazione generazionale – la relazione tra genitori e figli – rivolge al pensiero del contratto. Hobbes tenta peraltro in qualche modo di affrontarla quando dice del potere genitoriale "che non deriva dalla generazione, nel senso che il dominio del genitore sul figlio gli apparterrebbe per il solo fatto di averlo procreato; ma deriva dal consenso del figlio, esplicito o manifestato con prove sufficienti",[20] senza peraltro che la questione del consenso del figlio alla propria nascita sia evocata.

È Kant che, in modo esemplare, ha osato affrontare di petto questo scandalo curioso, questa ineludibile obiezione opposta alla definizione contrattuale del legame sociale. Scrive infatti nella sua *Dottrina del diritto*: "È un'idea affatto giusta e anche necessaria considerare l'atto della procreazione come quello attraverso il quale abbiamo messo al mondo una persona senza il suo consenso, conducendovelo per autorità, atto che conferisce in tal modo anche ai genitori un'obbligazione, quella di fare in modo – nella misura delle loro forze – che i loro figli siano soddisfatti di quello che è il loro stato".[21]

Se all'epoca di Kant gli umani avevano la scusa di essere in balia della fatalità e della fecondità, questa fatalità condivisa ha preso oggi la forma di una libera decisione, accentuando ulteriormente l'asimmetria delle posizioni tra genitori e figli, e accentuando la verità dello scandalo che sottolinea il filosofo, quello di una decisione unilaterale, del rapporto di un essere libero a un essere costretto. Ogni figlio ha obiettato un giorno o l'altro ai suoi genitori la verità insondabile del: "Non ti ho chiesto io di nascere". Questa protesta non ha trovato fino a questo momento il suo quadro giuridico. L'estensione che hanno conosciuto i "diritti dei bambini", il cui parere è sempre più sollecitato, tenta senza dubbio di porre in qualche modo rimedio, per quanto possibile, a quest'asimmetria. "Il diritto del bambino a non nascere" è umanamente, logicamente e giuridicamente un'*impasse*.

Una sentenza, identificata sotto il nome di "arrêt Perruche", ha toccato da vicino questo scandalo della generazione. I genitori di un bambino nato infermo o più esattamente non abortito a causa di un errore diagnostico hanno reclamato il pagamento di indennizzi e interessi come riparazione dal danno di essere nato anziché abortito, ovvero non nato. La loro istanza è stata respinta in Cassazione in ragione dell'abisso che questa in effetti dischiudeva: nessuno può fare ricorso per il fatto di essere nato.

L'estensione della libertà delle forme di genitorialità, il passaggio dal loro statuto privato – supposto naturale, il lavoro della vita al quale erano state assegnate le donne nell'intimità del focolare domestico –, dall'*oikos*, allo statuto pubblico mette ancora più in evidenza l'impossibilità di pensare il rapporto sociale sotto la sola forma del rapporto contrattuale da libertà a libertà, e la necessità di riabilitare il concetto di responsabilità anche nella sfera del politico. In un'ottica meno tragica di quella di Kant, Hans Jonas, in *Il principio responsabilità*, definisce a giusto titolo "la responsabilità dei genitori verso i figli" come "l'archetipo intemporale di ogni responsabilità".[22]

Il patto e la legge

Il mondo comune non è in effetti riducibile alla gestione o anche al semplice accordo di libertà singolari: dipende da un progetto in discussione, frutto di una rinegoziazione senz'altro permanente, ma che eccede qualitativamente la semplice compatibilità di dati individuali. I rapporti umani non sono solamente *pacto* ma *lege*, secondo la terminologia kantiana: dipendono non solo da patti interindividuali ma dalla Legge – che non è identificabile con un determinato stato di diritto né con una persona – e da una determinata idea di umanità.

Il mondo comune non è la regolazione di ciò che è, caso per caso, ma un progetto o una scommessa che si fa sull'avvenire. Il mondo comune – il problema della generazione ce lo rammenta – è inscritto nella dimensione del tempo. In politica non si tratta solo di gestire ciò che è – né di rimpiangere ciò che fu –, ma di far essere ciò che non è ancora: un certo dover essere dell'essere, l'essere in balia del tempo. E il tempo è sempre rapporto con l'ignoto, non lo sviluppo di una dialettica predefinita nella successione dei suoi momenti, ma una scommessa.

Nel passaggio della sfera della generazione dall'ordine della necessità all'ordine della libertà devono essere prese delle decisioni. Perché è proprio quando tutto è possibile che si pone la questione di ciò che è lecito.[23] I comitati etici e i dispositivi giuridici elaborati nel disordine a colpi di sentenza e di volta in volta non sono che una debole manifestazione di un dibattito che attraversa sotterraneamente l'intera società e con il quale ciascuno/a si trova oggi posto/a a confronto arrangiandosi come può.

Di fronte alla disseminazione delle forme biologiche e sociali della generazione che si sostituiscono al modello normativo unico – fondato sul potere paterno – che sembrava fino a questo momento sostenere l'ordine sociale, la confusione fa progressi e anche la tentazione di resistere a tutte le modalità impreviste di genitorialità, quale si attesta ad esempio nel dibattito sulla genitorialità omosessuale o nella negazione dell'assistenza medica opposta nel diritto francese alla procreazione artificiale nel caso di una coppia non eterosessuale.[24] Questa resistenza conduce a una certa idealizzazione retrospettiva della famiglia tradizionale, ovvero, in forma mascherata, dell'ordine patriarcale, dimenticando il prezzo che è stato pagato, soprattutto dalle donne.

Si perviene oggi a legiferare per determinare coloro che sono degni o indegni di essere genitori. Ma ai tempi della genitorialità detta "naturale" la questione non si poneva. Nelle famiglie non c'erano domande ma solo risposte più o meno buone: niente esami di attitudini genitoriali. Ora, legali o no, le genitorialità omosessuali si sviluppano nei fatti, e anche con estrema semplicità quando si tratta di una coppia di donne. L'assenza di riconoscimento del fenomeno, il suo vuoto giuridico, crea ingiusti conflitti quando una di queste coppie, come tutte le coppie, decide di separarsi, poiché uno dei due genitori può essere totalmente allontanato dal figlio che ha contribuito a crescere e con il quale ha intessuto legami affettivi.

Alcuni sottolineano i temibili effetti di questa dissemi-nazione qualificata come dissoluzione, imputandola facil-mente all'emancipazione delle donne e soprattutto delle madri, fomentatrici di disordini, ovvero distruttrici dell'or-dine simbolico, piuttosto che al monolitismo tradizionale o alle manipolazioni della molto fallica tecnoscienza. Se gli sconvolgimenti del rapporto generazionale sono incon-testabili, ci si potrebbe almeno ricordare che l'ordine uni-tario della famiglia patriarcale ha prodotto i disordini e i dolori che, da oltre un secolo, alimentano i divani degli psicanalisti. È in effetti proprio per far fronte alla disfun-zionalità della famiglia patriarcale che è stata elaborata la dottrina freudiana. E se questa pretende di avere a che fare con una struttura ontologica del rapporto di generazio-ne, questa struttura non può che persistere e ritrovare i suoi segni disseminati in forme nuove. Se questa struttu-ra è cristallizzata da elementi congiunturali, o storici, è questi nuovi elementi che occorre fronteggiare, intenden-do e regolando altrimenti i dolori legati a "papà e mam-ma". La Legge eccede in effetti ogni legge positiva: è irri-ducibile all'effettività di un diritto determinato, che ne è sempre una formulazione transitoria.

In un'ottica più ottimista, la rivoluzione della genera-zione può apparire come il secondo tempo della rivoluzio-ne democratica – con il suo fantasma del Terrore –, un tem-po in cui i principi validi nel periodo precedente non reg-gono più. L'introduzione della libera decisione nel legame generazionale, sotto la forma sospensiva conferitagli dal femminismo, o sotto la forma manipolatrice che le con-ferisce l'esplosione delle biotecnologie, estende il campo della modernità e giunge alla fine a metterlo in questione. Il "controllo" o la libertà individuale introdotta in quella dimensione verticale delle relazioni umane necessita di prin-cipi regolatori nuovi rispetto a quelli che erano stati enun-ciati e fissati in considerazione delle relazioni orizzontali tra umani. Il diritto paterno, che dissimula il passaggio del tempo e la frattura della perdita sotto la permanenza del no-me e dei beni, e per il quale la trasmissione era concepita come la persistenza dell'identico – tale è il senso dell'eredità –, non basta più a pensare lo iato generazionale – la sua alterità radicale – fino a questo momento assunto e dissimulato dall'abnegazione materna. Il sogno della clonazione è la nuova guerra dell'Uno contro l'alterità?

Affrontare la questione della società – la questione politica – dal punto di vista della generazione e della trasmissione non significa isolare un angolo visuale scelto tra altri in modo arbitrario, ma chiarire ciò che senza dubbio oggi determina un effetto oscillatorio nel sociale. Il pensiero dell'umanità nella sua versione orizzontale – la questione degli uguali – è riattraversato dalla sua versione verticale – la questione dei costitutivamente inuguali. La trasmissione non può più essere pensata come permanenza. Non può più essere pensata come accumulo, ma deve includere la frattura e la perdita. L'eredità (chiave di volta del patriarcato) è "senza testamento". Una volta di più l'umano deve procedere all'elaborazione del lutto. Ma le biotecnologie sono forse una nuova parata contro questa evidenza, esprimono la preoccupazione di regnare al di là della propria sparizione, non solo attraverso il diktat del nome e degli oggetti ma attraverso i geni, dei buoni geni. La memoria non è più nei riti ma nelle cellule, assicurando il medesimo nell'altro. È una nuova vittoria del fare sul dire.

Di fronte a tali sconvolgimenti siamo senza modelli per le decisioni da prendere, anche se persiste e persisterà a lungo il riferimento al modello secolare, che resiste, qualunque cosa se ne pensi, alle sue distorsioni: un padre – che fa il Padre – una madre che fa la madre, dei bambini mascherati da bambini che attraversano la scena tirando qualche sparo, ognuno recitando più o meno bene o più o meno male il proprio ruolo in una recita in cui peraltro lo scenario e i testi originali sono profondamente mutati. Una tragedia rimessa in scena, ancora, sempre, dall'epoca di Eschilo, ma anche una commedia dell'Arte dove ognuno deve improvvisare la sua parte. Il rapporto generazionale è in crisi. Siamo costretti a pensarlo al crocevia tra nostalgia e utopia: nella realtà condivisa non della colpa ma della responsabilità. Perché non ci sono mai stati buoni genitori. Né buoni figli.

Ma una questione presiede sotterraneamente alla riflessione che verte sulle incertezze che circondano oggi la generazione: perché mettiamo al mondo dei figli? La lasceremo in forma di domanda. Al perché occorre far precedere il come, e alla ricerca della causa, quella del senso.

Note

[1] Il termine "riproduzione" occulta il carattere di innovazione della nascita.

[2] Ho già affrontato la questione tra altro in Yvonne Knibiehler (a cura di), *Maternité, affaire privée, affaire publique*, Bayard, Paris 2001.

[3] Hénaff Marcel.

[4] La citazione è tratta da Sant'Agostino.

[5] Shulamith Firestone, *La dialectique du sexe*, Stock, Paris 1972.

[6] Jean-Pierre Baud, *Le droit de vie et de mort*, Aubier, Paris 2001, p. 26.

[7] Thomas Hobbes, *Il Leviatano*, XX, ed. it. a cura di Arrigo Pacchi, Laterza, Bari 1974, p. 168.

[8] Johann Gottlieb Fichte, *Fondamenti del diritto naturale*, § 40.

[9] Mary O' Brien, *The Politics of Reproduction*, Routledge and Kegan, London 1981.

[10] La riesumazione del corpo di Yves Montand per poter determinare se fosse o meno il padre di una ragazza che lo rivendicava come tale ha, da questo punto di vista, fatto epoca, almeno nell'immaginario francese.

[11] Monique Schneider suggerisce un'altra lettura: la fecondazione in vitro eviterebbe al padre di doversi alla donna, il sogno dell'iniezione fatta a Irma presso Freud direbbe la paura di tale 'iniezione' (*Il figlio della scienza*, in *Viventi e mortali*, "Revue du Collège de psychanalystes", 1988).

[12] Rinvio qui a Cludine Leduc.

[13] Nicole Loraux.

[14] Nel suo famoso seminario *Encore*.

[15] Si veda tra gli altri il recente *Big Mother*.

[16] In Francia, il parto *sous x* oggi contestato consentiva a una donna di mettere al mondo il suo bambino anonimamente in un ospedale.

[17] Nel 1974 la rivista femminista "Les Cahiers du Grif", allora con sede a Bruxelles, pubblicò un'intervista con il professor Férin che annunciava l'avvenire delle biotecnologie in un numero intitolato *Ceci (n') est (pas) mon corps* ma senza farsi carico della sfida da un punto di vista teorico. Tale articolazione teorica doveva compiersi più tardi nel 1987 in un numero intitolato *De la parenté à l'eugénisme*.

[18] Come riportano Florence Bellivier e Laurence Brunet in *Évolution des catégories normatives de jugement de la vie et droit de la bioéthique*, in

Juger la vie, La Découverte, Paris 2001. Gli autori non ne traggono però le conclusioni che noi proponiamo nel presente articolo.

[19] Una condanna pronunciata in questo senso dalla corte d'Appello è stata censurata dalla corte di Cassazione.

[20] Thomas Hobbes, *Il Leviatano*.

[21] Immanuel Kant, *Dottrina universale del diritto*.

[22] Hans Jonas, *Il principio responsabilità*.

[23] Per Arendt, l'identificazione di ciò che è permesso con ciò che possibile costituisce l'essenza stessa del totalitarismo.

[24] Essendoci in Belgio una differente legislazione a tal proposito, un certo numero di coppie omosessuali di donne ricorrono all'inseminazione.

Parte quarta

DIFFICILE DEMOCRAZIA. POLITICHE DEI CORPI, DIRITTI E RICONOSCIMENTO NELL'ETÀ DELLA GLOBALIZZAZIONE E DEL POSTCOLONIALISMO

"Scambi di genere"
e la questione della sopravvivenza

di Judith Butler

Quando scrissi questo testo ero più giovane e non avevo una posizione sicura in ambito accademico. Lo scrissi per pochi miei amici, convinta che forse l'avrebbero potuto leggere un centinaio, o due, di persone. A quel tempo avevo due obiettivi: il primo era rendere esplicito quello che consideravo un pervadente eterosessismo all'interno della teoria femminista; il secondo consisteva nell'immaginare un mondo in cui chi si discosta in qualche modo dalle norme di genere, o le vive in maniera confusa, possa tuttavia concepirsi non solo come essere che vive una vita vivibile, ma che merita anche un certo tipo di riconoscimento. Ma lasciatemi essere ancora più schietta. Volevo che si capisse qualcosa del *trouble*[1] del genere e che gli fosse accordata dignità, conformemente a qualche ideale umanista, ma volevo anche che andasse a turbare – in maniera radicale – il modo in cui la teoria femminista e sociale concettualizza il genere, e scoprire che è eccitante, e comprendere quale fosse il desiderio che sta alla base del *trouble* del genere, il desiderio che esso sollecita, il desiderio che esso veicola.

Consideriamo dunque ancora una volta questi due punti, dal momento che hanno subito dei mutamenti nella mia mente, costringendomi di conseguenza a ripensare la questione del cambiamento.

Primo punto: la teoria femminista. Come concepivo

Pubblicato in: *La disfatta del genere*, a cura di Olivia Guaraldo, tr. it. di Patrizia Mattezzali, Meltemi, Roma 2008, pp. 239-251.

allora il suo eterosessismo, e come lo concepisco ora? A quel tempo, pensavo che la teoria della differenza sessuale fosse una teoria dell'eterosessualità. Ed ero anche convinta che il femminismo francese, a eccezione di Monique Wittig, non solo concepisse l'intelligibilità culturale a partire dal presupposto di una fondamentale differenza fra maschile e femminile, ma anche la riproducesse. La teoria prendeva le mosse da Lévi-Strauss, da Lacan, da Saussure e si potevano tracciare i vari punti di rottura con questi maestri. Dopo tutto, è stata Julia Kristeva ad affermare che Lacan non aveva lasciato alcuno spazio al semiotico e a insistere su tale sfera non solo come supplemento del simbolico, ma come modalità per decostruirlo. Ed è stata Cixous, ad esempio, a considerare la scrittura femminile un modo per veicolare il segno, secondo modalità che Lévi-Strauss non avrebbe potuto concepire, alla fine di *Le strutture elementari della parentela*. E fu Irigaray a immaginare che i beni si sarebbero riuniti, e a teorizzare, implicitamente, una sorta di amore omoerotico tra donne, quando le labbra si toccano al punto che è impossibile stabilire la differenza tra l'una e l'altra (laddove non saper dire la differenza non equivale a "essere il medesimo"). L'"importante", a quel tempo, era notare come queste femministe francesi fossero entrate in una regione considerata fondamentale per il linguaggio e per la cultura, asserendo che all'origine del linguaggio c'è la differenza sessuale. Il soggetto parlante, di conseguenza, era un soggetto che emergeva in relazione alla dualità dei sessi, e la cultura, come aveva sottolineato Lévi-Strauss, si definiva attraverso lo scambio delle donne, mentre la differenza tra uomini e donne si istituiva a livello di scambio elementare, uno scambio che è all'origine della possibilità della comunicazione stessa.

Per capire l'effetto elettrizzante di questa teoria su coloro che vi hanno preso parte, occorre comprendere la svolta radicale avvenuta nel momento in cui gli studi femministi, da analisi delle "immagini" della donna, in questa o quella disciplina o dimensione della vita, si trasformarono in un'analisi della differenza sessuale come il fondamento della comunicabilità culturale e umana. All'improvviso diventammo fondamentali, nessuna scienza umana poteva procedere senza di noi.

E non solo diventammo fondamentali, ma eravamo anche in procinto di cambiare radicalmente i fondamenti. Vi era un nuovo tipo di scrittura, una nuova forma di comunicabilità, una sfida ai modi della comunicabilità totalmente costretti dal simbolico patriarcale. E c'erano anche nuove opportunità per le donne, i doni che il riunirsi elargiva, le nuove modalità, modalità poetiche, di alleanza e produzione culturale. Avevamo davanti a noi, per così dire, il quadro della teoria patriarcale, ed eravamo pronte a intervenire su di esso per produrre nuove forme di intimità, alleanza e comunicabilità che non rientrassero nei suoi termini, contestando la sua ineluttabilità e le sue pretese totalizzanti.

Tutto ciò suonava piuttosto bene, ma in realtà creava qualche problema a molte di noi. In primo luogo, sembrava che il modello culturale, in entrambe le sue versioni, patriarcale e femminista, presumesse la costanza della differenza sessuale, e vi erano quelle fra noi per le quali il *trouble* del genere consisteva precisamente nella contestazione della differenza sessuale. Molte si chiedevano se fossero donne, alcune per poter essere incluse nella categoria, altre per scoprire se vi fossero delle alternative. In *Am I That Name?*, Denise Riley affermava di non voler essere esaurita dalla categoria, ma Cherrie Moraga e altre iniziavano anche a teorizzare sulle categorie *butch-femme*, chiedendosi se i tipi di mascolinità in gioco per la lesbica mascolina [*butch*] fossero sempre determinati da una differenza sessuale già operante, o se in realtà la mettessero in discussione.

Le lesbiche femminine [*femmes*] ponevano una domanda importante: la loro era una femminilità definita in relazione a una mascolinità già operante a livello culturale, parte di una struttura normativa che non poteva essere cambiata, oppure rappresentava una sfida alla struttura normativa, una sfida che proveniva dall'interno dei suoi termini più cari? Cosa accade quando termini come lesbica-mascolina e lesbica-femminina [*butch-femme*] emergono non come semplici copie di mascolinità e femminilità eterosessuali, ma come delle espropriazioni, che rivelano la natura non-necessaria dei loro significati presunti? In effetti, il punto che *Scambi di genere* mise in risalto è il seguente: le categorie di *butch* e *femme* non sono copie di una eterosessualità più originaria, ma rivelano come i cosiddetti originali, gli uomini e le donne all'interno della cornice eterosessuale, siano costruiti in modo simile e stabiliti performativamente. Quindi quella che dovrebbe essere una copia non viene spiegata mediante il riferimento a un originale, perché quest'ultimo è tanto performativo quanto la copia. Attraverso la performatività, le norme di genere dominanti e non dominanti si equivalgono. Ma alcune di queste realizzazioni performative rivendicano per se stesse lo status di natura, o pretendono di occupare il posto di un simbolico necessario, occultando i modi della loro origine performativa.

Ritornerò ancora alla teoria della performatività, ma ora devo spiegare come è stato riformulato da altri il mio resoconto di questa particolare frattura tra la teoria femminista strutturalista e la prospettiva post strutturalista relativa al *gender trouble*.

Nel primo caso, nella mia esposizione del passaggio dalla differenza sessuale al *trouble* del genere o, in vero, alla teoria *queer* (che non è la stessa cosa, dal momento che il *gender trouble* non rappresenta che una fase della teoria *queer*), è all'opera uno slittamento dalla differenza sessuale come categoria che condiziona l'emergere nel linguaggio e nella cultura al genere come concetto sociologico, configurato come norma. La differenza sessuale non corrisponde alle categorie di donne e uomini. Si potrebbe dire che esse rappresentino delle norme sociali ed esemplifichino, secondo la prospettiva della differenza, i modi in cui essa giunge ad avere un significato. Molti lacaniani, ad esempio, hanno sostenuto che la differenza sessuale ha una natura puramente formale e che non si deduce nulla sui ruoli sociali o sui significati che il genere potrebbe derivare da tale concetto di differenza. In verità, alcuni fra i lacaniani svuotano la differenza sessuale di ogni possibile significato semantico, e pensano che anche associandola alla possibilità strutturale di una semantica essa non possegga tuttavia un contenuto semantico proprio o necessario. In effetti, essi sostengono che la possibilità di critica emerga qualora si arrivi a comprendere come la differenza sessuale si sia non solo concretizzata in determinati casi culturali e sociali, ma anche ridotta alla propria esemplificazione, poiché questo rappresenta un errore di base, un modo per precludere la fondamentale apertura della distinzione stessa.

Queste sono dunque le repliche formulate dai formalisti lacaniani: Joan Copjec e Charles Shepherdson, ma anche Slavoj Žižek. Ma c'è anche una più veemente discussione femminista che si oppone, implicitamente o esplicitamente, alla traiettoria da me tracciata. La più ottimista e convincente è forse quella articolata da Rosi Braidotti. Credo che il tenore della discussione sia un po' questo: è necessario mantenere la cornice della differenza sessuale perché mette in evidenza le costanti realtà culturali e politiche del dominio patriarcale, rammentandoci che qualunque trasformazione di genere si verifichi non riuscirà a sfidare totalmente la cornice entro cui avviene, poiché quest'ultima persiste a un livello simbolico su cui è più difficile intervenire. Critici come Carol Anne Tyler hanno sostenuto, ad esempio, che per una donna varcare la soglia della trasgressione delle norme di genere sarà sempre più difficile che per un uomo, e che *Scambi di genere* non distingue in maniera sufficientemente energica tra queste posizioni di potere, alquanto diverse, all'interno della società. Altri suggeriscono che il problema abbia a che fare con la psicanalisi e con il ruolo e il significato del complesso edipico. Il bambino viene introdotto al desiderio attraverso la triangolazione, e che si tratti o meno di una coppia eterosessuale in veste di genitori il bambino individuerà comunque un paterno e un materno come punto di partenza. Questa diade eterosessuale assumerà un significato simbolico per il bambino e diverrà la struttura attraverso cui prenderà forma il suo desiderio.

In un certo senso, vi sono delle importanti alternative che vanno considerate insieme. Non sto suggerendo che si possa o si debba trovare una riconciliazione! Può essere che rimangano necessariamente in tensione fra di loro e che, al presente, ciò che struttura il campo delle teorie femminista e *queer* sia un'inevitabile tensione, che rende indispensabile la polemica. È importante distinguere fra teoriche della differenza sessuale che sostengono su basi biologiche la necessità della distinzione tra i sessi (ad esempio, la femminista tedesca Barbara Duden) e quelle che sostengono che la differenza sessuale rappresenti il nesso fondamentale attraverso cui emergono il linguaggio e la cultura (strutturaliste e post strutturaliste che non problematizzano il genere). Si rende quindi necessaria un'ulteriore distinzione. Vi sono coloro che trovano utile il paradigma strutturalista solo perché registra le costanti differenze di potere tra uomini e donne nel linguaggio e nella società, fornendo un modo per comprendere quanto profondamente operi nello stabilire l'ordine simbolico in cui viviamo. Fra le seconde, credo vi sia tuttavia una differenza fra chi considera inevitabile tale ordine simbolico, e ratifica quindi il patriarcato in quanto struttura culturale indispensabile, e chi pensa invece che la differenza sessuale sia ineluttabile e fondamentale, ma che si debba contestare la sua forma patriarcale. Rosi Braidotti appartiene a questo secondo gruppo. È quindi facile capire perché io abbia avuto conversazioni così proficue con lei.

Il problema sorge quando si cerca di capire se la differenza sessuale sia inevitabilmente eterosessista. Lo è? Ancora una volta dipende da quale versione si accoglie. Qualora si sostenga che il complesso edipico presuppone genitori eterosessuali o un simbolico eterosessuale che eccede qualsiasi situazione genitoriale – nel caso ne esista una – allora la faccenda è di gran lunga conclusa. Se si crede che a produrre il desiderio eterosessuale sia il complesso edipico e la differenza sessuale rappresenti una sua funzione, allora la faccenda sembra comunque conclusa. E c'è chi, come Juliet Mitchell, si sente turbata da questo esito, anche se in *Psicoanalisi e femminismo* ha dichiarato che l'ordine simbolico patriarcale non rappresenta un insieme mutevole di regole, ma la "legge primordiale". Un mio punto fermo è che i concetti sociologici di genere, intesi come donne e uomini, non siano riducibili alla differenza sessuale. Tuttavia, mi preoccupa ancora fortemente il fatto di concepire la differenza come ordine simbolico. Cosa significa per tale ordine essere simbolico anziché sociale?[2] E cosa ne è del compito della teoria femminista di pensare la trasformazione sociale, qualora si accetti che la differenza sessuale è organizzata e costretta a livello del simbolico? Se essa è simbolica, è anche mutabile? Mi rivolgo ai lacaniani, i quali di solito mi rispondono che i mutamenti nel simbolico hanno bisogno di molto, molto tempo. Mi chiedo quanto dovrò aspettare. Oppure mi mostrano qualche passo di ciò che viene chiamato il Discorso di Roma, e mi domando se questi passi rappresentino ciò a cui ci si dovrebbe aggrappare nella speranza che qualcosa cambi. Inoltre, sono costretta a chiedere: è poi così vero che la differenza sessuale a livello simbolico non abbia un contenuto semantico?

Che sia davvero così? E se in realtà non avessimo fatto altro che astrarre il significato sociale della differenza sessuale ed esaltarlo in quanto struttura simbolica e, quindi, presociale? Si tratta di un modo per provare che la differenza sessuale è al di là della contestazione sociale?

Dopo tutto, ci si potrebbe chiedere perché io desideri contestarlo, ma l'ipotesi ricorrente nella mia precedente teoria del genere è che esso sia prodotto in maniera complessa attraverso pratiche identificative e performative e che la sua natura non sia così chiara o univoca come si è talvolta portati a credere. Il mio tentativo era quello di combattere quelle forme di essenzialismo che considerano il genere come una verità in qualche modo interna al corpo, una sorta di centro o essenza interiore, qualcosa di innegabile e che, naturale o no che sia, è dato per scontato. La teoria della differenza sessuale non afferma nulla di quanto sostiene tale essenzialismo naturale. O perlomeno una versione della differenza sessuale ha sostenuto che la "differenza" in ogni identità preclude la possibilità di una categoria unificata dell'identità. Vi erano a tal proposito almeno due diversi tipi di sfida che *Scambi di genere* doveva affrontare, e mi accorgo adesso che era necessario separare le questioni e spero di averlo fatto nei miei lavori successivi. Ciononostante, mi preoccupa ancora il fatto di affidarsi a delle strutture di riferimento perché descrivono adeguatamente la dominazione patriarcale, in quanto esse possono anche costringerci a considerarla come inevitabile o primaria, più essenziale in realtà di qualsiasi altra operazione di potere differenziale. Il simbolico ha i requisiti per un intervento sociale? La differenza sessuale rimane realmente altra rispetto alla sua forma istituzionale, ovvero dall'eterosessualità dominante?

Che cosa immaginavo? E come sono cambiate, nel frattempo, la questione della trasformazione sociale e della politica?

Scambi di genere termina con un'analisi del *drag*, il capitolo finale è infatti intitolato *Dalla parodia alla politica*. Numerosi critici hanno esaminato a fondo questo capitolo al fine di chiarire questa transizione: come si passa dalla parodia alla politica? C'è chi pensa che il testo abbia sminuito la politica riducendola a parodia e chi sostiene che il *drag* rappresenti un modello di resistenza o, più generalmente, di azione politica e di partecipazione. Riprendiamo dunque in considerazione questa conclusione controversa, perché si tratta forse di un testo che ho scritto troppo in fretta e di cui allora non potevo prevedere il futuro.

Perché il *drag*? Ebbene, vi sono ragioni biografiche, e forse saprete anche che negli Stati Uniti durante la mia giovinezza l'unico modo per descrivermi era "lesbica da bar", la quale trascorreva le sue giornate leggendo Hegel e le sue serate al bar gay, che occasionalmente diventava un bar di travestiti. Avevo anche alcuni parenti dell'ambiente, per così dire, e c'era una notevole identificazione con quei "ragazzi". Stavo dunque vivendo un momento culturale nel bel mezzo di una lotta sociale e politica. Ma stavo anche sperimentando una qualche implicita teorizzazione del genere: mi resi conto in fretta che alcuni di quei cosiddetti uomini potevano fare [do] la femminilità molto meglio di quanto sarei mai riuscita a fare io, di quanto abbia mai desiderato o desideri. E così mi ritrovai ad affrontare ciò che può essere solo definito come la trasferibilità dell'attributo. La femminilità, che comunque, l'avevo capito, non mi era mai appartenuta, abitava chiaramente altrove, ed ero più felice di esserne la spettatrice, e lo sono sempre stata più di quanto potessi o avessi potuto incarnandola. (Ciò non significa, ad ogni modo, che io sia, per questo, disincarnata, come hanno affermato o insinuato alcuni critici piuttosto meschini.) In verità, che si adotti la prospettiva della differenza sessuale o quella del *trouble* di genere, sarebbe auspicabile che tutti noi rimanessimo fedeli all'ideale secondo il quale nessuno dovrebbe essere costretto a occupare una norma di genere che viene sperimentata come un'insostenibile violazione. Si potrebbe anche disquisire teoricamente sul fatto che le categorie sociali imposte dall'esterno rappresentino sempre delle "violazioni", nel senso che esse sono, primariamente e necessariamente, non scelte. Ma ciò non significa che abbiamo perso la capacità di distinguere fra violazioni che abilitano e quelle che disabilitano. Laddove le norme di genere operano come violazioni, esse funzionano come un'interpellanza che si può rifiutare a patto di pagarne le conseguenze: la perdita del lavoro, della casa, delle prospettive di desiderio, o di vita. Esiste ancora un gruppo di leggi, codici criminali e psichiatrici, che prevede l'arresto e la carcerazione. In molti paesi, la disforia di genere può ancora essere usata per negare il lavoro o per togliere i figli. Le conseguenze possono essere gravi. Non basterà chiamare tutto questo solamente un gioco o un divertimento, anche se questi rappresentano dei momenti importanti. Non intendo infatti affermare che il genere non sia talvolta gioco, piacere, divertimento e fantasia; sicuramente rappresenta tutto ciò. Voglio solo dire che viviamo ancora in un mondo in cui si rischiano serie privazioni della libertà e violenze psichiche a seconda del tipo di piacere che si persegue, della fantasia che si incarna e del genere che si performa.

Proseguo quindi presentando alcune proposte su cui riflettere:

a) Ciò che agisce a livello di fantasia culturale non è alla fine dissociabile dalle modalità in cui si organizza la vita materiale.

b) Qualora si consideri una performance di genere reale e un'altra fittizia, o una presentazione di genere autentica e un'altra falsa, si può allora concludere che una determinata ontologia stia influenzando questi giudizi, un'ontologia (una versione di ciò che il genere è) che viene anche messa in crisi dalla performance del genere, in maniera che tali giudizi siano messi in crisi o diventino impossibili da realizzare.

c) Il punto da evidenziare non riguarda il fatto che il *drag* sovverta le norme di genere, ma il fatto che noi viviamo, in maniera più o meno implicita, secondo nozioni date di realtà, ontologie implicite, che determinano quale corpo e quale sessualità potranno essere considerati reali e autentici e quali no.

d) L'effetto differenziale degli assunti ontologici sulla vita incarnata degli individui ha conseguenze importanti. Ciò che il *drag* mette in evidenza è che (1) questa serie di assunti ontologici è all'opera e che (2) essa è aperta a una riarticolazione.

Chi e cosa sia da considerare reale e vero sembra riguardare il sapere. Ma riguarda anche, come chiarisce Foucault, il potere. Avere o apportare "verità" e "realtà" rappresenta una prerogativa di enorme potere all'interno della società, uno dei modi in cui il potere si dissimula come ontologia. Secondo Foucault, uno dei primi compiti della critica è discernere la relazione "tra i meccanismi di coercizione e gli elementi di conoscenza".[3] Qui siamo messi a confronto con i limiti di ciò che è conoscibile, i quali esercitano una certa forza ma non sono fondati su alcuna necessità, e che possono venire interrogati solo mettendo a rischio la propria sicurezza e certezza ontologiche:

> Non si può infatti configurare un elemento di sapere se, da un lato, non è conforme a un insieme di regole e costrizioni proprio di un certo tipo di discorso scientifico a una data

epoca; e se, dall'altro, non è dotato degli effetti di coercizione tipici di ciò che è convalidato come scientifico, o semplicemente razionale o comunemente recepito.[4]

Sapere e potere sono, in ultima analisi, inscindibili, e operano congiuntamente per stabilire una serie di criteri sottili ed espliciti attraverso cui pensare il mondo:

> Non si tratta perciò di descrivere ciò che è sapere e ciò che è potere e come uno reprimerebbe l'altro o come l'altro abuserebbe dell'uno; ma piuttosto di individuare il nesso di sapere-potere che permette di cogliere le condizioni di accettabilità di un sistema...[5]

Se analizziamo la relazione fra sapere e potere in riferimento al genere siamo costrette a chiederci come l'organizzazione dei generi sia giunta a funzionare come presupposto della struttura del mondo.

Non esiste un approccio puramente epistemologico al genere, né un modo semplice di interrogarsi sulle modalità di conoscenza delle donne o su cosa significhi conoscere le donne. Al contrario, i modi in cui si pensa che le donne "conoscano" oppure "siano conosciute" sono già orchestrati dal potere nello stesso istante in cui si istituiscono i termini di una categorizzazione "accettabile".

Secondo Foucault, la critica ha quindi un duplice compito: mostrare come il sapere e il potere operino per costituire un modo, più o meno sistematico, di ordinare il mondo secondo le proprie "condizioni di accettabilità di un sistema" e "seguire i punti di rottura che indicano il suo emergere".[6] Pertanto non basterà isolare e identificare il peculiare nesso fra potere e sapere da cui origina la sfera delle cose intelligibili. Occorre piuttosto tracciare la via attraverso cui tale sfera viene a incontrare il proprio punto di rottura, i momenti di discontinuità e gli ambiti di fallimento dell'intelligibilità promessa. Ciò significa che sono da ricercare le condizioni di costituzione del campo oggettuale, così come i limiti di quelle stesse condizioni, l'istante in cui rivelano la loro contingenza e la loro trasformabilità. Nei termini di Foucault: "Perciò, in termini schematici, si può parlare di mobilità perpetua, di essenziale fragilità o, piuttosto, di intreccio tra ciò che riproduce lo stesso processo e ciò che lo trasforma".[7] Per quanto riguarda il genere, quindi, è importante non solo capire come i suoi termini vengano istituiti, naturalizzati e stabiliti in quanto presupposti, ma indicare le occasioni in cui il sistema binario di genere viene contestato e sfidato, quando viene messa in discussione la coerenza delle categorie e la stessa vita sociale del genere si rivela come plasmabile e trasformabile.

L'attenzione rivolta alla performance *drag* ha rappresentato, in parte, un modo per riflettere non solo sulla performatività del genere, ma sulla sua risignificazione collettiva. Coloro che praticano il travestitismo, ad esempio, tendono a vivere in comunità e ad avere forti legami rituali, come quelli illustrati nel film *Parigi brucia*,[8] che ci rivela la risignificazione dei legami sociali che le minoranze di genere all'interno delle comunità di colore possono realizzare, e di fatto realizzano. Stiamo dunque parlando di una vita culturale della fantasia, che non solo organizza le condizioni materiali della vita, ma produce anche i legami di sostegno nella comunità dove il riconoscimento diventa possibile, e opera per respingere la violenza, il razzismo, l'omofobia e la transfobia. La minaccia della violenza ci fa capire un aspetto fondamentale della cultura in cui vivono, che non è radicalmente distinta dalla nostra cultura, pur non corrispondendo esattamene alla nostra vita. Ma c'è un motivo per cui riusciamo a capire; questo film, per la sua bellezza, la sua tragedia, il suo pathos e la sua audacia attraversa confini culturali. Ciò che permette tale attraversamento, ogni volta diverso, è la minaccia della violenza, della povertà e la lotta per la sopravvivenza, che sono ancor più dure per la gente di colore. È importante notare che la lotta per la sopravvivenza non è realmente separabile dalla vita culturale della fantasia. Fa parte di essa. La fantasia è ciò che ci consente di immaginare noi stessi e gli altri in maniera diversa. Essa fa sì che il possibile ecceda il reale, indicandoci un altrove e, qualora sia incarnato, conduce l'altrove a casa.

Questo mi riporta alla questione della politica. Com'è che il *drag* o, in verità, qualcosa in più del *drag*, il transgender stesso rientra nella sfera politica? Suggerirei che il transgender entra nella politica non solo perché ci costringe a domandarci cosa sia o debba essere considerato reale, ma perché ci mostra come si possano mettere in discussione le attuali concezioni della realtà e istituirne di nuove. La fantasia non rappresenta solo un esercizio cognitivo, un film interiore che proiettiamo all'interno del teatro della mente. Essa struttura la relazionalità e partecipa alla stilizzazione dell'incarnazione stessa. I corpi non sono spazialità date. Nella loro spazialità, essi si attuano nel tempo: invecchiando, cambiando forma, cambiando significato – a seconda delle loro interazioni – e la rete di relazioni visive, discorsive e tattili che diviene parte della loro storicità, del loro passato, presente e futuro.

Come conseguenza di un essere che è in divenire, e che vive sempre con la sostanziale possibilità di diventare qualcosa d'altro, il corpo rappresenta ciò che può occupare la norma in una miriade di modi, che può eccederla, rielaborarla e rivelare come le realtà entro cui ci si pensava confinati siano invece aperte alla trasformazione. Queste realtà corporee sono attivamente abitate, e questa "attività" non è completamente limitata dalla norma. Talvolta le condizioni per conformarsi alla norma corrispondono a quelle per resistervi. Nel momento in cui essa sembra garantire e al contempo minacciare la sopravvivenza sociale (ciò di cui si ha bisogno per vivere, ma, se vissuto, minaccerà di annientarti), la conformità e la resistenza alla norma assumono la forma di una relazione composita e paradossale, divenendo una forma di sofferenza e un potenziale luogo di politicizzazione. La questione dell'incarnazione della norma è dunque spesso collegata a quella della sopravvivenza, alla possibilità della vita stessa. Credo non si debba sottovalutare come possa agire il pensiero del possibile su coloro che vivono la sopravvivenza stessa come un problema scottante.

Questo è uno degli aspetti per cui la faccenda si rivela e continua a essere politica. Ma c'è qualcosa di più, poiché l'esempio del *drag* aveva lo scopo di suscitare delle domande sulla costituzione della realtà e di far considerare che il modo in cui si viene definiti reali o irreali può rappresentare non solo un mezzo di controllo sociale, ma anche una forma di violenza dal potere disumanizzante. La metterei in questo modo: il fatto di essere definiti irreali e che questa definizione venga, per così dire, istituzionalizzata come forma di trattamento differenziato significa diventare l'altro in opposizione al quale si definisce l'umano. Significa essere l'inumano, l'oltre l'umano, il meno che umano, l'essere marginale che garantisce all'umano la sua realtà tangibile. Essere definiti una copia, essere definiti irreali, è una delle modalità attraverso cui si può venir oppressi, ma forse si tratta di qualcosa di ancora più cruciale. Essere oppressi significa esistere già come soggetti di un certo tipo, costituire l'alterità visibile e oppressa del soggetto padrone [*master subject*], essere considerati soggetti potenziali o possibili, ma essere irreali significa qualcos'altro ancora. Per poter essere oppressi occorre per prima cosa diventare intelligibili e scoprire che si è essenzialmente inintelligibili (che in realtà le leggi culturali e linguistiche non ti considerano possibile), significa scoprire che non ti è ancora stato consentito di accedere all'umano, significa scoprire che stai parlando, solo e sempre, come se tu fossi umano, ma con la sensazione di non esserlo, significa scoprire che il tuo linguaggio è privo di significato e che non vi sarà alcun riconoscimento, poiché le norme, attraverso cui si attua il riconoscimento, non sono a tuo favore.

Se il genere è performativo, ne consegue che la sua stessa realtà viene prodotta come effetto dell'azione performativa. Anche se esistono delle norme che stabiliscono la sfera della realtà e dell'intelligibilità, esse vengono messe in discussione e reiterate nel momento in cui la performatività dà inizio alla propria pratica citazionale. Di certo si citano norme che esistono già, le quali tuttavia possono essere significativamente decontestualizzate attraverso la citazione. Possono anche rivelarsi innaturali, non necessarie, qualora avvengano in un contesto e attraverso una forma di incorporazione che disobbediscono alle aspettative normative. Ciò significa che attraverso la pratica performativa del genere è possibile non solo osservare come vengono citate le norme che governano la realtà, ma anche cogliere uno dei meccanismi attraverso i quali la realtà viene riprodotta *e* alterata nel corso di questa riproduzione. Tuttavia, affermare che il genere è performativo non significa semplicemente insistere sul diritto di produrre uno spettacolo piacevole e sovversivo, ma dare un significato allegorico ai modi spettacolari e consequenziali attraverso i quali la realtà viene, al contempo, riprodotta e contestata. Quanto al travestitismo, esso non si limita a mettere in scena uno spettacolo piacevole e sovversivo, ma realizza una vera e propria allegoria dei modi spettacolari e rilevanti, attraverso i quali la realtà viene, al contempo, riprodotta e contestata.

La mancata consapevolezza della violenza di genere ha effetti sulla nostra capacità di comprendere come e perché alcune esternazioni di genere vengono criminalizzate e considerate come patologiche, per quale ragione i soggetti sessualmente ibridi rischiano l'internamento e la carcerazione, perché la violenza nei confronti dei transgender non viene riconosciuta come tale e anzi, talvolta, viene inflitta proprio dallo stato che li dovrebbe proteggere.

E se fossero possibili nuove forme di genere? In che modo questa eventualità andrebbe a intaccare gli stili di vita e i bisogni concreti della comunità? Com'è possibile distinguere, tra le forme possibili di genere, quelle che hanno un valore e quelle che non ne hanno? È comprensibile che siano state poste queste domande alle mie argomentazioni. Rispondo affermando che non si tratta semplicemente di creare un nuovo futuro per generi sessuali che ancora non esistono. I generi che ho in mente esistono da lungo tempo, ma non hanno ancora avuto accesso al linguaggio che governa la realtà. Quindi si tratta di sviluppare un nuovo lessico, nell'ambito della legge, della psichiatria, della sociologia e della teoria letteraria, che legittimi la complessità di genere che da molto tempo stiamo vivendo. E poiché le norme che governano la realtà non hanno riconosciuto queste forme come reali, dovremo, necessariamente, denominarle "nuove", con un po' di ironia, visto che ne siamo consapevoli. Il concetto di politica qui all'opera riguarda la questione della sopravvivenza, la possibilità di creare un mondo in cui chi comprende di avere genere e desideri non conformi alla norma possa vivere e prosperare non solo senza la minaccia di violenze esterne, ma anche senza un senso diffuso della propria irrealtà, che può condurre al suicidio o a una vita suicida.

Mi chiedo, infine, che posto occupi, all'interno della teoria politica, il concetto di possibilità. Qualcuno potrebbe muovere delle obiezioni e dire che sto solo cercando di rendere possibile la complessità del genere. Il punto, tuttavia, non è stabilire nuove norme di genere come se vi fosse l'obbligo di fornire una misura, una norma che giudichi dei generi in competizione. Qui si tratta di un'aspirazione che ha a che vedere con la capacità di vivere, di respirare e di muoversi, e che, senza dubbio, potrebbe entrare a pieno titolo in una filosofia della libertà. Possono indulgere al pensiero di una vita possibile solo coloro che già sanno di essere possibili. Ma per coloro che stanno ancora cercando di diventare possibili, la possibilità rappresenta una necessità.

Note

[1] *Gender Trouble* è il titolo del libro di Butler a cui si fa qui riferimento, tradotto in italiano con *Scambi di genere* (2004). *Gender trouble* è però anche un'espressione di uso corrente negli studi femministi e *queer*, e si riferisce alla instabilità, alla "turbolenza" si potrebbe dire, dei ruoli di genere. Il *trouble* del genere è però anche il turbamento, la sofferenza, l'incertezza di chi vive ai margini di generi definiti. Si tratta quindi, per Butler, del problema che sta al cuore della questione del genere – il suo "guaio", come forse si potrebbe tradurre in maniera prosaica l'inglese *trouble*. Da qui la difficoltà di tradurre in italiano tale espressione senza impoverirla. [*N.d.C.*]

[2] Questo problema viene analizzato in maniera più approfondita in Judith Butler, *Antigone's Claim. Kinship Between Life and Death*, Columbia University Press, New York 2000; tr. it. *La rivendicazione di Antigone*, Bollati Boringhieri, Torino 2003.

[3] Michel Foucault, *Illuminismo e critica*, Donzelli, Roma 1997, p. 53.

[4] Ivi, p. 55.

[5] *Ibid.*

[6] Parte di questa discussione su Foucault è contenuta in Judith Butler, *Virtue as critique*, in David Ingram (a cura di), *The Political*, Basil Blackwell, Oxford 2002.

[7] Michel Foucault, *Illuminismo e critica*, cit., p. 59.

[8] *Paris is Burning* (1990, Fox Lorber, diretto da Jennie Livingston).

Giustizia sociale nell'era della politica dell'identità

di Nancy Fraser

Contro il riduzionismo: una concezione bidimensionale della giustizia

D'ora in poi supponiamo che il riconoscimento sia una questione di giustizia. Qual è esattamente la sua relazione con la distribuzione? Segue da ciò – passando alla nostra seconda domanda di filosofia morale – che la distribuzione e il riconoscimento costituiscono due distinte concezioni *sui generis* della giustizia? Oppure una delle due può essere ridotta all'altra?

Il problema della riduzione di una dimensione all'altra va considerato da due prospettive differenti. Da un lato, la questione è se le teorie standard della giustizia distributiva possono sussumere, in maniera adeguata, problemi di riconoscimento. Personalmente, ritengo che la risposta sia negativa. Di certo, molti teorici distributivi, oltre al benessere materiale, apprezzano l'importanza dello status e cercano di adattarlo ai loro sistemi.[1] Ma i risultati non sono pienamente soddisfacenti. Molti di questi teorici assumono una visione riduttiva, economistico-legalistica, dello status, per la quale si suppone che una giusta distribuzione di risorse e diritti sia sufficiente a precludere il misconoscimento. Ma, come abbiamo visto, il misconoscimento non è sempre un sottoprodotto della maldistribuzione e neanche della maldistribuzione associata alla discriminazione legale.

Pubblicato in: Nancy Fraser, Axel Honneth, *Redistribuzione o riconoscimento? Una controversia politico-filosofica*, tr. it. di E. Morelli e M. Bocchiola, Meltemi, Roma 2007, pp. 48-62.

Lo testimonia il caso del banchiere afroamericano di Wall Street che non riuscì a trovare un taxi disposto a caricarlo. Per comprendere questi casi, una teoria della giustizia deve spingersi oltre la distribuzione di beni e diritti ed esaminare i modelli di valore culturale istituzionalizzati. Essa deve chiedersi se questi modelli ostacolano o meno la parità partecipativa nella vita sociale.[2]

Cosa dire, allora, in merito all'altro aspetto della questione? Le teorie del riconoscimento esistenti possono adeguatamente sussumere problemi di distribuzione? Anche qui, ritengo che la risposta sia negativa. A dire il vero, alcuni teorici del riconoscimento apprezzano l'importanza dell'uguaglianza economica e cercano di adattarla alle loro teorie. Ma, ancora una volta, i risultati non sono pienamente soddisfacenti. Axel Honneth, per esempio, assume una visione riduttiva, culturalista, della distribuzione. Supponendo che tutte le disuguaglianze economiche siano radicate in un ordine culturale che privilegia alcune forme di lavoro su altre, egli crede che il mutamento di quell'ordine culturale sia sufficiente a precludere la maldistribuzione.[3] Ma, come abbiamo visto, la maldistribuzione non è sempre un sottoprodotto del misconoscimento. Lo testimonia il caso di un abile lavoratore industriale bianco che si ritrova disoccupato a causa della chiusura dell'industria, in seguito a una fusione speculativa. In questo caso, l'ingiustizia causata dalla maldistribuzione ha poco a che fare con il misconoscimento. Piuttosto, è la conseguenza degli imperativi intrinseci di un ordine di relazioni economiche specializzate, la cui *raison d'être* è l'accumulo di guadagno. Per comprendere questi casi, una teoria della giustizia deve andare oltre i modelli di valore culturale e analizzare la struttura del capitalismo. Essa deve chiedersi se i meccanismi economici che rimangono separati dalle strutture di prestigio e che operano in modo relativamente autonomo ostacolino o meno la parità partecipativa nella vita sociale.

Quindi, in generale, né i teorici della distribuzione né quelli del riconoscimento sono riusciti ad accogliere gli uni le preoccupazioni degli altri.[4] Inoltre, in assenza di una riduzione sostantiva, le sussunzioni puramente verbali risultano di scarso aiuto. C'è poco da guadagnarci nel sostenere che, dal punto di vista semantico, anche il riconoscimento sia un bene da distribuire, o nel sostenere che ogni modello distributivo abbia per definizione una matrice implicita di riconoscimento. In entrambi i casi, il risultato è una tautologia. Il primo fa di ogni riconoscimento una distribuzione per definizione; il secondo afferma meramente il contrario. In entrambi i casi, dunque, non vengono risolti i problemi sostantivi di integrazione concettuale.[5]

In assenza di una riduzione genuina, che approccio rimane per coloro che cercano di integrare distribuzione e riconoscimento in un'unica struttura normativa? Invece di avallare solo uno dei due paradigmi, escludendo l'altro, propongo di sviluppare quella che chiamo una concezione "bidimensionale" della giustizia. Una concezione bidimensionale tratta la redistribuzione e il riconoscimento come due prospettive distinte sulla giustizia e come due dimensioni distinte della giustizia. Senza ridurre una delle due dimensioni all'altra, le comprende entrambe in un più ampio assetto comprensivo.

Il nucleo normativo della mia concezione è costituito dalla nozione di *parità partecipativa*.[6] Secondo questo principio, la giustizia richiede assetti sociali che permettano a tutti i membri (adulti) della società di interagire l'uno con l'altro alla pari. Affinché sia possibile una parità partecipativa, ritengo che almeno due condizioni debbano essere soddisfatte.[7] Come prima condizione, la distribuzione di risorse materiali deve garantire indipendenza e "voce" ai partecipanti. Chiamo questa condizione *condizione oggettiva* della parità partecipativa, la quale preclude forme e livelli di dipendenza e disuguaglianza economiche, che impediscono la parità partecipativa. Preclusi sono, quindi, gli assetti sociali che istituzionalizzano uno stato di povertà, di sfruttamento e di forti disparità in merito a ricchezza, reddito e tempo libero, e che negano, quindi, ad alcune persone le opportunità e i mezzi per interagire alla pari con gli altri.[8]

La seconda condizione richiede, invece, che i modelli

di valore culturale istituzionalizzati esprimano uguale rispetto nei confronti di tutti i partecipanti e garantiscano uguali opportunità per il conseguimento della stima sociale. Chiamo questa condizione *condizione intersoggettiva* della parità partecipativa, la quale preclude l'istituzionalizzazione di norme che disprezzano sistematicamente alcune categorie di persone e le caratteristiche a loro associate. Preclusi sono, quindi, i modelli istituzionalizzati di valore che negano ad alcune persone – o attraverso l'imputazione di una loro eccessiva "differenza" o attraverso il mancato riconoscimento della loro diversità – lo status di partner a pieno titolo nell'interazione.

Tanto la condizione oggettiva quanto la condizione intersoggettiva sono necessarie alla parità partecipativa. Nessuna delle due da sola è sufficiente. La condizione oggettiva mette a fuoco le preoccupazioni tradizionalmente legate alla teoria della giustizia distributiva, in particolare quelle riguardanti la struttura economica della società e i differenziali di classe definiti economicamente. La condizione intersoggettiva mette a fuoco le preoccupazioni recentemente evidenziate dalla filosofia del riconoscimento, in particolare quelle riguardanti l'ordine di status della società e le gerarchie di status culturalmente definite. Così, una concezione bidimensionale della giustizia, orientata al principio della parità partecipativa, comprende la redistribuzione e il riconoscimento, senza ridurre l'una all'altro.

Questo approccio è di considerevole aiuto per la realizzazione di un'integrazione concettuale. Se si considerano la redistribuzione e il riconoscimento come due dimensioni della giustizia, reciprocamente irriducibili, si amplia la consueta visione della giustizia, così da includere tanto considerazioni oggettive quanto considerazioni intersoggettive. Inoltre, ponendo entrambe queste dimensioni sotto il principio comprensivo della parità partecipativa, le si adatta a un'unica struttura normativa integrata. La struttura di questo quadro di riferimento, che include la relazione tra redistribuzione e riconoscimento, sarà chiarita una volta considerate le restanti questioni di filosofia morale.

Giustificare le rivendicazioni per il riconoscimento

Avendo ampliato la nostra visione della giustizia in maniera tale da comprendere le considerazioni intersoggettive del riconoscimento, giungiamo alla terza domanda di filosofia morale: come si distinguono le rivendicazioni giustificabili per il riconoscimento da quelle ingiustificabili?

Chiaramente, non tutte le rivendicazioni per il riconoscimento, così come non tutte le rivendicazioni per la redistribuzione, sono giustificate. In entrambi i casi, è necessaria un'analisi dei criteri e/o delle procedure per distinguere le rivendicazioni giustificate da quelle ingiustificate. I teorici della giustizia distributiva hanno a lungo cercato di fornire tale analisi, appellandosi ora a criteri oggettivistici come la massimizzazione dell'utilità, ora a norme procedurali come quelle dell'etica del discorso. I teorici del riconoscimento, invece, sono stati più lenti nell'affrontare la questione, tanto che devono ancora provvedere a fornire una base morale per distinguere le rivendicazioni giustificate da quelle ingiustificate.

Questo problema pone in gravi difficoltà quanti trattano il riconoscimento in termini di autorealizzazione. La teoria di Honneth, per esempio, è esposta a serie obiezioni proprio su questo punto. Secondo Honneth, ciascuno ha bisogno che la propria diversità venga riconosciuta per poter sviluppare un'autostima, che (insieme alla fiducia in se stessi e al rispetto di sé) rappresenta un ingrediente essenziale per la formazione di un'identità non deviata.[9] Da ciò sembra derivare che le rivendicazioni per il riconoscimento che accrescono l'autostima di quanti avanzano tali pretese sono giustificate; quelle che la riducono sono ingiustificate. Allora, sulla base di questa ipotesi, le identità razziste meriterebbero un certo riconoscimento, in quanto consentono ad alcuni poveri europei ed euroamericani "bianchi" di conservare la fiducia nei propri valori, attraverso il confronto con chi ritengono inferiore. E al contrario, le rivendicazioni antirazziste sarebbero ostacolate, in quanto ritenute una minaccia per l'autostima dei poveri bianchi. Sfortunatamente, casi come questo, in cui il pregiudizio apporta benefici psicologici, non sono affatto rari e sono sufficienti a rifiutare l'idea che un'accresciuta autostima possa fornire un criterio giustificativo per le rivendicazioni di riconoscimento.

Allora, come *devono* essere giudicate le rivendicazioni per il riconoscimento? Qual è un criterio adeguato a valutare il loro valore? L'approccio qui proposto fa appello alla parità partecipativa come a un criterio valutativo. Come già osservato, questa norma comprende in sé entrambe le dimensioni della giustizia: la distribuzione e il riconoscimento. In questo modo, per entrambe le dimensioni viene utilizzato lo stesso criterio generale per distinguere le rivendicazioni giustificate da quelle ingiustificate. Che il problema sia di distribuzione o riconoscimento, chi avanza pretese deve dimostrare che gli assetti economici correnti impediscono una pari partecipazione alla vita sociale. Chi reclama una redistribuzione deve dimostrare che gli assetti economici esistenti negano le condizioni oggettive, necessarie per una parità partecipativa. Chi reclama un riconoscimento deve dimostrare che i modelli di valore culturale istituzionalizzati negano le necessarie condizioni intersoggettive. In entrambi i casi, dunque, il principio della parità partecipativa è il criterio di giustificazione delle rivendicazioni.

In entrambi i casi, inoltre, la parità partecipativa serve a valutare i rimedi all'ingiustizia che vengono proposti. Che tali rimedi presentino istanze di riconoscimento o di redistribuzione, chi avanza pretese deve dimostrare che i cambiamenti sociali richiesti promuovono la parità partecipativa. Chi reclama una redistribuzione deve dimostrare che le riforme economiche che supporta creano le condizioni oggettive per una piena partecipazione in quegli ambiti in cui è negata, senza introdurre o esacerbare ingiustificatamente altre disparità. Similmente, chi reclama un riconoscimento deve dimostrare che i cambiamenti istituzionali socio-culturali richiesti forniscono le condizioni intersoggettive di cui hanno bisogno – anche in questo caso, senza creare o inasprire ingiustificatamente nuove disparità. In ambedue i casi, quindi, la parità partecipativa rappresenta il criterio che giustifica le proposte di riforme specifiche. Ma esaminiamo ora come agisce questo criterio rispetto alle controversie attuali sul riconoscimento, cominciando, per esempio, da quelle che riguardano il matrimonio tra persone dello stesso sesso. In questo caso, come già visto, l'istituzionalizzazione di norme culturali eterosessiste nel diritto matrimoniale nega la parità partecipativa di gay e lesbiche. Dunque, per il modello di status, tale situazione è chiaramente ingiusta e una rivendicazione di riconoscimento è, in principio, giustificata. Tale rivendicazione cerca un rimedio all'ingiustizia tramite la deistituzionalizzazione del modello di valore eteronormativo e tramite la sua sostituzione con un modello alternativo che favorisca la parità. Questo, tuttavia, può essere fatto in più di un modo. Un modo sarebbe quello di estendere lo stesso riconoscimento di cui attualmente godono le coppie eterosessuali alle coppie omosessuali, legalizzando il matrimonio tra persone dello stesso sesso. Un altro modo sarebbe quello di deistituzionalizzare il matrimonio eterosessuale, svincolando diritti come l'assicurazione medica dal diritto matrimoniale e facendo in modo di assegnarli su basi diverse quali la cittadinanza e/o la residenza. Sebbene ci possano essere delle buone ragioni per preferire uno dei due approcci all'altro, entrambi favoriscono la parità partecipativa a gay ed eterosessuali. Dunque, assumendo che nessuno dei due approcci genera o inasprisce ingiustificabilmente altre forme di disparità, entrambi sono, in principio, giustificati. Ciò che non verrebbe giustificato, invece, è un approccio – come quello adottato dai PACS francesi o dalla legge sulle "unioni civili" dello stato americano del Vermont – che riconosce alle unioni civili un secondo, parallelo, stato giuridico di unione familiare, che non si giova dei benefici simbolici e materiali del matrimonio, mentre uno stato privilegiato viene riservato esclusivamente alle coppie eterosessuali. Sebbene queste riforme esprimano un evidente progresso sulle leggi esistenti e possano rappresentare, come misure transizionali, un incoraggiamento su base tattica, non soddisfano tuttavia i requisiti di giustizia così come sono intesi dal modello di status.

Lasciando da parte tali considerazioni di carattere tattico, il caso dei matrimoni tra persone dello stesso sesso non presenta difficoltà concettuali per il modello di status. Al contrario, rappresenta un vantaggio – già precedentemente discusso – per questo modello: qui il principio della parità partecipativa giustifica, da un punto vista deontologico, le rivendicazioni di gay e lesbiche, senza ricorrere a valutazioni etiche, senza, cioè, supporre un giudizio sostanziale sul valore etico delle relazioni omosessuali. Al contrario, l'approccio dell'autorealizzazione non può evitare di presupporre tale giudizio, diventando, così, vulnerabile ai giudizi contrari che lo negano.[10] Pertanto, il modello di status nella gestione di questo caso si dimostra superiore al modello dell'autorealizzazione.

Ma forse, questo esempio è troppo semplice. Consideriamo, allora, dei casi presumibilmente più difficili, che coinvolgono pratiche culturali, e religiose. In questi casi, il problema è capire se la parità partecipativa può o meno valere come criterio giustificativo – se, cioè, è in grado di giustificare deontologicamente le rivendicazioni, senza ricorrere a valutazioni etiche sulle pratiche culturali e religiose in questione. Come vedremo, purché applicata correttamente, la parità partecipativa si dimostra adeguata anche in questo caso.

Ciò che è cruciale, in questo caso, è che la parità partecipativa entra in gioco a due livelli differenti. Primo, a livello di *intergruppo*, essa fornisce il criterio che valuta gli effetti che i modelli di valore culturale istituzionalizzati hanno sullo stato relativo delle *minoranze nei confronti delle maggioranze*. Pertanto, viene invocata la parità nel caso in cui, ad esempio, si osserva che le vecchie leggi del Canada, che imponevano l'uniforme con cappello alla polizia a cavallo, rappresentavano un ingiusto *comunitarismo di maggioranza*. Queste leggi impedivano considerevolmente l'accesso dei sikh a quel tipo lavoro. Secondo, a livello di *intragruppo*, la parità partecipativa serve anche a valutare gli *effetti interni delle pratiche di minoranza*, per le quali si rivendica un riconoscimento. Su questo piano si invoca la parità, quando, considerando per esempio le pratiche sulla segregazione sessuale nell'educazione degli ebrei ortodossi che emarginano ingiustamente le ragazze ebree, si chiede di negare a questi il pubblico riconoscimento nella forma dell'esenzione fiscale o dei sussidi scolastici.

Questi due livelli, presi insieme, costituiscono un duplice requisito per le richieste di riconoscimento culturale. Chi le rivendica deve dimostrare, prima di tutto, che l'istituzionalizzazione delle norme culturali di maggioranza nega loro la parità partecipativa e, secondo, che le pratiche di cui chiedono il riconoscimento non negano esse stesse la parità partecipativa – né ai membri del gruppo né ai non membri. Per il modello di status, entrambi i requisiti sono necessari; nessuno dei due da solo è sufficiente. Soltanto le richieste che incontrano ambedue i requisiti meritano un riconoscimento pubblico.

Per applicare questo duplice requisito, esaminiamo la controversia, svoltasi in Francia, sul *velo*. A questo proposito, il problema è di capire se le politiche che impediscono alle ragazze musulmane di indossare il velo nelle scuole statali rappresentino o meno un trattamento ingiusto nei confronti di quella minoranza religiosa. In questo caso, chi richiede il riconoscimento del velo deve stabilire due cose: dimostrare che la messa al bando del velo rappresenta un ingiusto comunitarismo di maggioranza, che nega un'educazione paritaria alle ragazze musulmane; e secondo, dimostrare che una politica alternativa, che permette di indossare il velo, non peggiorerebbe lo status di subordinazione femminile – né della comunità musulmana né della società tutta. Solo stabilendo questi due punti la minoranza può giustificare la sua richiesta. Il primo punto sul comunitarismo di maggioranza francese può essere dimostrato – pare – senza difficoltà, in quanto nessun divieto analogo proibisce di portare croci cristiane nelle scuole statali. Dunque, la politica nega ai cittadini musulmani una condizione di uguaglianza. Il secondo punto sul non peggioramento della subordinazione femminile è, invece, controverso, in quanto alcuni repubblicani francesi ritengono che il velo sia in sé un segno di questa subordinazione che, come tale, non deve essere riconosciuto.

Alcuni multiculturalisti rifiutano questa interpretazione, rispondendo che nelle comunità musulmane francesi di oggi il significato del velo è contestato almeno quanto lo sono le relazioni di genere in generale. Per questo, invece di considerarlo un simbolo univocamente patriarcale – cosa che, in effetti, attribuisce la sola autorità di interpretare l'Islam alla supremazia maschile – lo stato dovrebbe trattare il velo come un simbolo dell'identità musulmana in transizione, il cui significato è contestato – come l'identità francese stessa – a causa delle interazioni transculturali tipiche di una società multiculturale. In questa prospettiva, permettere il velo nelle scuole statali potrebbe essere un passo in avanti verso la parità di genere.

A mio modo di vedere, in questo caso l'argomento dei multiculturalisti è più forte. (Questo *non* è vero per quanti vorrebbero far riconoscere quella che chiamano la "circoncisione femminile" – in realtà, mutilazione genitale – che nega a donne e ragazze la parità nel piacere sessuale e nella salute.) Ma non è questo che voglio sottolineare qui. Piuttosto, il punto è che l'argomento è corretto in termini di parità partecipativa. Per il modello di status, questo è proprio il punto in cui la controversia dovrebbe risolversi. Tanto nel caso del matrimonio tra persone dello stesso sesso quanto nel caso delle rivendicazioni culturali e religiose, la parità partecipativa è il criterio giusto per giustificare tali richieste. Nonostante le sue diverse interpretazioni, il principio della parità partecipativa serve a valutare deontologicamente le richieste di riconoscimento, senza dover ricorrere a giudizi etici sulle pratiche religiose o culturali in questione.

In generale, dunque, il modello di status stabilisce un criterio rigoroso per giustificare tali richieste. Tuttavia, esso rimane completamente deontologico. A differenza del modello di autorealizzazione, il modello di status può giustificare richieste di riconoscimento sotto le moderne condizioni del pluralismo di valore.

Teoria della decisione o deliberazione democratica?

Ho argomentato che la parità partecipativa fornisce un efficace criterio di giustificazione, anche se l'esempio precedente mostra che non può essere usata monologicamente, come metodo decisivo. In quel caso, come abbiamo potuto vedere, la questione in sostanza verteva sugli effetti del *velo* sullo status delle ragazze. Ma questi effetti non possono essere calcolati tramite un algoritmo. Al contrario, possono essere determinati soltanto dialogicamente, attraverso lo scambio di argomenti, in cui i giudizi contrastanti vengono vagliati e le interpretazioni concorrenti ponderate. Più genericamente, non c'è un segno chiaro e del tutto evidente che accompagna la parità partecipativa e che annuncia a tutti il suo arrivo. E qualsiasi cosa pretenda di esserlo sarà comunque soggetta a interpretazione e contestazione.

Per questo, il principio della parità partecipativa deve essere impiegato dialogicamente e discorsivamente, attraverso il procedimento democratico del dibattito pubblico. In questi dibattiti, i partecipanti discutono se i modelli istituzionalizzati di cultura esistenti neghino la parità partecipativa e se le alternative proposte la favoriscano senza generare o esacerbare ingiustificatamente altre disparità.[11] Secondo il modello di status, allora, la parità partecipativa serve come modo di esprimere la contestazione pubblica e la deliberazione su questioni di giustizia. O meglio, essa rappresenta *la principale espressione della ragione pubblica*, il linguaggio più adatto per formulare argomenti politico-democratici su questioni sia di distribuzione sia di riconoscimento.

Ancora una volta, l'approccio dialogico contrasta nettamente con altri modelli del riconoscimento. Esso preclude la visione populista, sostenuta da alcuni difensori della politica dell'identità, secondo cui solo i soggetti misriconosciuti dovrebbero decidere se e come essere adeguatamente riconosciuti, e secondo cui coloro la cui autostima è a rischio dovrebbero avere l'ultima parola su cosa sia necessario per proteggerla. Contemporaneamente, l'approc-

cio dialogico preclude anche la visione autoritaria, sostenuta da alcuni teorici dell'autorealizzazione, secondo cui
un filosofo esperto può e deve decidere cosa è necessario
per lo sviluppo umano. Questi due approcci sono monolo-
gici, in quanto investono un unico soggetto dell'autorità di
interpretare i requisiti della giustizia. In contrasto con questi approcci, il modello di status tratta la parità partecipativa come un criterio che deve essere applicato dialogicamente, tramite un processo democratico di deliberazione
pubblica. Nessuna visione data – né quella di chi reclama,
né quella degli "esperti" – è irrevocabile. Anzi, proprio perché l'interpretazione e il giudizio sono ineliminabili, soltanto una partecipazione completa e libera di tutte le parti implicate può essere sufficiente a giustificare le rivendicazioni per il riconoscimento. Per queste stesse ragioni,
però, ogni consenso o decisione di maggioranza è fallibile.
Ogni decisione sperimentale, in principio rivedibile, resta
aperta ad altre sfide.

Quest'ultima considerazione ci riconduce al punto di
partenza. Una deliberazione corretta e democratica in merito alle richieste di riconoscimento esige la parità partecipativa di tutti i reali e possibili deliberatori. Ciò, a sua
volta, esige una giusta distribuzione e un riconoscimento
reciproco. Così, in questa considerazione si ravvisa un'indiscutibile circolarità: le richieste di riconoscimento possono essere giustificate solo in condizioni di parità partecipativa, le quali condizioni includono il riconoscimento
reciproco. Tuttavia, tale circolarità non è viziosa. Lungi
dal riflettere qualsiasi difetto di concettualizzazione, essa
esprime fedelmente il carattere riflessivo della giustizia,
così come è inteso in una prospettiva democratica. Nella
prospettiva democratica, la giustizia non è un requisito
imposto esternamente ai soggetti dell'obbligo politico. La
giustizia, piuttosto, è vincolante solo nella misura in cui i
suoi destinatari possono giustamente vedere se stessi come i suoi autori.[12]

La soluzione, dunque, non è quella di eliminare questa
circolarità in teoria, ma piuttosto è quella di eliminarla in
pratica, modificando la realtà sociale. Questo esige che si

avanzino richieste (di primo livello) di redistribuzione e riconoscimento. Ma, inoltre, esige che si avanzino richieste di secondo ordine, o metarichieste, sulle modalità in base alle quali le richieste di primo livello sono giudicate. Poiché è riconosciuto pubblicamente che oggi mancano i presupposti per una discussione pubblica genuinamente democratica, la riflessività della giustizia democratica si esprime nel processo di lotta per la sua realizzazione pratica.

Così, l'approccio qui proposto incorpora un metalivello deliberativo sui processi di deliberazione, che offre l'ulteriore vantaggio di salvaguardare la possibilità di una critica radicale. Buona parte del discorso sulla giustizia è caratterizzato da un'innata propensione al conservatorismo. Esso è tanto intento a tutelare un giusto accesso ai beni sociali a disposizione, che spesso tende a non chiedersi se questi beni siano "giusti". Invece, l'approccio qui proposto può reagire a questa tendenza conservatrice. Come abbiamo visto, tale approccio impone un'uguale partecipazione nel dibattito democratico sulle richieste che mirano ad assicurare la parità nelle forme di interazione sociale realmente esistenti. Ma questa non è la sua totale estensione. In aggiunta, esso impone anche la parità nelle pratiche sociali di critica, compresa la deliberazione su quali forme di interazione *dovrebbero* esistere. Inoltre, applicando riflessivamente il principio della parità partecipativa ai dibattiti sui dibattiti, esso invita a una discussione esplicita sui pregiudizi insiti in questi dibattiti – ivi inclusa la tendenza a conservare le pratiche sociali dello *status quo*, piuttosto che la tendenza a crearne di nuove. Dunque, a differenza degli altri approcci, quello dialogico permette un dinamismo storico.

Note

[1] John Rawls, per esempio, concepisce, a volte, i "beni primari" quali reddito e lavoro come "le basi sociali del rispetto di sé", altre volte, parlando del rispetto di sé, lo definisce un bene primario particolarmente importante, la cui distribuzione è una questione di giustizia. Ronald

Dworkin, allo stesso modo, difende l'idea di "uguaglianza delle risorse" come espressione distributiva dell'"uguale valore morale delle persone". Amartya Sen, infine, considera sia il "senso di identità" sia la capacità "di apparire in pubblico senza vergogna" importanti per la "capacitazione al funzionamento", quindi, riconducibili all'ambito di una spiegazione della giustizia che impone l'uguale distribuzione di capacitazioni fondamentali.

[2] Will Kymlicka rappresenta una pregevole eccezione, in quanto è un teorico che ha cercato di includere le questioni culturali all'interno di un contesto distributivo. Kymlicka propone di considerare l'accesso a una "struttura culturale intatta" come un bene primario che deve essere distribuito in modo giusto. Questo approccio fu studiato su misura per i governi multinazionali come il Canada, e anche per i governi multietnici come gli Stati Uniti. Per questo non è applicabile a quei casi in cui coloro che rivendicano un riconoscimento non siano divisi nettamente in gruppi dalle culture distinte e relativamente chiuse. Non è applicabile neanche ai casi in cui le rivendicazioni di riconoscimento non assumono la forma di richieste di (un certo grado di) sovranità, ma piuttosto mirano alla parità partecipativa in un governo che è attraversato da linee molteplici e intersecanti di differenza e disuguaglianza.

[3] Axel Honneth, *Kampf um Anerkennung. Zur moralischen Grammatik sozialer Konflikte*, Suhrkamp, Frankfurt am Main 1992, tr. it. di Carlo Sandrelli, *Lotta per il riconoscimento*, il Saggiatore, Milano 2002.

[4] A dire il vero, questo potrebbe concepibilmente cambiare. Niente di tutto ciò che ho detto esclude *a priori* che qualcuno possa estendere con successo il paradigma distributivo fino a comprendere le questioni culturali. Né ciò che ho detto esclude che qualcuno possa estendere con altrettanto successo il paradigma del riconoscimento fino a comprendere la struttura del capitalismo (anche se questo mi sembra più improbabile). In entrambi i casi, sarà necessario soddisfare simultaneamente alcuni requisiti essenziali: primo, bisogna evitare di ipostatizzare la cultura e le differenze culturali; secondo, bisogna rispettare il bisogno di una giustificazione morale, deontologica, imparziale sotto le moderne condizioni del pluralismo di valore; terzo, bisogna permettere una società capitalista dal carattere differenziato, in cui status e classe possano divergere; quarto, bisogna evitare visioni di integrazione culturale eccessivamente unitarie alla Durkheim, le quali postulano un singolo modello culturale condiviso da tutti, che pervade tutte le istituzioni e le pratiche sociali.

[5] Difatti, queste "riduzioni" puramente "definizionali" potrebbero effettivamente servire a impedire un progresso nella soluzione di questi problemi. Creando la fuorviante apparenza della riduzione, questi approcci potrebbero riscontrare delle difficoltà nel vedere e nel risolvere le possibili tensioni e i possibili conflitti tra le teorie della redistribuzione e le teorie del riconoscimento.

[6] Da quando ho coniato questa espressione nel 1990, il termine "parità" ha cominciato a giocare un ruolo centrale nelle politiche femministe di Francia. Da quel momento, esso si riferisce alla richiesta da parte delle donne di occupare il 50% dei seggi del Parlamento e di altri corpi

politici rappresentativi. Dunque, "parità" in Francia significa rigida uguaglianza numerica di genere nella rappresentazione politica. Al contrario, secondo me, "parità" significa trovarsi nella condizione di *pari*, essere alla *pari* degli altri, essere sullo stesso piano. Lascio aperta la questione su quale sia il grado o il livello di uguaglianza necessario per assicurare tale parità. Nella mia formulazione, inoltre, è un requisito morale che ai membri della società sia garantita la *possibilità* di parità, nel caso in cui essi scelgano di prendere parte a una data attività o interazione. Non è necessario che tutti partecipino a una di queste attività.

[7] Ho detto "*almeno* due condizioni debbano essere soddisfatte" per permettere che ce ne possano essere più di due. Penso a una terza possibile condizione sulla possibilità di una parità partecipativa, che si potrebbe dire "politica", anziché economica e culturale.

[8] È una questione aperta quella di capire quanta inuguaglianza economica è compatibile con la parità partecipativa. Un po' di inuguaglianza è inevitabile e indiscutibile. Ma c'è un punto, un momento in cui la disparità di risorse diventa tale da impedire la parità partecipativa. Dove si trovi esattamente questa soglia è una questione che richiede ulteriore ricerca.

[9] Cfr. Axel Honneth, *Kampf um Anerkennung*, cit.

[10] Lasciatemi prevenire ogni possibile incomprensione: personalmente accetto l'idea che si attribuisca valore etico alle relazioni omosessuali. Tuttavia, insisto sul fatto che questa non può essere una base adeguata per le rivendicazioni per il riconoscimento all'interno di società in cui i cittadini hanno visioni divergenti sulla vita buona e sono in disaccordo tra loro sul valore etico delle unioni di persone dello stesso sesso.

[11] In realtà, ci sono diversi problemi che hanno bisogno di una risoluzione deliberativa: 1) determinare se la rivendicazione di un'ingiustizia da misconoscimento è giustificata: i.e. se i modelli culturali istituzionalizzati comportano realmente la subordinazione di status; 2) se è così, stabilire se una proposta di riforma sarebbe un reale rimedio all'ingiustizia, capace di attenuare la disparità in questione; 3) se è così, determinare se la riforma proposta crea o inasprisce, in una maniera o in una misura ingiustificabile, altre disuguaglianze nella partecipazione. Quest'ultima formulazione è intesa a riconoscere l'eventualità che le "soluzioni pulite" potrebbero non essere disponibili. Potrebbe accadere, in altre parole, che sotto gli assetti esistenti non ci sia modo di rimediare a una data disuguaglianza senza crearne o intensificarne un'altra. Tuttavia, sostenere, in questi casi, che nessuna riforma sia giustificabile, perché pone gli aventi diritto a un livello più alto di qualsiasi altra persona, sarebbe troppo riduttivo. Piuttosto in questi casi si dovrebbe ammettere che in linea di principio certe soluzioni sono giustificabili. Se poi tutte le soluzioni proposte sono giustificabili, questo è un ulteriore problema per la risoluzione deliberativa. Sono grata a Erin Olin Wright (colloquio personale) per questo chiarimento.

[11] Questa celebre formula è associata storicamente a Rousseau e a Kant.

Oltre la contrapposizione tra universalismo egualitario e multiculturalismo differenzialista: l'impasse delle visioni olistiche dell'identità

di Seyla Benhabib

I legami tra identità psichica, pratiche della sfera privata e differenza culturale assumono una configurazione inedita nelle moderne democrazie liberali, le cui società demarcano privato e pubblico lungo le linee seguenti: l'ambito politico, unitamente a quello economico e a certe aree della società civile, è considerato "pubblico" secondo un senso plurimo: accessibile a tutti, condiviso da tutti e nell'interesse di tutti. La famiglia è considerata privata, nel senso che essa disciplina rigorosamente l'accesso attraverso la parentela e il matrimonio, e non si fa carico dell'interesse generale. Nelle società liberali i modelli istituzionali di regolamentazione delle sfere privata e pubblica poggiano anche su presupposti diversi. Il liberalismo si basa sulla convinzione che la dimensione privata abbracci le credenze più profondamente professate in materia di religione, cultura, estetica, e stile di vita. Esso non solo rispetta "il carattere privato" della sfera domestico-familiare, ma esige anche che lo stato non regolamenti questioni che pertengono alle credenze religiose, culturali ed estetiche. Per dirla in modo conciso, come fece Thomas Hobbes molti secoli fa, "la libertà dei soggetti è il silenzio della legge". Naturalmente, la questione non è mai semplice, e la linea di demarcazione tra pubblico e privato è sempre oggetto di disputa. Dal punto di vista dello stato liberale, la famiglia

Pubblicato in: *La rivendicazione dell'identità culturale. Eguaglianza e diversità nell'era globale*, tr. it. di Angelo R. Dicuonzo, il Mulino, Bologna 2005, pp. 120-126, 127-130, 131-132, 133-134.

costituisce un istituto pubblico nel quale le pratiche che disciplinano il matrimonio e il divorzio sono definite e regolate da norme sia politiche sia giuridiche. Lo stato conferisce alla famiglia uno statuto fiscale ed economico in quanto stabilisce la condizione fiscale di coloro che ne sono considerati membri; non riconoscendo le unioni omosessuali lo stato sostiene altresì una determinata concezione della famiglia. Vista come un'istituzione all'interno dello stato moderno, la famiglia non ha allora nulla di "privato". Allo stesso modo, la linea di separazione tra religione e stato, estetica e politica, è sempre veementemente messa in discussione.

In questo capitolo mi concentro su diverse e notissime controversie multiculturali riguardanti il diritto sia penale sia familiare, nelle quali le distinzioni tradizionali tra pubblico e privato sono state messe in questione e rivisitate, per poi tornare sul dibattito inaugurato nella teoria femminista dal provocatorio quesito posto da Susan Moller Okin: "Il multiculturalismo è un male per le donne?".[1] Io sostengo che questo modo di porre la questione ha condotto a un'*impasse* e a una polarizzazione inutili, dal momento che tanto gli oppositori quanto i fautori del multiculturalismo, malgrado le smentite, continuano a sostenere l'erronea interpretazione delle culture come totalità unitarie, olistiche e coerenti, di conseguenza ignorando i processi culturali di ridefinizione e reinterpretazione nei quali sono impegnate donne di comunità etniche minoritarie. Una politica democratica multiculturale di tipo deliberativo non relega donne e bambini contro la loro volontà nelle comunità d'origine, ma li incoraggia ad agire in relazione alle identità attribuitegli.

Difesa multiculturale e diritto penale

Nel giugno del 1996, Doriane Lambelet Coleman della Howard University School of Law pubblicava nella "Columbia Law Review" un saggio dal titolo *Individualizing Justice through Multiculturalism: The Liberals' Dilemma*, nel quale attirava l'attenzione su una serie di casi giudiziari che avevano visto immigrati implicati in qualità d'imputati e nei quali "la difesa aveva addotto, e il pubblico ministero e il tribunale accolto, prove culturali a giustificazione della condotta altrimenti criminale degli immigrati sotto accusa".[2] Aveva prevalso, in questi casi, l'assunto secondo cui la colpevolezza morale di un immigrato avrebbe dovuto essere giudicata secondo i principi culturali dell'imputato stesso.[3] Sebbene nessuno stato riconosca giuridicamente l'uso della prova culturale a discarico, Coleman rilevava come alcuni tra commentatori e giudici l'avessero definito come strategia della "difesa culturale".[4]

Quali erano alcuni dei casi nei quali s'era fatto ricorso alla strategia della difesa culturale? In California, una madre nippoamericana affoga i due giovani figli e tenta in seguito di uccidersi; i soccorritori la salvano prima che anneghi. Più tardi, ella spiegherà che in Giappone le sue azioni sarebbero state considerate conformi al costume, consacrato dal tempo, del suicidio genitore-figlio (*oya-ko-shinzu*), in questo caso indotto dall'infedeltà del marito. Trascorre in carcere il solo anno della durata del processo – in altre parole, viene assolta.

A New York, una donna cinoamericana viene bastonata a morte dal marito, il quale spiega che le sue azioni rispondono al costume cinese di lavare l'onta arrecatagli da una moglie fedifraga. Viene prosciolto dall'accusa di omicidio.

In California, una giovane laotianoamericana viene rapita dal suo posto di lavoro presso l'Università statale di Fresno e costretta contro la propria volontà ad avere rapporti sessuali. Il suo aggressore, un immigrato hmong (uno di quelli fuggiti dalla Cambogia e dal Laos a bordo di imbarcazioni nelle fasi finali della guerra del Vietnam), spiega che presso la sua tribù questo comportamento è ammesso come modo tradizionale di scegliersi la sposa. Viene condannato a centoventi giorni di prigione, mentre la vittima riceve novecento dollari di risarcimento.

In questi casi, l'impiego della strategia della difesa culturale – o, per dirla nei modi faceti di Bonnie Honig,[5] della "mia cultura mi ha spinto a farlo" – rovescia in due modi alcuni dei principi fondamentali dell'articolo contro la discriminazione della legge statunitense[2]: in primo luogo, nella misura in cui la strategia della difesa culturale viene usata per scagionare autori di delitti dall'incriminazione o per commutarne la condanna, essa si risolve nel trattamento dispari di individui di culture straniere; in secondo luogo, l'ammissione da parte dei tribunali di differenti norme culturali, alcune delle quali intrinsecamente discriminatorie dal momento che sviliscono donne e bambini e tollerano il trattamento da essi subito in quanto esseri di valore inferiore sul piano umano e politico, mina aspetti della stessa agenda multiculturalista. L'obiettivo dell'introduzione della difesa culturale nelle cause penali è di rendere giustizia all'imputato contestualizzandone le azioni alla luce del suo bagaglio culturale. Tuttavia, nel rendere giustizia all'imputato, si commette un'ingiustizia nei confronti delle vittime appartenenti proprio alla medesima cultura. La difesa presuppone che "chi sia cresciuto in una cultura straniera, non debba essere ritenuto pienamente responsabile di un comportamento che violi il diritto statunitense [...qualora quel comportamento] sia ammissibile nella sua cultura nativa" (Spatz). A sostegno di quest'assunto, si asserisce che un tale individuo può non aver avuto l'opportunità di venire a conoscenza delle consuetudini e delle leggi statunitensi, o che, anche in quest'evenienza, ne andrebbero rispettati i costumi, i valori e le leggi. La seconda affermazione, com'è naturale, dà la stura al relativismo culturale e, soprattutto nelle cause penali, può condurre al ridimensionamento della pari tutela e degli articoli antidiscriminatori della costituzione statunitense.

Coleman, che definisce i problemi generati dall'impiego crescente della difesa culturale nei tribunali americani "il dilemma dei liberali", avrebbe potuto altrettanto appropriatamente chiamarli "l'incubo dei liberali". Il tentativo da parte dei tribunali liberali di rendere giustizia al pluralismo culturale e alla varietà delle esperienze culturali degli immigrati ha condotto a una maggiore vulnerabilità dei membri più deboli di questi gruppi – vale a dire, delle donne e dei minori. Ai minori e alle donne, rispettivamente in tutte le cause o nella maggior parte di esse, viene negata la piena tutela delle leggi americane, poiché ne viene definita l'identità giuridica innanzitutto alla luce dell'appartenenza alle comunità di origine. Nel processo della donna laotianoamericana dell'Università statale di Fresno, che pure era cittadina statunitense, il tribunale non ha tenuto conto della cittadinanza e l'ha giudicata, sulla base di una logica crudele basata sull'origine, secondo l'appartenenza alla comunità hmong, sebbene ella avesse acquisito la cittadinanza americana per diritto di nascita o in base allo stato di rifugiata. La comunità hmong, essa stessa una minoranza angustiata da difficoltà, si è mobilitata scrivendo lettere aperte alla corte per spiegare i propri costumi e le proprie tradizioni al sistema giuridico e ai media americani incapaci di comprenderli.

E se invece la giovane donna stuprata non fosse che una vittima simbolica di una serie di sottili negoziazioni interculturali? Forse il giudice che s'è pronunciato per la riduzione della pena del suo aggressore, così facendo ha anche ammesso i soprusi commessi dagli Stati Uniti ai danni delle popolazioni laotiana e cambogiana durante la guerra del Vietnam. Potrebbe darsi che, come nel caso di Ifigenia, la figlia di Agamennone condannata a essere immolata per placare gli dei irati cosicché questi inviassero i venti alla flotta ateniese, i tribunali, accettando l'usanza dell'"unione attraverso la violenza carnale" degli immigrati hmong, abbiano tardivamente riconosciuto l'integrità di una cultura che solo cinque decenni prima avevano cercato di annientare? Sarebbe un'esagerazione vedere in tutti i casi di questo genere un esempio di quella "tratta delle donne" per mezzo della quale i maschi della cultura dominante e di quella minoritaria si segnalano vicendevolmente il riconoscimento e il rispetto per i costumi gli uni degli altri? Dove rinvenire, in queste situazioni, lo spazio culturale, giuridico e politico per la messa in questione dell'assunto secondo cui tutti gli individui partecipi di una cultura devono agire in modi analoghi e ispirarsi a valori e interessi simili? Forse che, al pari dell'immigrato newyorkese, tutti gli uomini cinesi traditi dalle mogli le uccidano? Forse che tutte le donne giapponesi abbandonate dai mariti tentino di uccidere i propri figli e se stesse? La strategia della difesa culturale imprigiona l'individuo in una gabbia di interpretazioni culturali e di motivazioni psicologiche univoche, cosicché le intenzioni degli individui vengono ridotte a stereotipi culturali, l'azione morale a una burattinata culturale.

L'influenza crescente dell'argomento della difesa culturale sui tribunali statunitensi differisce, sotto un aspetto decisivo, da molte altre prassi giuridiche attraverso le quali il multiculturalismo viene di solito istituzionalizzato. In molti paesi, inclusi India, Israele, Australia e, in misura sempre maggiore, Canada e Regno Unito, il pluralismo giuridico (cioè, l'ammissione che la giurisdizione su certi aspetti delle azioni e interazioni umane può competere a comunità culturali diverse dallo stato nazionale e di questo più piccole) assume la forma di un *codice di diritto privato e di famiglia* amministrato dalle comunità culturali, dai loro tribunali e dai loro giudici. Di solito, queste comunità culturali subalterne si rimettono a un comune *codice penale e civile* – comprese le leggi che disciplinano l'economia – e rivendicano l'autonomia giurisdizionale soltanto su matrimoni e divorzi, alimenti, custodia dei minori e, in alcuni casi, eredità.[7] La prassi giuridica statunitense della difesa culturale attiene al *diritto penale*, che nella maggior parte degli altri casi è demandato alla giurisdizione nazionale. Tuttavia, questi altri casi riguardanti la condizione delle donne e dei bambini rivelano anche l'esile compromesso raggiunto tra l'*élite* maschile della cultura dominante e quella della cultura subalterna, al tempo stesso illustrando come le questioni di giustizia di genere turbino l'effimera pace multiculturale. La causa Shah Bano, della quale molto si è discusso, costituisce un'illustrazione straordinaria di entrambi gli aspetti.[8]

Multiculturalismo, diritto privato e diritto di famiglia

In virtù dell'articolo 125 del codice indiano di procedura penale, una donna musulmana divorziata, Shah Bano, presenta domanda di mantenimento contro suo marito, l'avvocato Mohammad Ahmad Khan. Sposata con
Ahmad Khan dal 1932, nel 1975 Shah Bano viene scaccia-
ta dal tetto coniugale. Nell'aprile del 1978, ella presenta al
pretore Indore istanza contro suo marito, richiedendo alimenti per un ammontare di cinquecento rupie. Il 6 novembre 1978 la parte ricorrente (Khan) divorzia dalla conve-
nuta (Shah Bano) in base a un irrevocabile *talaq* (divorzio)
consentito dal diritto privato musulmano. Nel 1985 Mohammad Ahmad Khan presenta ricorso contro Shah Bano e
altri alla Corte Suprema indiana, dichiarando che Shah
Bano ha cessato di essere sua moglie a partire dalle sue
proprie seconde nozze e di avere corrisposto, in conformità al diritto musulmano, l'assegno di sostentamento a partire da due anni prima della data in cui Shah Bano ha inol-
trato la sua richiesta, come pure di avere versato tremila
rupie a titolo di controdote. La controversia giuridica principale verteva sulla possibilità di applicare l'articolo 125
del codice di procedura penale ai musulmani indiani.

La decisione della Corte Suprema indiana, che si pronuncia per l'effettiva applicabilità del codice di procedura
penale ai musulmani, ingiunge al ricorrente di aumentare
gli alimenti per Shah Bano da settanta a centotrenta rupie.
Ma la decisione della corte va molto al di là di questo. Il
presidente della corte, Chandrachud, avanza commenti
sull'ingiustizia nei confronti delle donne di tutte le religioni, sull'importanza di approntare un codice civile comune,
così come previsto dal paragrafo 44 della costituzione federale indiana, e sulle disposizioni del Shariat (il diritto
ecclesiastico musulmano) riguardo agli obblighi di un marito verso sua moglie. Secondo la maggioranza degli inter-
preti, la Corte Suprema indiana avviò, così facendo, una
serie di dibattiti tra le comunità musulmana e indiana,
nonché tra "progressisti" e "fondamentalisti" all'interno della stessa comunità musulmana, gruppi di donne e leader

musulmani, e via dicendo. I dibattiti politici, le pressioni e le contropressioni condussero nel 1986 all'approvazione del disegno di legge sulle donne musulmane (sulla tutela dei diritti e del divorzio). È chiaro che la polemica sulla vicenda Shah Bano sollevò questioni che oltrepassavano il caso specifico, investendo la sostanza della prassi del pluralismo giuridico, della convivenza e della tolleranza religiosa, come pure il significato dell'unità e dell'identità nazionali indiane. Come osserva Upendra Baxi,

> Il significato reale della vertenza Shah Bano consisteva nel tentativo di ottenere il capovolgimento delle due decisioni precedenti della corte, le quali riconoscevano il sostentamento delle mogli musulmane divorziate sulla base dell'articolo 125 del codice di procedura penale. La causa puntava a ripristinare il Shariat. E in un primo momento sortì esito positivo, allorché il giudice Fazal Ali rimise ai cinque giudici della corte la questione della conformità delle decisioni precedenti alla legge sul Shariat del 1937, la quale stabiliva che in tutte le materie concernenti la famiglia, divorzio e sostentamento inclusi, i tribunali dovessero pronunciarsi alla luce del Shariat.[9]

Le ragioni dei leader della comunità musulmana che si erano schierati con Mohammad Ahmad Khan furono controbilanciate da quelle dei giudici della Corte Suprema indiana, i quali videro in questo caso un'occasione per riflettere sull'incompiuta opera della nazione nel progresso verso un codice civile comune, ponendo così fine all'autonomia della comunità musulmana nella definizione del diritto privato e di famiglia. Per ironia della sorte, la codificazione del Shariat ai fini dell'amministrazione del diritto privato era stata attuata nel 1937 grazie ai tribunali coloniali britannici. L'inclusione della richiesta di Shah Bano di un aumento degli alimenti nel codice di procedura penale seguiva anche il retaggio coloniale, in quanto l'articolo 125 del codice penale, secondo le intenzioni dell'artefice del codice – sir James Fitzjames Stephen –, mirava a prevenire "il vagabondaggio o, almeno, a prevenirne le conseguenze" (Das).

La comunità musulmana fu costretta a rivedere le distinzioni e le modalità di coesistenza in vista delle richieste crescenti di riconoscimento della parità delle donne, da una parte, e del mutamento della vita familiare e dei modelli economici, dall'altra. Prese piede un movimento per l'approvazione del disegno di legge, sulle donne musulmane, il quale, nei termini in cui fu varato nel 1986, stabiliva che una donna divorziata dovesse essere sostentata dai congiunti, quali fratelli e figli, che rientrassero nella categoria degli eredi, e che, nei casi in cui tali congiunti fossero impossibilitati a provvedere al suo sostentamento, fosse responsabilità della comunità mantenerla attraverso i comitati dei suoi *waaf* (organizzazioni obbligatorie di beneficenza). Scopo ulteriore della presunta riforma segnata da questo disegno di legge era chiaramente quello di assicurare la dipendenza delle donne da una struttura dominata dai maschi e a carattere gerarchico, fosse quella della famiglia o quella del consiglio della comunità d'origine. La possibilità di garantire l'indipendenza della donna divorziata attraverso l'integrazione in una più ampia società civile e l'acquisto di una certa autonomia economica venne del tutto preclusa. Come nel caso della giovane donna hmong dell'Università statale di Fresno, anche in questo le dominanti istituzioni giuridiche misero a punto compromessi che vincolavano le donne alle famiglie e alle comunità di nascita. Sotto la pressione della comunità musulmana, Shah Bano finì per ritirare la sua richiesta e accettare il precedente accordo di sostentamento. Anche in questa circostanza, le scaltre mosse multiculturaliste avevano prodotto la sconfitta delle donne.

Il multiculturalismo, la laicità e la questione del velo in Francia

Consideriamo quello che in Francia è stato chiamato l'*affaire foulard* – la questione del velo. Mentre nei casi della difesa culturale e Shah Bano ci si è imbattuti nello stato liberaldemocratico e nelle sue istituzioni, i quali reinscrivono le identità delle donne nelle natali comunità religiose e culturali, in quello della questione del velo ci si imbatte in funzionari e istituzioni pubbliche che sembrano difendere l'emancipazione delle donne da queste comunità reprimendo l'usanza di portare il velo. Qui, lo stato agisce come paladino dell'emancipazione delle donne dalle loro comunità di nascita. Ciononostante, come vedremo, parte delle donne si oppone allo stato non tanto per ribadire la propria subordinazione religiosa e sessuale, quanto per rivendicare l'indipendenza di un'identità pressoché personale dalla cultura francese dominante.

Presso le donne musulmane l'usanza di indossare il velo è un istituto complesso che presenta una notevole varietà nei molti paesi musulmani. I termini *chador, hijab, niqab* e *foulard* rimandano a capi di abbigliamento distinti, indossati dalle donne di comunità musulmane diverse: *chador*, per esempio, è termine essenzialmente iraniano e denota la lunga tunica nera e lo scialle di foggia rettangolare indossato attorno al viso; il *niqab* è un velo che copre gli occhi e la bocca e lascia scoperto solo il naso, e può essere indossato o meno insieme al *chador*. La maggior parte delle donne musulmane turche deve probabilmente indossare sia il lungo soprabito sia un foulard o un *carsaf* (un abito lungo che somiglia al *chador*). Questi capi di vestiario hanno, all'interno della stessa comunità musulmana, una funzione simbolica: attraverso l'abbigliamento donne di paesi diversi segnalano l'una all'altra le proprie origini etniche e nazionali, come pure la propria distanza dalla tradizione o la propria prossimità a essa. Più sono vivaci i colori dei soprabiti e degli scialli – azzurro, verde, beige, lilla, colori opposti al marrone, al grigio, al blu marino e, naturalmente, al nero – e più alla moda i loro tagli e tessuti secondo i canoni occidentali, tanto più è possibile supporre una distanza dall'ortodossia islamica delle donne che li portano. Vista dall'esterno, comunque, questa complessa semiotica dei codici di abbigliamento si riduce a uno o due capi di vestiario, che poi assumono la funzione di simboli fondamentali di negoziazioni complesse tra le identità religiose e culturali musulmane e le culture occidentali.

L'*affaire foulard* fa riferimento a una lunga e prolunga-
ta serie di confronti pubblici inauguratasi in Francia nel
1989 con l'espulsione dalla scuola di Creil (nel dipartimento dell'Oise) di tre ragazze che indossavano il velo, e pro-
seguita con l'esclusione in massa di ventitré ragazze musulmane dalle loro scuole nel novembre del 1996 sulla base della decisione del Consiglio di stato.[10] La questione,
definita un "dramma nazionale" (Gaspard e Khosrokhavar)
e persino un "trauma nazionale" (Brun-Rovet), ha avuto
luogo in seguito alle celebrazioni francesi del secondo cen-
tenario della rivoluzione, ed è sembrato mettesse in discussione i fondamenti del sistema scolastico francese e il
principio filosofico cui questo si ispira, la *laicità*, un concetto difficile da tradurre con espressioni quali "separazione tra chiesa e stato" o finanche "secolarizzazione":
tutt'al più, può intendersi come pubblica e manifesta neu-
tralità da parte dello stato verso ogni tipo di pratiche religiose, istituzionalizzata mediante una vigile rimozione dalle sfere pubbliche ufficiali di simboli, segni, icone e capi
di vestiario connotati in senso religioso e settario. Tuttavia, all'interno della repubblica francese l'equilibrio tra il
rispetto del diritto dell'individuo alla libertà di coscienza
e religione, da un lato, e la conservazione di una sfera pubblica priva di simbolismi religiosi, dall'altro, era così pre-
cario che sono bastate le iniziative di un manipolo di ado-
lescenti per metterne a nudo la fragilità. Il dibattito che
ne è conseguito è andato molto oltre la controversia iniziale, per toccare, sia a sinistra sia a destra, la comprensione di sé propria del repubblicanesimo francese a proposito della parità sociale e sessuale, nonché l'opposizione
tra liberalismo, repubblicanesimo e multiculturalismo nella vita francese.

La questione ha inizio quando, il 19 ottobre del 1989,
Ernest Chenière, preside della scuola media "Gabriel Ha-
vez" di Creil, proibisce a tre ragazze – Fatima, Leila e Samira – di frequentare le lezioni con il capo coperto. Quella mattina, ciascuna di esse si presenta in classe con in-
dosso il velo, a dispetto del compromesso raggiunto tra il
preside e i genitori per spingerle a non portarlo. Pare che

le tre ragazze avessero deciso di indossare il velo un'ultima volta dietro consiglio di Daniel Youssouf Leclerq, capo dell'organizzazione chiamata "Integrité" ed ex presidente della Federazione nazionale dei musulmani di Francia (FNMF). Sebbene la stampa l'avesse appena notato, il fatto che le ragazze si fossero messe in contatto con Leclerq rivela come indossare il velo fosse, da parte loro, un atto politico consapevole, un gesto complesso di identificazione e sfida. Nel compierlo, Fatima, Leila e Samira affermavano di esercitare la propria libertà di religione in quanto cittadine francesi; d'altra parte, esse mostravano le proprie origini musulmane e nordafricane in un contesto che cercava di assimilarle, in quanto studentesse della nazione, a un ideale egualitario, laicista di cittadinanza repubblicana. Negli anni seguenti, i loro seguaci e sostenitori imponevano quello che lo stato francese voleva considerare come un simbolo privato – un capo di vestiario individuale – alla comune sfera pubblica, mettendo così in questione i confini tra pubblico e privato. È ironico che essi usassero la libertà data loro dalla società e dalle tradizioni politiche francesi, non ultima la disponibilità di una libera istruzione dell'obbligo in Francia per tutti i bambini, per accostare un aspetto della propria identità privata alla sfera pubblica. Così facendo rendevano problematico sia l'ambito scolastico sia quello domestico: non consideravano più la scuola come uno spazio neutrale di acculturazione francese, ma manifestavano apertamente le proprie differenze culturali e religiose. Essi facevano uso di un simbolo domestico nella sfera pubblica, mantenendo attraverso la copertura del capo il pudore loro imposto dall'Islam; e tuttavia, al tempo stesso, prendevano le distanze dall'ambito domestico per farsi attori pubblici entro uno spazio pubblico civile, in cui tenevano testa allo stato. Coloro che vedevano negli atti delle ragazze semplicemente un indizio della propria oppressione, erano altrettanto ciechi verso il significato simbolico delle loro azioni quanto coloro che ne difendevano i diritti sulla base della libertà di religione. Al pari dell'Antigone della tragedia sofoclea, che si serve degli obblighi verso la propria famiglia e la propria religione per seppellire e in tal modo onorare il fratello Polinice ribellatosi alla *polis*, queste giovani ragazze adoperavano i simboli della sfera privata per contestare le disposizioni di quella pubblica.

Note

[1] Susan Moller Okin *et al.*, *Is Multiculturalism Bad for Women?*, Princeton University Press, NJ 1999, tr. it. di Deborah Borca in *Diritti delle donne e multiculturalismo*, Raffello Cortina Editore, Milano 2007, pp. 3-25.

[2] Doriane L. Coleman, *Individualizing Justice through Multiculturalism: The Liberal's Dilemma*, in "Columbia Law Review", 96, 1996, p. 1094.

[3] Vorrei mettere in guardia contro l'uso impreciso del termine *immigrato* in questo che è, per altri aspetti, un saggio eccellente: non ci viene detto nulla dello stato giuridico degli imputati. Il marito cinese è un residente permanente o un cittadino statunitense naturalizzato di recente? E la madre giapponese? Sappiamo che la giovane hmong era cittadina statunitense, nata in America o naturalizzata americana grazie allo stato di rifugiati dei suoi familiari, i quali con molta probabilità erano stati tra coloro che erano fuggiti a bordo di imbarcazioni dal Laos e dalla Cambogia durante le fasi conclusive della guerra del Vietnam. Riferirsi a tutti questi individui in termini di "immigrati" può suggerire un fin troppo facile nesso tra immigrazione e criminalità; nell'ultimo caso, poi, è fortemente inquietante che il giudice in questione neghi alla giovane hmong lo stato di cittadina per giudicarla conformemente alle usanze della sua comunità d'origine.

[4] *Ibid.*

[5] Bonnie Honig, *My Culture Made Me Do It*, in Susan Moller Okin *et al.*, *Is Multiculturalism Bad for Women?*, cit., pp. 33-41.

[6] Jeremy Waldron, *Actions and Accomodations*. *The Kadish Lectures*, University of California, Berkeley 23 febbraio 2001, dattiloscritto, p. 12, chiarisce molto proficuamente che cosa si possa intendere per uso della "cultura" come strategia di difesa nelle cause penali: 1) una persona viene accusata di omicidio e l'accusa è "ridotta' grazie alla 'difesa culturale'. 2*a*) Un'accusa di omicidio viene ridotta a omicidio preterintenzionale in assenza di un elemento essenziale dell'omicidio. 2*b*) Oppure, un'accusa di omicidio viene ridotta in presenza della provocazione, e ci si appella a un elemento culturale nella definizione della 'ragionevolezza' della risposta alla provocazione da parte dell'imputato. 2*c*) Oppure, la presenza di un altro elemento particolare – quale 'la spiegazione o l'attenuante razionale' – porta a una riduzione dell'accusa dal primo al secondo grado. 2*d*) Oppure, si accoglie come attenuante parziale o completa l'infermità mentale o la coercizione o la seminfermità mentale, ammettendo elementi culturali come parte delle tesi addotte a favore dell'esistenza della cir-

costanza attenuante. *2e)* Oppure, viene fatta menzione nelle indicazioni di condanna di un fattore culturale, ovvero di una qualche intestazione sotto la quale un elemento culturale possa venir preso in considerazione. *2f)* Oppure, qualora le indicazioni di condanna non siano rigide, il giudice tiene conto di considerazioni culturali come fattore attenuante".

[7] Procedure relative all'eredità da coniugi, bambini e parenti, come pure allo stato della proprietà posseduta congiuntamente o individualmente prima, durante o dopo il matrimonio, mostrano con chiarezza la confusione fra i tre significati di privacy esaminati nella nota 1. Dovrebbe occuparsi il diritto ecclesiastico di queste procedure, come potrebbero chiedere le comunità musulmane ortodosse ed ebraiche? Dovrebbe occuparsene il diritto fondiario, qualunque questo possa essere? O si dovrebbe elaborare un qualche tipo di giurisdizione plurima? E come si devono conciliare questi ordinamenti disparati con l'esigenza delle economie capitalistiche che la compravendita e lo scambio di beni e servizi procedano senza impedimenti? Gli assetti giuridici multiculturali, non meno di altre pratiche sociali e culturali, devono far fronte alla logica ferrea della borsa merci capitalistica. Spesso, donne di paesi del Terzo Mondo sembrano costrette a sostituire un complesso di ordinamenti oppressivi, vale a dire di sistemazioni multiculturali conformi al diritto ecclesiastico, con un altro, vale a dire con l'oppressione esercitata da imprese e datori di lavoro spietati [cfr. Seyla Benhabib, Marty Chen, *Cultural Complexity, Moral Interdipendence, and the Global Dialogic Community*, in Martha C. Nussbaum, Jonathan Glover (a cura di), *Women, Culture, and Development: A Study of Human Capabilities*, Clarendon Press, Oxford 1959, pp. 235-255].

[8] Martha Nussbaum, *Un invito a non semplificare*, in Susan Moller Okin, *Diritti delle donne e multiculturalismo*, a cura di Joshua Cohen, Matthew Howard e Martha Nussbaum, tr. it. di Antonella Besussi e Alessandra Fiocchi, Raffaello Cortina Editore, Milano 2007.

[9] Upendra Baxi, *Text of Observations Made at a Public Meeting on the Muslim Women (Protection of Rights) Bill*, in "Hindustania Andolan", Bombay 1986.

[10] La mia trattazione di questi avvenimenti si basa principalmente su due fonti: François Gaspard, Farhad Kosrokhavar, *Le foulard et la République*, La Decouverte, Paris 1995; e l'eccellente elaborato di Marianne Brun-Rovet *A Perspective on the Multiculturalism Debate: "L'affaire foulard" and "Laïcité" in France, 1989-1999*, paper presentato in occasione del seminario "Nations, States and Citizens", tenuto da Seyla Benhabib, Harvard University, Department of Government.

Nazioni, nazionalità, nazionalismi

di Rada Iveković

Ci sentiamo impotenti e sconvolti davanti all'esplosione dei nazionalismi, soprattutto davanti alla loro ampiezza nell'Europa dell'Est, che si appresta a diventare l'Est dell'Europa. L'Europa vi è immediatamente coinvolta. È in gioco, nel nuovo risvegliarsi dei nazionalismi, brutale e minaccioso, l'identità stessa dell'Europa: essa è costretta a interrogarsi nuovamente su di sé, tanto più che questi avvenimenti si producono alla sua periferia, che ormai tende a volerla definire nel suo stesso centro. L'Est dell'Europa rinvia al centro un'immagine di essa (dell'essere stesso dell'Europa, fino a ieri occidentale) che rischia di rovesciarla. L'Europa è infatti messa a confronto insieme con se stessa e con l'Altro. L'Altro dell'Europa, cioè il suo Est, mostra ora come non sia altro che l'Altro dello stesso, cioè dell'Europa come si dava a vedere, come essa si autorappresentava.

L'Europa si sdoppiava in realtà in due figure complementari: l'Altro dell'Europa e l'Europa stessa, propriamente detta.[1] Le guerre nazionaliste recenti o imminenti rendono trasparente, ora, il meccanismo di appropriazione del mondo che è insito nei suoi processi di rappresentazione.

Proponendosi al tempo stesso come identità (il se stesso) e differenza (l'Altro), come il se stesso e il riflesso speculare di sé, l'Europa in realtà propone un sistema concettuale per il mondo come lei lo vede. Un quadro in cui

Pubblicato in: *La balcanizzazione della ragione*, Manifestolibri, Roma 1995, pp. 19-29.

lei terrebbe tutte le posizioni chiave così come il loro contrario: il centro e la periferia, il diritto e il rovescio, ma non certo nello stesso modo. Essa propone una dinamica della sperimentazione del mondo di cui essa sarebbe all'origine.

Le figure dell'Altro (Altro dall'Occidente, Altro dall'Europa) sono molteplici, appaiono in momenti storici diversi a seconda delle circostanze, ma sono sempre, in un modo o nell'altro, soggette a essere escluse. Questa particolare figura dell'Altro, insieme interna ed esterna, non era apparente né particolarmente visibile all'Europa (occidentale) stessa fino a poco tempo fa. Accade dunque che l'Europa produca involontariamente una dinamica e delle "differenze" che le sfuggono. Le conosciamo bene le figure dell'Altro: la "donna" e l'"Oriente", in particolare, sono volentieri sfruttate dai filosofi contemporanei. C'è sempre una parte di investimento dell'inconscio nella figura dell'Altro, c'è sempre in lui, in parte, un pericolo di emancipazione rispetto allo Stesso, e dunque di minaccia costante per lo stesso o per la sua chiara identità. La figura dell'Altro extraeuropeo, orientale o altro, è una figura che turba l'Europa, che la mette in discussione. Si sarebbe potuto credere, soprattutto poiché numerosi filosofi contemporanei sono in preda a un nuovo orientalismo,[2] che l'Altro orientale avrebbe scosso i fondamenti e l'imperialismo concettuale dell'Europa. Ma la caduta del muro di Berlino ha messo in luce una figura dell'Altro parente della stessa Europa, l'Altro intraeuropeo, che era dapprima meno visibile e tenuto all'esterno. È dunque perché lui è più vicino e somigliante che l'Europa sarà minacciata più profondamente. In effetti, questo Altro dell'Europa che è il suo Est, è una figura ambigua, che mette in gioco l'identità dell'intero continente: *dov'è* il confine tra Oriente e Occidente? In ogni punto (Ivo Andrić). Dov'è il confine tra l'Europa e l'Asia in questa *continuità* rappresentata dall'Eurasia, solo vero continente? E dov'è la differenza tra l'Est e l'Oriente? Non si è più sicuri che esista. L'Altro europeo solleva la questione dell'Altro asiatico.

Alcuni filosofi occidentali hanno spesso visto una positiva minaccia per l'imperialismo bianco e occidentale nei nuovi soggetti politici: movimenti di liberazione del Terzo Mondo, studenti del '68, donne, Jugoslavia, Cina, Cuba ecc., queste e altre sono state le speranze teoriche e politiche dei filosofi impegnati. Le nazionalità dell'Europa dell'Est erano a stento previste in questo ruolo. Nondimeno esse affiorano, esplodono e si trovano a essere veri e propri soggetti politici benché in generale non siano viste con simpatia da una tradizione della sinistra intellettuale (e ci sono a questo proposito dei buoni motivi).

Ci sarebbe da fare l'analisi storica, che direbbe quanto l'esplosione dei nazionalismi sia la dimostrazione di un ritardo storico (causato dalla repressione) e non rappresenti quindi storicamente nulla di nuovo (questa assenza di progresso starebbe proprio a confermare il progredire della storia). Ma lascio queste discussioni a qualcuno più competente.

Il nazionalismo come assenza di comunicazione

Vorrei qui invece occuparmi dell'Altro: dell'idea stessa della differenza, del carattere manicheo del pensiero europeo e, in generale, occidentale. In questo senso, i nazionalismi nemici, sempre complementari e al tempo stesso inconciliabili, sono profondamente europei. Un nazionalismo ne chiama un altro, produce il nazionalismo opposto, ne ha bisogno per alimentarsi e sopravvivere. I nazionalismi stanno bene solo insieme, e "insieme" in questo caso vuol dire "in conflitto". Essi si costruiscono l'un l'altro, l'identità di ciascuno dipende da ciò che investe direttamente nell'identità dell'altro. In questo caso più che in altri, l'Altro non è se non l'Altro di se stesso, tanto più che si tratta, come in questa circostanza, non solo di "vicini" ma di parenti stretti, che parlano la stessa lingua.

Sull'altra nazionalità vengono sempre proiettati gli attributi più negativi che la nazionalità in questione, nella nuova mitologia che si crea di sana pianta, non vuole vengano attribuiti a lei. L'Altro viene demonizzato, e lo stesso accade per l'inverso, si tratta di un caso di *contro-versia* irriducibile (Lyotard), dove entrambe le parti non accettano né una misura comune né un arbitraggio ester-no: non ci sono metaposizioni, né posizioni neutrali pra-ticabili.

La posizione neutrale è, da ciascun fronte, assimilata a quella del nemico. Il linguaggio, o meglio la lingua che non comunica nulla, è spesso la stessa per le due parti, semplicemente con i nomi scambiati, il discorso degli uni appare come il positivo rispetto al negativo del discorso degli altri. Esistono solo il bianco e il nero, nessuna sfu-matura sembra più possibile. Si perde del tutto qualsiasi facoltà critica e analitica, qualsiasi spessore storico, com-presa una reale comprensione di quelle che sono le diffe-renze in questione. Perché le differenze ostentate e riven-dicate chiaramente risentono e vivono dell'immaginario e della mitologia rimaneggiati. Disgraziatamente esse pro-ducono anche la dimensione del simbolico, che, questo sì, incide sul futuro dei rapporti. Non sono più possibili lo scambio, la comunicazione.

Vorrei sapere, e mi pongo la questione a margine di questa riflessione, *chi* è concretamente responsabile dell'in-terruzione della comunicazione fra Belgrado e Zagabria.

Non lo sapremo mai. È però evidente che ciò che è percepito dai nazionalismi come una delle maggiori mi-nacce è la libera comunicazione, la circolazione dell'in-formazione.

Di qui la guerra dei media, altrettanto responsabile del-le atrocità che la guerra delle armi, di qui l'autismo in cui ogni nazionalismo, ormai incapace di discutere, si rinchiu-de. Il nazionalismo può definirsi come l'assenza della co-municazione.

La mancanza assoluta di comunicazione è la guerra, che è anche l'assenza assoluta di democrazia, l'assenza as-soluta di cultura. È nella guerra che l'individuo, lo voglia o no, è scavalcato da questa istanza "superiore" che è la nazione. Il pericolo del fascismo è immediato e senza tran-sizione. *Nessun* accordo è più possibile, perché l'accordo implicherebbe il tacito riconoscimento di una possibile metaposizione, di un sistema comune (imposto da qualcuno). O meglio, esiste un solo paradossale accordo possibile, che è l'accordo sull'assenza di accordo: la controversia.

È il parossismo dell'autismo. Un accordo, se ancora fosse possibile, testimonierebbe di un potere e un giudizio unilaterale che nessuno, in questo frangente, riconosce più. Per questo ognuna delle parti propone il *suo* accordo, quello che le conviene ma che non può essere accettato dall'altra parte, poiché il posto che vi si propone all'altro è un posto di subordinato o di schiavo.

Il sedicente accordo proposto è così una falsificazione, perché non fa che giustificare in anticipo le ingiustizie proposte. Ognuno diffida dell'accordo proposto dall'altro, sapendo che è falso.

Ulteriori miglioramenti proposti nell'ambito di uno degli accordi non sono più accettabili, anche se vanno incontro all'Altro – alla richiesta del quale si è dovuto cedere –, perché la fiducia era già preliminarmente perduta. Allora, nel disegno di mitizzare la storia per un uso futuro, è l'altra nazionalità a essere accusata di quelle stesse atrocità di cui lei ci accusa (e il principio non cambia se l'una è all'attacco e l'altra è costretta in difesa). La ragione, il criterio sono rimpiazzati da formule stereotipate: di esse, una potentissima immagine continuamente ripetuta è quella del sacrificio richiesto per la causa.

Il "sacrificio" per la salvezza della nazione

Il sacrificio chiesto per la salvezza della nazione sembra essere diverso nel caso degli uomini e delle donne. Agli uomini si chiede di far la guerra, di uccidere e di farsi uccidere. Alle donne, si chiede di partorire più figli possibile, di farsi da parte e, periodicamente ma secondo tradizioni molto diverse fra loro, le donne sono sottoposte alla "prova del fuoco".[3]

Il sacrificio (rituale e coltivato dalla tradizione, o secolarizzato e dunque non avvertito come tale, come succede in Occidente) è in realtà un momento di fondazione, di rifondazione, e permette di rifarsi una verginità. Questo momento di autofondazione è prezioso perché permette al soggetto in divenire (ma solo se è maschio) di prendere in mano il proprio destino, di assumere un atteggiamento attivo, di liberarsi dell'oppressione precedente respingendola. Il sacrificio implica anche il recuperare il tempo, il padroneggiare la temporalità, la possibilità di sfuggire al tempo storicizzato. Ecco cosa dice Georges Bataille, un Bataille notevolmente nicciano (ma sono le sue argomentazioni che ci interessano in questa sede, non una discussione su Bataille), riguardo al tempo del sacrificio: "Quel tempo fa entrare l'uomo *direttamente* nel movimento del mondo dell'esistenza concreta".[4] Bataille si è interessato al tempo estatico in una prospettiva di salvezza o di fuga dalle costrizioni quali che siano. La sua concezione di trasgressione delle opposizioni, che si vuole diversa dalla sintesi hegeliana (alla quale resta comunque debitrice), ci interessa: infatti mette in campo le due opposizioni che si propone di superare in un'altra dimensione, in un tempo estatico che implica di necessità il sacrificio. Così, "il tempo estatico può trovarsi solo nella visione delle cose che il gusto del rischio puerile fa entrare nel campo delle apparenze: cadaveri, nudità, esplosioni, sangue versato, abissi, fulmine, sole...".[5] Tutto accade come se, a partire da questa posizione, la guerra fosse un tentativo per esorcizzare il tempo che ci imprigiona, come il sacrificio che, d'altra parte, affascina Bataille e con l'idea del quale il filosofo gioca. Al di là della sua ambiguità al riguardo, egli evoca con precisione ciò che rappresenta la guerra in termini di "cultura": è il sacrificio purificatore, che rimuove il tempo, e dunque necessario alla costituzione dell'identità tanatologica.[6] Così Bataille: "La guerra, nella misura in cui è volontà di assicurare l'eternità di una nazione – la nazione che è sovranità ed esigenza d'inalterabilità, autorità del diritto divino e Dio stesso – rappresenta la disperata ostinazione dell'uomo a opporsi alla potenza esuberante del tempo e a trovare la sicurezza in una erezione immobile e vicina al più sterile sonno. Le nazioni e i militarismi rappresentano il tentativo di negare la morte riducendola alla componente di una gloria senza angosce".[7]

Ogni nazionalismo propone una teoria della salvezza, salvezza data da un'istanza superiore (la nazione, l'etnia) con la quale identificarsi. Il meccanismo è lo stesso di quello delle religioni: amarsi *in* Dio (o nella nazione, in un leader politico), identificandosi con lui. Coloro che non si conformano a questa norma sono i disadattati, le minoranze, quelli che sono davvero minacciati: la donna, l'ebreo, lo straniero ecc. Essi non condividono l'utopia dello stesso linguaggio, non condividono la stessa esperienza del mondo che è globalmente proposta e sulla quale si fonda la struttura globale dell'oppressione.

I nazionalismi fanno appello al territorio e al sangue, all'essenza dell'etnia in qualche modo contaminata dall'Altro, e diffondono con queste idee una sorta di ultramaterialismo e al tempo stesso di ultraspiritualismo, o più semplicemente di essenzialismo primitivo e piatto che riduce la cultura a un epifenomeno invocandola e dandole dei tratti nazionali. (Riducendo la cultura, come d'altra parte la democrazia, a delle caratteristiche etniche, il nazionalismo diviene in realtà etnocida in quanto distruttore della cultura.) Nella sua essenza il nazionalismo rifiuta lo scambio nel campo del materiale e dello spirituale.

Il rifiuto della logica manichea

In questo scambio, se avvenisse, si potrebbe invece trovare un momento benefico e positivo: la *continuità* fra gli opposti, fra gli oppressori e gli oppressi, tra aggressori e aggrediti, tra serbi e croati, tra colonizzati e colonizzatori. Ma per poter prendere in considerazione la continuità, e l'interesse comune (che è quello della vita), bisogna anche capire il peso degli elementi psicologici, anche di massa. Basta far riferimento all'interiorizzazione della repressione, alla rimozione, anche al livello delle scelte di civilizzazione, come hanno potuto fare, ad esempio, Gandhi, Franz Fanon oppure, ai giorni nostri, Ashis Nandy,[8] per rendersi conto della posta in gioco. Così Ashis Nandy ha potuto studiare l'ampiezza della devastante interiorizzazione del complesso della colonizzazione e degli atteggiamenti dei coloni attraverso gli stessi colonizzati. La letteratura della diaspora letteraria indiana lo testimonia, come ad esempio Salman Rushdie,[9] che non accetta più divisioni manichee e per il quale la speranza del mondo riposa su un "terzo", e che propone una mescolanza tra il carnefice e la vittima affinché cessi l'esclusione.[10]

Un gran numero di scrittori tra i migliori parla della necessità di superare il dualismo (che riporta sempre al monologo) per favorire l'intermediazione delle culture e delle strutture psichiche. È uno sforzo che mira non soltanto a far rientrare i nuovi soggetti politici nel solo quadro storico e storicizzante proposto dal pensiero dominante (occidentale e, all'origine, europeo), ma anche a ristrutturare, trasformare questo quadro, proporne un altro. E non è un caso se è sempre più spesso la concezione del tempo e della storia unilineare a essere messa in discussione e capovolta da questa letteratura, dal momento che si tratta di scrittori *fra* le lingue, che partecipano a due o più codici culturali. Si tratta di una posizione (scomoda certo, ma quanto ricca!) intermedia fra due identità, di una posizione che si trova contemporaneamente nelle due facce dello specchio. Rushdie quasi lo teorizza: vittime e carnefici, colonizzatori e colonizzati insieme rappresentano al tempo stesso la generazione dei *figli* di quelli che, nei paesi ex coloniali, hanno preso il potere al momento dell'indipendenza e hanno tentato di instaurare un nuovo ordine. È dunque una generazione che non ha e che non avrà il potere (in questo essa si avvicina in qualche modo alla generazione che visse nel secondo dopoguerra in Europa, dell'Est e dell'Ovest): era necessario che una generazione partecipe di *due* culture arrivasse alla scrittura. Si può dimostrare, con i romanzi di Rushdie (e in particolare con *Grimus* e *I figli della mezzanotte*), che la struttura del racconto, lo sviluppo delle concatenazioni, seguono la struttura delle cosmogonie indiane, mentre la sua visione del mondo che struttura le storie corrisponde alla cosmologia indiana. Ma molto esplicitamente, nel libro che porta questo titolo, Rushdie affronta il problema della *vergogna*, un complesso psicologico proprio delle culture (ex)coloniali e oppresse, votate a fare il confronto fra la cultura autoctona e quella della "metropoli". È allo stesso tempo un problema che attraversa il rapporto con la lingua e la scrittura. Si tratta di passare attraverso le lingue, di *accettare immediatamente la lingua come traduzione*. "Io sono fra l'altro uno *nato sull'altro versante*," dice Rushdie: ci si perde qualcosa, ma qualcosa comunque si guadagna. Si tratta di demistificare la lingua dell'Altro, di esprimere in una lingua ciò che a lui è estraneo e insospettabile. In questa impresa, lo scrittore si "dà" alla lingua e a ciò che, in essa, resta inespresso. La scrittura e la traduzione si fondano sulla stessa insufficienza della traduzione/traslazione. Il limite dell'indicibile (*takallouf*) non sarà eliminato, sarà spostato, ma ciò contribuirà a chiarire il nostro soggetto a più prospettive. La scrittura *incorpora* la differenza, la attesta. Per comprendere una cultura, dice Rushdie, bisogna prestare attenzione a ciò che di essa resta intraducibile. E tutti gli scritti di Rushdie, di Naipaul e di molti altri testimoniano questo malessere e lo incorporano. È una letteratura che si è dedicata a superare la "vergogna" e l'infamia del confronto manicheo, del dualismo inculcato alle culture oppresse. A questo scopo, nei *Versi satanici*, Rushdie getta le basi per una cultura transcontinentale, transnazionale, nell'invenzione della *tropicalizzazione di Londra*. Il mondo di Rushdie non è affatto manicheo e ciò gli deriva dalla sua eredità indiana: noi tutti siamo attraversati dal bene e dal male. Lo scrittore e i suoi scritti *incorporano* questo paradosso esistenziale al quale tutti siamo votati.

Dal conflitto interetnico al conflitto intersoggettivo

Vorrei citare a questo proposito Ashis Nandy: "Traendo spesso ispirazione dalle tradizioni moniste delle loro religioni, dai miti e dalle tradizioni alternative che hanno effettivamente saputo frenare (benché a loro volta non senza mali) la violenza fra gruppi umani e mettere dei limiti all'oggettivazione degli esseri viventi, le civiltà del Terzo Mondo hanno protetto con cura la concezione secondo la quale il male non può mai essere chiaramente definito, c'è sempre una continuità tra l'aggressore e la vittima, liberarsi dall'oppressione non è soltanto liberarsi da un agente esterno di oppressione, ma è, in ultima analisi, liberarsi da una parte di se stessi. Una tale proposta può essere considerata come collaborazionismo o vigliaccheria; ma si può anche vederla come una corrente più umana del pensiero politico e sociale".[11] Partendo da questa analisi, l'autore vede la scelta non violenta di Gandhi come un'alternativa al manicheismo: "Gandhi agiva come agisce chi è cosciente che i sistemi sono sinergici, che si muovono sulla base della concorrenza autodistruttrice e della sete del potere, del controllo e del maschilismo, costringendo le vittime dell'oppressione a interiorizzare le norme del sistema, in modo tale che quando esse risultano vincitrici sui loro sfruttatori, ricostruiscono un sistema all'interno del quale prevalgono le norme precedenti. Così il suo concetto di non cooperazione diede alle vittime un nuovo scopo. Gandhi sottolineò che il fine dell'oppresso dovrebbe essere non quello di diventare un cittadino di prima classe del mondo dell'oppressione, invece che essere al secondo o al terzo posto, ma di diventare cittadino di un mondo alternativo dove avrà la speranza di riconquistare l'autenticità umana. Egli diventa così uno che non partecipa al gioco degli oppressori".[12]

Così, dice ancora Nandy, "(Gandhi) ha sempre lottato per trasformare e spostare la lotta contro l'oppressione dal conflitto interetnico al conflitto intersoggettivo".[13]

Analogamente, il nazionalismo nemico non può mai essere una soluzione a un altro nazionalismo, benché questa sia la risposta più frequente. Insieme, non possono che produrre la guerra. Per liberarsi dal nazionalismo, bisognerebbe poter uscire dalla sua logica, non fomentarla a cominciare da se stessi. Se siamo obbligati a difenderci, non facciamolo in nome della nazionalità, ma in nome del diritto puro e semplice alla difesa e alla vita.

"In effetti, si può affermare che la prassi gandhiana rappresenta lo sviluppo naturale e logico della critica sociale radicale, poiché insiste sul fatto che la continuità fra vittima, oppressore e osservatore deve realizzarsi *nell'azione* e che bisogna rifiutarsi di agire *come se* alcuni elementi in un sistema oppressivo fossero puri o non moralmente contaminati,"[14] dice Ashis Nandy, continuando: "Così, nessuna di queste categorie può dirsi pura. Così, anche quando una simile cultura si sfascia, l'atteggiamento psicologico del vittimismo e del privilegio permane e produce una cultura seconda che solo apparentemente è indenne da violenza e oppressione. Non riconoscere questo fatto conduce ineluttabilmente a collaborare con la violenza e l'oppressione nelle loro forme più sottili...".[15]

L'etnocentrismo verso il proprio passato è ben più pericoloso che l'etnocentrismo dell'antropologo occidentale, dice Nandy, poiché quest'ultimo è solo un sintomo, mentre quello resta attivo ma nascosto: "I morti non si ribellano, e non possono smentire nulla",[16] dice ancora Nandy. Si è più facilmente ciechi di fronte al nazionalismo (o al razzismo) che si annida nel nostro ambiente che non a quello degli altri rivolto contro di noi.

È quindi necessario prendere le distanze dal proprio nazionalismo, se non altro per non essere vittime del nazionalismo avversario, così da poter conservare lo spirito critico e le capacità di analisi e di percezione, per non essere ridotti al manicheismo guerriero. La comunicazione e l'interrelazione sono, dice ancora Nandy, ormai più augurabili dell'assenza di comunicazione, anche se rischiano di essere accusate di impedire l'indipendenza.

Una comunicazione transnazionale, transculturale, transcontinentale non sarà mai possibile se non si rigetta il dualismo manicheo. Questa comunicazione presuppone uno spirito critico, esercitato non solo nei confronti dell'Altro, ma anche verso se stessi.

Prendiamo un esempio pratico attinto dalla tragedia jugoslava: la Croazia è aggredita (su questo non c'è dubbio) dai militari dell'esercito ex federale, i cui interessi coincidono (anche se sempre di meno) con gli interessi del governo serbo, che coltiva l'idea di una Jugoslavia mutilata o di una grande Serbia. Di qui la guerra, che è, per parte croata, una guerra di difesa. La polizia del governo croato, trasformata in esercito croato per necessità di guerra, ha perduto la città di Vukovar (e potrebbe perdere Osijek, da dove gli abitanti potrebbero essere cacciati). Questo fatto ha suscitato la protesta dell'estrema destra, che trova che il governo croato sia stato troppo morbido. Si è profilato in quell'occasione il pericolo di un colpo di stato di estrema destra (ancora più a destra del governo). L'opposizione di sinistra, o ciò che restava di essa, decideva allora che non bisognava più criticare il governo per non fornire argomenti agli estremisti. Dunque, quello che ancora si rendeva chiaro in questa prudenza dell'opposizione, era la divisione manichea della scena politica. Una critica sfumata e al di fuori delle considerazioni tattiche e strategiche non è accettata da nessuno. Così si mette al primo posto un interesse nazionale, poiché tutti si sono nel frattempo omologati a causa della guerra, invece che mettere al primo posto l'interesse puro e semplice di fermare la guerra.

La pace, la non-violenza, la vita, non possono essere definite in termini nazionali, o lo sono solo in modo imperfetto. L'omologazione nazionale, dovuta alle atrocità, impedisce l'articolarsi e l'esistere stesso di una valida opposizione, appiattisce lo spirito critico e il discernimento, e fa sì che la logica della guerra (della contrapposizione) sia largamente accettata. È impossibile, nel caso di una tale visione in bianco e nero, conservare lo spirito critico verso la propria parte, quando per il bene di una politica della non-violenza bisognerebbe invece insistere su una differenza della differenza. Occorre uscire da una riduzione del problema a contrapposizione di nazionalità, e procedere a una critica ancora più radicale, cioè alla critica della stessa *logica nazionalista*, ovvero del quadro proposto.

Ma l'omologazione dovuta alla guerra e alle sofferenze reali delle popolazioni massacrate e delle città distrutte ha fatto sì che questo discorso non possa essere recepito nell'immediato e forse non possa esserlo per molto tempo. Essa ha ugualmente trasformato i pacifisti nel nemico numero uno di un nazionalismo esasperato, quali che ne fossero le cause. I pacifisti sono effettivamente percepiti, da entrambe le parti, come appartenenti al campo dell'Altro.

Note

[1] Vedi Jacques Derrida, *L'Autre Cap, suivi de La démocratie ajournée*, Minuit, Paris 1991.

[2] Al proposito, vedi Rada Iveković, *Critique de la raison postmoderne*, Noël Blandin, Paris 1992.

[3] Le streghe in Europa; *sati* presso i Rajputs in India; le donne assassinate dalla famiglia quando non portano la dote sperata, in alcune zone periferiche di recente urbanizzazione dell'India del Nord; a questo proposito vedi Catherine Clément, *Le Goût du miel*, Grasset, Paris 1987, e *La Syncope. Philosophie du ravissement*, Grasset, Paris 1990.

[4] Georges Bataille, *Propositions sur la mort de dieu*, per la rivista "Acéphale", in "Papiers Acéphale", pp. 47-76, dattiloscritto, Biblioteca Nazionale di Parigi, Mss. nouv. acq. fr. 15952.

[5] Georges Bataille, *op. cit.*, par. 8.

[6] Vedi Klaus Theweleit, *Männerphantasien I-II*, Frankfurt a. M. 1981, tr. it. *Fantasie virili*, il Saggiatore, Milano 1997.

[7] Georges Bataille, *op. cit.*, par 9.

[8] Ashis Nandy, *The Intimate Enemy. Loss and Recovery of Self under Colonialism*, Oup, Delhi 1983; *Tradition, Tiranny and Utopias. Essays in the Politics of Awareness*, Oup, Delhi 1987.

[9] Salman Rushdie, *Grimus*, Granada, London 1977; *I figli della mezzanotte*, Garzanti, Milano 1984; *La vergogna*, Garzanti, Milano 1985; *I versi satanici*, Mondadori, Milano 1989.

[10] Vedi Michel Serres, da *Rome. Le livre des fondations*, Grasset, Paris 1983, fino a *Tiers instruit*, Bourin, Paris 1991.

[11] Ashis Nandy, *Gandhi Marx, Freud. Vers une utopie du Tiers monde*, in "Détours d'écritures", 1, 1991, "Sud profond", pp. 53 sgg.

[12] Ivi, p. 54.

[13] Ivi, p. 55.

[14] Ivi, p. 56.

[15] Ivi, p. 57.

[16] Ivi, p. 59.

Per una critica della cultura nell'età del capitalismo trasnazionale

di Gayatri Chakravorty Spivak

Dobbiamo senza dubbio reclamare una qualche alleanza con il multiculturalismo *liberal*, perché dall'altra parte ci sono Schlesinger e Brzezinski.[1] Non è affatto un segreto che il multiculturalismo *liberal* sia determinato dalle necessità dei capitalismi transnazionali contemporanei. È un'importante mossa di pubbliche relazioni nella conquista apparente del consenso delle nazioni in via di sviluppo al progetto dominante della finanziarizzazione del globo (sto affermando che, avendo trasferito le nostre vite da quelle nazioni a questa, diventiamo parte del problema se continuiamo a rinnegarne la responsabilità). Le compagnie transnazionali statunitensi (TNCS, *Transnational Corporations*) mandano regolarmente all'estero gli studenti specializzandi in *business administration*, affinché apprendano le lingue e culture straniere. Già nel 1990 il *National Governors' Association Report* si chiedeva: "Come possiamo vendere il nostro prodotto in un'economia globale quando non abbiamo ancora imparato la lingua dei nostri clienti?". I dipartimenti delle lingue nazionali (inclusi alcuni nella mia università) si associano alla comunità degli affari in nome degli studi culturali, per poter attirare non solo i parlanti nativi di tali lingue, bensì soprattutto i nuovi studenti immigrati provenienti dalle ex colonie di quegli specifici stati-nazione, cosicché anche loro possano avere accesso all'enclave clone di quella bianca. Se dobbiamo

Pubblicato in: *Critica della ragione postcoloniale*, tr. it. di Angela d'Ottavio e pref. di Patrizia Calefato, Meltemi, Roma 2004.

mettere in discussione questa giustificazione razionale del multiculturalismo mentre ne utilizziamo il sostegno materiale, dobbiamo riconoscere altresì che l'attuale rigurgito virulento della dominante *razzista* in questo paese è fuori sincrono rispetto alla geopolitica contemporanea. *Noi siamo intrappolati in una battaglia più vasta, in cui una parte escogita maniere sempre nuove per sfruttare la transnazionalità attraverso un culturalismo deformante, mentre l'altra non sa quasi nulla del copione transnazionale che la muove, inscrive e opera. È all'interno di questo scontro ignorante che dobbiamo trovare e collocare la nostra agentività, e dobbiamo cercare incessantemente di scardinare il macchinario stridente. Non è sufficiente usare la "cultura" come Foucault usa il "potere".

La base dell'adesione e del sentimento di una stessa differenza tra le varie origini nazionali di nuova immigrazione è il caso generale a cui abbiamo già fatto riferimento: tutti noi siamo venuti nella speranza di trovare giustizia o benessere all'interno di una società capitalista. (Anche all'interno della migrazione economica, le donne rimangono sovente esiliache. La definizione, come al solito, tiene conto del genere.) Siamo giunti sin qui per scampare alle guerre o all'oppressione politica, per sfuggire alla povertà, per trovare opportunità per noi stessi/e e, cosa più importante, per i nostri figli: nella speranza di trovare giustizia in una società capitalista. A rigor di termini abbiamo lasciato i problemi della postcolonialità, collocati nella ex colonia (adesso una "nazione in via di sviluppo" che cerca di sopravvivere alle devastazioni del neocolonialismo e della globalizzazione), *solo* per scoprire che la cultura suprematista bianca vuole rivendicare l'intera agentività del capitalismo – ricodificata come regola della legge all'interno di un'eredità democratica – *solo* per sé; per scoprire che il *solo* ingresso può avvenire attraverso un oblio oppure una museizzazione dell'origine nazionale nell'interesse della mobilità di classe; oppure nella codificazione di questa mossa come "resistenza!". Nella classe *liberal* e multiculturale optiamo per la seconda scelta, pensandola come resistenza all'oblio, ma necessariamente nell'interesse del lungo termine della nostra comune, spesso rinnegata, fede nel capitalismo democratico: "una necessità che l'agente *costituisce* in quanto tale e per la quale fornisce la scena dell'azione senza esserne effettivamente il soggetto". Questa necessità è ciò che ci unisce e, a meno che non la riconosciamo ("e anche qualora lo facessimo"), non possiamo sperare di assumerci la responsabilità della dominante emergente.[2] La teoria "alta" che si fa "passare" per "resistenza" costituisce una parte del problema.

I più ostinati tra noi potrebbero voler avere una prospettiva più ampia che non si *riferisca* meramente alla divisione internazionale del lavoro, ma che si preoccupi anche di acquisire una preparazione transnazionale nel Nuovo Ordine Mondiale che ha avuto origine e continua a formarsi nell'ultimo decennio del secondo millennio: il comando, se vi pare, di un sistema informatico storico e geografico diversificato; qualcosa di più di una cartografia cognitiva. Perché confondere il bisogno di uniformità e razionalismo del capitale con la sostanziale, per quanto astratta, uguaglianza della democrazia? Fredric Jameson ci esorta a rifuggire il moralismo e a pensare il capitalismo allo stesso tempo come un bene e come un male. Anche questo non è abbastanza per il Nuovo Immigrato insoddisfatto di un'ibridità romantizzante. Affinché il veleno che si è scelto diventi una medicina, bisogna apprendere un metro di pianificazione e di misurazione, e quantomeno presupporre la cura intermedia per arrestare costantemente il male di una finanziarizzazione incontrollabile. Nell'alto colonialismo l'Informante Nativo poteva essere spesso forcluso. Cosa potremmo pensare *noi* nel momento in cui ci incalzano a essere informanti nativi e insieme globalisti ibridi?

Quando oggi noi letterate negli Stati Uniti svolgiamo dei lavori femministi, nelle aree della nostra ricerca individuale e dell'origine nazionale, tendiamo a produrre tre tipi di cose: delle analisi identitarie o teoriche (a volte entrambe contemporaneamente) di testi letterari/filmici disponibili in inglese o altre lingue europee; dei resoconti di fenomeni riconoscibilmente politici da un punto di vista culturalista descrittivo o di critica dell'ideologia; e infine, quando parliamo di transnazionalità in senso generale, pensiamo all'ibridità globale dal punto di vista della cultura pubblica popolare, dell'intervento militare e del neo-colonialismo delle *multinazionali*.

Come potremmo ampliare la nostra prospettiva in una preparazione transnazionale più vasta?

Per quanto transnazionalizzato o globalizzato possa essere il mondo attuale, i confini di una società civile demarcano ancora lo stato nazionale e sono ancora nazionalmente definiti. Ho suggerito in precedenza che una società civile iperreale, cosiddetta internazionale e consolidata dal punto di vista della classe, viene prodotta in questo momento per assicurare la congiuntura post statale, nello stesso momento in cui i nazionalismi religiosi e i conflitti etnici possono essere letti come modalità "regressive" di negoziazione della trasformazione dello stato in una postmodernizzazione capitalista. Seguendo le argomentazioni che ho presentato sopra ne conseguirebbe che le femministe con una coscienza transnazionale dovrebbero anche essere consapevoli che *qui* la stessa struttura civile, di cui sono in cerca per puntellare la giustizia di genere, può continuare a partecipare alla costruzione di alibi per l'operare di un'attività transnazionale maggiore e definitiva (la finanziarizzazione del globo) e quindi per sopprimere la possibilità della decolonizzazione – la costituzione e il consolidamento di una società civile *lì*, il solo mezzo per un calcolo continuato ed efficiente della giustizia di genere *ovunque*.

La meticolosa attenzione a un riconoscimento pratico così contraddittorio, per meglio dire aporetico, costituisce la base della decolonizzazione della mente. Ma la donna priva di diritti, diasporica vecchia o nuova, non può essere chiamata ad abitare questa aporia. Tutte le sue energie devono essere spese in un trapianto o un inserimento efficace nel nuovo stato, spesso nel nome di una vecchia nazione in quella nuova. È il luogo della cultura pubblica globale privatizzata: il soggetto appropriato dell'attivismo migrante reale. Potrebbe anche essere la vittima di un patriarcato inasprito e violento, operante esso stesso nel nome della vecchia nazione – penoso simulacro delle donne nel nazionalismo. Melanie Klein ci ha offerto la possibilità di pensare questa violenza maschile come dislocazione reattiva dell'invidia degli angli e dei cloni degli angli, anziché come prova del fatto che la cultura di origine sia necessariamente più patriarcale.[3]

La donna priva di diritti della diaspora (vecchia e nuova) non può dunque partecipare dell'agentività *critica* della società civile – la cittadinanza nel senso più forte – per combattere le depredazioni della "cittadinanza globale economica".[4] E quindi non silenziamola, non ignoriamone la sofferenza per un'impossibile gerarchia della correttezza politica, e desistiamo dal farla incespicare in una colpa. La sua battaglia è quella per l'accesso alla condizione di soggetto della società civile nel solo nuovo stato: i diritti civili fondamentali. In fuga dal fallimento della decolonizzazione in patria e all'estero, ella non è ancora al sicuro nel suo stato di scelta disperata o del caso, al punto da poter almeno concepire l'idea di sgombrare la propria mente dal fardello della transnazionalità. Ma forse le sue figlie o le sue nipoti – a seconda della generazione che riuscirà ad arrivare all'istruzione terziaria – potranno farlo. E l'accademica interventista potrà assisterle in questa possibilità, anziché partecipare al loro graduale indottrinamento in un culturalismo non vagliato.

Questo gruppo di *outsider* di genere (*gendered*) che si trovano all'interno sono molto richieste dalle agenzie transnazionali della globalizzazione, per assunzioni o collaborazioni. Non è del tutto ozioso, quindi, chiedere loro di pensarsi collettivamente, non come vittime in basso bensì come agenti dall'alto, che oppongono resistenza alle conseguenze della globalizzazione e al tempo stesso compensano le vicissitudini culturali della migrazione. Potrebbe essere una sfida materiale all'immaginazione politica quella di ripensare i propri paesi di origine non solo come repositori di nostalgia culturale, bensì anche come parte del presente geopolitico, per ripensare la globalità lontano dal *melting pot* statunitense. La possibilità di ridirezionare persistentemente l'accumulazione verso la redistribuzione sociale potrebbe essere alla loro portata, qualora si unissero ai movimenti sociali giraglobo nel Sud, attraverso il punto di ingresso dei paesi di origine. Il multiculturalismo *liberal*, senza una consapevolezza socialista globale, non fa altro che espandere la base statunitense, corporativa o comunitaria.

Giunta a questo punto, devo ammettere che è a questo gruppo che appartengono le mie lettrici implicite. È a questo gruppo che dico: malgrado tutte le seduzioni narcisiste del multiculturalismo *liberal*, la cosiddetta esperienza immediata della migrazione non è necessariamente in consonanza con la preparazione transnazionale, così come la sofferenza del lavoro individuale non è in consonanza con l'impeto della resistenza socializzata.

La figura del Nuovo Immigrato ha un limite radicale: coloro che sono rimasti nel proprio luogo per più di trentamila anni. Non dobbiamo necessariamente valutare questo limite di per sé, ma dobbiamo prenderlo in considerazione. C'è una visione alternativa dell'umano qui? Il *tempo* necessario per imparare a imparare da questa temporizzazione estremamente lenta non soltanto ci allontanerà dalle diaspore, ma non ci offrirà nessuna risposta, né conclusione subitanea. Lasciamo che rimanga come nome dell'altro della questione della diaspora. Tale questione, data così per scontata in questo momento come base storicamente necessaria per la resistenza, marca l'oblio di questo nome. Venerdì? Anche qui giace l'esperienza dell'impossibile che avrà persistentemente mosso il capitale da sé all'altro – la crescita economica come cancro della redistribuzione come medicina: *pharmakon*.

Esaminiamo adesso in che modo la subalterna come informante nativa venga silenziata per mezzo di una versione di questo stesso pregiudizio etnografico – che il nobile selvaggio sia privo di scrittura – che opera nell'iperreale di una solidarietà femminista universalista.

Nella primavera del 1996, l'Alexander S. Onassis Centre per gli studi ellenici ha messo in scena *Rifts of Silence*. Era una *pièce* coraggiosa, un'emozionante performance in cui donne greche e turche, nove cristiane e due musulmane, "dicevano" i propri corpi femminili, composta in greco durante un laboratorio di scrittura creativa organizzato a Komotini, "terra di frontiera che ospita animosità musulmane, cristiane, zingare, armene e russo-pontiche" da Christiana Lambrinidis, "drammaturga e studiosa laureatasi al Wellesley College e alla Brown University".[5] Non conosco il greco moderno. Non mi è dato di sapere fino a che punto la parte "poetica" degli enunciati fosse il risultato di un lavoro di revisione del laboratorio. C'era un certo grado di uniformità nella traduzione inglese, ma può darsi che dipendesse dal singolo traduttore. A turbarmi era il fatto che le partecipanti testimoniassero la buona politica delle diasporiche ben posizionate; il laboratorio di Lambrinidis ha fatto sì che si aprissero alla loro femminilità (e le ha portate negli Stati Uniti). Mi sono castigata per essere stata eccessivamente critica verso un progetto animato da buone intenzioni.

Solo una donna non era venuta insieme al gruppo: Hanife Ali. Per uno scherzo alfabetico il suo nome è il primo nelle "Note Biografiche scritte *dalle* Autrici/Attrici" (corsivo mio). Tutte le altre presentazioni iniziano in prima persona. La sua con "Lei è".[6] A lei, unica zingara, il marito non aveva permesso di venire negli Stati Uniti. Inoltre, ci è stato riferito verbalmente, ella "disegnava" sempre le sue lettere.

Durante il dibattito seguito alla performance, ho aspettato sino alla fine per sollevare la questione di Hanife. Mi è stato detto che dopo gli spettacoli in Europa e in America ero la prima persona a fare il suo nome. Le altre, ho pensato senza alcuna pietà, erano impegnate con le loquaci subalterne in viaggio.

Ne è emerso che Hanife non era un "altro" zingaro "puro". Era la persona più importante di una comunità zingara, ed era stata lei ad aver fatto da traduttrice per l'americana in visita. E non era stato il marito ad averle negato il permesso, bensì il suo compagno. Nella sala al Tisch Center della New York University, dove si teneva il dibattito, erano presenti svariate persone che vivevano con dei "compagni" ai quali non erano legalmente sposate. Non è mai stato un problema definire tali persone come "compagni" o con termini equivalenti. L'uomo con cui viveva Hanife era continuamente definito come "quel che suppongo si possa definire suo marito".

E in che modo lui le aveva negato il permesso? Trapelò che tutte le volte che Lambridinis si era recata a Komotini avesse dovuto avvicinarla attraverso di lui. Il che poteva "significare" molte cose, è chiaro. Come per la Rani di Sirmur possiamo solo fare congetture. Ma data la tendenza femminista internazionale a maternizzare la donna del Sud come appartenente a culture di seconda categoria e oppressive dal punto di vista del genere, è quantomeno possibile leggerla come una decisione di non comprare un'apparente libertà di genere a scapito della razza e della classe; una forma di resistenza, per quanto incoata e remota, ad Ackerman, Rorty e Huntington. E alla fine è stato attraverso questo percorso che Lambridinis era venuta a sapere che Hanife non sarebbe potuta venire.

In seguito a ulteriori domande, è emerso che dopotutto Hanife non era poi un tipo remissivo. Giunta al laboratorio non aveva voluto sedere né con le donne greche, né con quelle turche, né tantomeno con la capogruppo. Aveva voluto sedere all'altro capo del tavolo, in una posizione equivalente a quella di colei che conduceva il laboratorio[7]; aveva avanzato proposte per l'allestimento della scena, e nello specifico aveva suggerito un divano di satin rosso, la qual cosa venne ovviamente riferita con un sorriso d'indulgenza. (Personalmente pensai che avrebbe aggiunto una nota bizzarra all'allestimento da Living Theater decisamente sottotono.)

E "disegnava" le proprie lettere.

Quando ho chiesto spiegazioni in merito, gran parte del pubblico è venuto in mio soccorso: ella era più vicina alla fonte delle proprie esperienze e disegnava pertanto ideogrammi immediati. E via dicendo. Ma ho insistito, dal momento che negli ultimi anni ho acquisito una considerevole esperienza nell'insegnare a leggere e a scrivere a bambini e ad adulti non provenienti da retroterra convenzionalmente alfabetizzati. Qui la parola operativa è "convenzionale". Non c'è niente di "proprio" alla lettera nella convenzione della propria scrittura. La lettera è immotivata. Noi che "abbiamo la scrittura" performiamo la scrittura nella sua convenzione. Coloro che sono stati "alfabetizzati di recente" e che provengono da retroterra "privi di scrittura" strappano la performance della scrittura alla sua riuscita:

> L'etnocentrismo non è sempre tradito dalla fretta con la quale si soddisfa di certe traduzioni o di certi equivalenti domestici? Dire che un popolo non sa scrivere perché si può tradurre con "fare righe" la parola di cui si serve per designare l'atto dello scrivere, non è un po' come se gli si rifiutasse la "parola" traducendo il termine equivalente con "gridare", "cantare", "soffiare"?[8]

"La subalterna non può parlare" si riferiva a un esempio singolo e singolare. Come *Can the Subaltern Vote?* mette in luce, anche il "venir fatti dis-dire" è una sorta di silenziamento. È questa la modalità con cui ad Hanife, la nuova informante nativa, viene fatto sostenere il nuovo iperreale globale: il Nord è solidale con il Sud; la "donna" è importante, non la razza, la classe, l'impero. "Genere *e* sviluppo" e non "donne *in* sviluppo" è il nuovo slogan. Il testo del tessuto, l'ultimo movimento di questo libro, non ci dirà nulla di differente. La donna che la carismatica stilista diasporica "silenzia" non è affatto lì, per quanto molto visibile sul piccolo schermo.

In conclusione, rientriamo nella trama del tessuto.

Per prima cosa, una fugace occhiata all'autorappresentazione culturale della Gran Bretagna nel colonialismo dei tessuti; in seguito uno sguardo all'attuale "dumping sociale" del Nord, con le operaie bambine che, in maniera specifica nell'industria dell'abbigliamento, vengono fatte sostenere il nuovo iperreale globale. Questa parte è stata scritta senza una ricerca accademica, con i contatti sul campo sviluppati da un'attivista incresciosamente part-time.[9] È anche New York ad arrecarmi la consapevolezza che alcuni di noi debbano continuare a collocare il Sud nella storia del suo stesso presente, anziché trattarlo come *locus* di nostalgia e/o interesse umano.

Una reazione a scoppio ritardato: una coda del modo in cui posso temporizzare il mio percorso critico durante la scrittura di questo libro. Ma la tes(su)tualità scivola via dal telaio, verso le dinamiche del commercio mondiale.

Quanto sono sul punto di scrivere non è un commento sul traffico di bambini in generale. Non lo è nemmeno sul lavoro infantile in qualsiasi luogo, la cui estirpazione sarebbe un bene incontestabile. Ha a che vedere con la trasformazione dei diritti umani in una questione di investimento commerciale; con la facile buona volontà della politica del boicottaggio; con l'indolente crudeltà dell'imperialismo morale; con gli affari realizzati con gli imprenditori locali, essi stessi spinti dall'avidità propria e del mercato globale che dà luogo a un'assenza di leggi sul lavoro; con le giustificazioni per il coinvolgimento permanente negli affari di un paese attraverso gli aiuti esteri. Ancora una volta l'appello dell'autrice è rivolto al riconoscimento dell'agentività della resistenza locale, connessa con i movimenti dei popoli che girano il globo.

Con la relativa apertura dei mercati dopo la firma dell'Accordo Generale sulle Tariffe e sul Commercio Estero (GATT) nel 1994, sembrava che i mercati del Nord sarebbero stati travolti da capi prodotti nel Sud. Fu questa la ragione per cui, dopo la conclusione del GATT nel 1995, e la costituzione dell'Organizzazione Mondiale del Commercio (WTO) come controllore indipendente e permanente, quel che adesso è definito come *"dumping* sociale" cominciò a imporsi proprio nell'industria *vestimentaria* basata sulle esportazioni: boicottate i loro prodotti perché utilizzano lavoro infantile. Venne dispiegato tanto il nazionalismo quanto il razzismo per unificare su questo la manodopera nel Nord negli interessi della dirigenza. L'ignominioso Harkin Bill votato dal Senato statunitense nel 1993 ("Child Labor Deterrent Act of 1993") si fondava su una relazione stilata dall'AFL-CIO (Federazione Americana del Lavoro e Associazione delle Organizzazioni Industriali) che sovente lavora in accordo con l'American Asian African Free Labor Institute (AAAFLI) per indebolire la richiesta di manodopera nel Sud. Tra la prima versione della legge e quella finale, un servizio della NBC ha rivelato al pubblico che il 52 per cento dei prodotti di abbigliamento prodotti in Bangladesh e collegati all'IDE (in altri termini non il mio sari, ma la mia maglia French Connection. Il sari è un altro testo tessile, per storia e per economia) era entrato nel mercato statunitense; successivamente il "Wall Street Journal" ha riportato che Wal-Mart, la più grande catena al dettaglio negli Stati Uniti, aveva perso 0,75 dollari per azione in conseguenza dell'importazione di capi di abbigliamento prodotti da manodopera infantile.[10]

Durante una riunione sugli studi di genere tenutasi nella mia università, l'uso interessato del "lavoro infantile" per bloccare l'esportazione dai paesi in via di sviluppo è stato sommariamente liquidato con dell'assurdo relativismo culturale da parte di una sociologa del welfare, statunitense e nazionalista: come se il lavoro infantile facesse parte della cultura del Bangladesh e noi non dovessimo interferirvi! Sarebbe al di fuori dell'ambito di questo libro sviluppare ulteriormente la testualità sociale di questo gesto di insofferenza. Qui basti dire che, proprio come il colonialismo ha fatto e fa un uso interessato del patriarcato, così il capitale transnazionale fa uso del razzismo, dividendo in tal modo un movimento sindacale che già si concentra quasi soltanto sulla sicurezza sul lavoro alla base e la collaborazione alla gestione ai vertici (incidentalmente occupati, che lo vogliano o meno, dagli accademici statunitensi, grazie alla sentenza Yeshiva della Corte Suprema degli Stati Uniti nel 1980). La penosa storia della Seconda Internazionale viene reinterpretata in una prospettiva globale.

La complicità con il patriarcato individua la responsabilità per l'esaurimento delle risorse mondiali tra le cosce delle donne più povere del Sud, portando così al *dumping* farmaceutico di pericolosi contraccettivi coercitivi a lungo termine, un controllo demografico non vagliato che deve restare rigorosamente distinto dalla pianificazione familiare. La benevola femminista del Nord, transnazionalmente impreparata, sostiene questa causa con trasporto totale, con "ignorante buona volontà".[11] Qualunque critica viene ridotta a una posizione conservatrice *contro* la pianificazione familiare.

Allo stesso modo, la complicità con il razzismo consente ai benevoli *liberal*, impreparati transnazionalmente, di limitarsi a sostenere le sanzioni contro le industrie dell'abbigliamento nel Sud che fanno uso di manodopera infantile. (Alle persone di buona volontà verrà in mente che il punto potrebbe essere l'innalzamento del "basso costo" della manodopera – l'aumento del costo del capitale variabile – implementando leggi lavorative più giuste. Ma in questa "pace calda" non si tratta che di una vana speranza; la Banca Mondiale è una forza contraria alla sindacalizzazione. Di questo non sono più tanto sicura, visto il modo in cui è stato facilmente abbindolato Rorty. Il progetto reale è, chiaramente, quello secondo cui i "[l]avoratori adulti negli Stati Uniti e negli altri paesi sviluppati non devono vedere il proprio posto di lavoro messo a repentaglio dalle importazioni prodotte da manodopera infantile in paesi in via di sviluppo" ["Child Labor Deterrent Act of 1993", comma 9].) Il governo statunitense non si è fatto abbindolare. I video umanitari sono già pronti, tra cui ad esempio quello in cui viene filmata poeticamente la massacrante giornata lavorativa di una bambina pachistana che produce mattoni, con una *"empowering"* voce fuoricampo che ne sostituisce l'urdu; o un altro sui bambini tessitori di tappeti. I loro spettatori non hanno né la volontà né la capacità di leggere o ascoltare le innumerevoli, brevi e spassionate testimonianze fattuali fornite dai cosiddetti lavoratori bambini agli attivisti sindacali sul campo.[12] I bambini certamente non presentano le loro condizioni di lavoro in maniera favorevole. Ma, in assenza di una forma di risarcimento o di sostegno infrastrutturale, trovano sconcertante la remota decisione americana di toglier loro il lavoro.[13] Cosa accade a quei pochi entusiasti innocenti che non riescono a vedere al di là di un facile moralismo e a udire la maniera in cui la bambina viene fatta "dis-dire" se stessa? Per le ragioni che ho già presentato, posso discutere soltanto il caso del Bangladesh. Qualunque conclusione teorica deve esser formulata apportandovi i dovuti cambiamenti. Il caso del Bangladesh non può essere esteso all'intero Sud. È più semplice parlare di postnazionalismo quando si appartiene alla società civile di un singolo stato nella metropoli. Le descrizioni economiche dei paesi in via di sviluppo dipendono dalla storia della nazione sulla mappa geopolitica. Un solerte cosmopolitismo può costituire un alibi per la geopolitica.

In un capitolo che si muove indietro nel tempo sino ad arrivare a Rudolph Ackerman, è necessario considerare il testo del capitale nel momento in cui manipola il tessuto. L'industria vestimentaria non si è insediata su una terra non inscritta al fine di inaugurare lo "sviluppo" in favore delle donne. È certamente vero che donne che altrimenti sarebbero rimaste relegate in casa, andando a lavorare nelle fabbriche abbiano fatto ingresso nel mondo. Ma l'ingresso in un mondo senza sostegno infrastrutturale non costituisce un bene indiscusso; ed è questo il punto in cui la lettrice accorta deve reintrodurre la singolarità dell'etica. In tal senso l'incoraggiamento della microimpresa femminile – il credito-esca senza infrastrutture – è un fenomeno simile, nell'arena del capitale finanziario.

Quando il boicottaggio ebbe inizio, le fabbriche talvolta assumevano i bambini falsificandone l'età. Quando i bambini perdevano il lavoro diventavano lavoratori domestici 24 ore su 24 con una paga minima o persino senza paga, oppure si prostituivano e talvolta morivano di fame. A volte le bambine finivano a lavorare insieme a parenti più anziane. Si tratta, ovviamente, dell'ultima spiaggia di una sorta di "assistenza all'infanzia". Ma senza un seguito infrastrutturale, la perdita di questo lavoro risultava cruciale per la lavoratrice bambina, subalterna silenziata. E le parole dell'Harkin Bill: "L'impiego di bambini al di sotto dei quindici anni, spesso con paghe penosamente irrisorie, mina la stabilità delle famiglie" (comma 8) le sembrarono un'incomprensibile presa in giro.

All'inizio del 1995, i Produttori di abbigliamento del Bangladesh e l'Associazione degli Esportatori hanno sottoscritto un accordo con varie ONG indigene, con una dichiarazione di sostegno da parte dell'Organizzazione Internazionale del Lavoro e dell'ambasciatore degli Stati Uniti in Bangladesh; secondo tale accordo ai genitori dei bambini in questione sarebbe stato corrisposto un indennizzo economico, mentre i bambini avrebbero ricevuto un'istruzione primaria. La cifra non era cospicua, circa 7,50 dollari per mese, secondo l'attuale tasso di scambio, mentre per l'istruzione "[i]l costo unitario è di circa 36 dollari per bambino per anno".[14]

Innanzitutto notiamo che l'istruzione che dovrebbe esser fornita è materialmente inutile, perché priva di continuità con il sistema d'istruzione nazionale. L'ammissione nelle scuole è vincolata alla presentazione del cartellino d'ingresso di riconoscimento ricevuto sul lavoro. Dal momento che in genere passano almeno uno o due anni da quando il lavoratore bambino riesce anche solo a vedere una di queste scuole, non sempre è possibile reperire il cartellino. Quindici genitori nelle baraccopoli di Pyarabag, a Dhaka, hanno riferito di essere stati disposti a rinunciare alla propria quota mensile qualora i bambini fossero stati ammessi senza quegli inutili cartellini di lavoro (non le carte di identità), ma è stato loro rifiutato. Il pagamento recalcitrante e contenuto dell'indennizzo richiede la costante agitazione dei lavoratori sul campo. Le cifre occasionalmente riportate in televisione sono ben poco collegate alla realtà. Come è comprensibile, c'è un'estrema riluttanza a distaccarsi dall'informazione. La giusta rabbia dell'Harkin Bill o la benevolenza di un benefattore a distanza perde qualsiasi plausibilità se confrontata con l'effettiva indifferenza e con l'inganno che consegue all'abbandono di questi bambini. Il mio coinvolgimento diretto è per la natura, la qualità, l'efficacia e la rilevanza dell'insegnamento nelle scuole di base. Posso affermare con convinzione che tali questioni non possono essere sollevate nell'infelice situazione che risulta dal cosiddetto ripristino della santità dell'infanzia attraverso l'investimento diretto estero delle fabbriche di abbigliamento.[15]

Ho promesso alla mia informante, Seema Das, colei che ha svolto effettivamente il lavoro sul campo, che avrei diffuso quanto più possibile queste informazioni, di modo che la campagna video di pathos, sensazionalismo e umanitarismo non avrebbe portato la bambina a dis-dire se stessa. (Lei e io nutriamo un'ingiustificata sicurezza nel potere di un qualche altro libro accademico, al di fuori del campo.) Quando ho parlato, con una certa esitazione (e su richiesta), della decostruzione, rivolgendomi a un piccolo gruppo di scrittori, giornalisti, studenti universitari e intellettuali a Dhaka, Seema ha discretamente abbandonato la sala dopo una decina di minuti. L'intellettuale, l'attivista e l'imprenditore non sono necessariamente uniti lì, così come non lo sono qui. E in quella divisione tripartita, colloco questo libro di poco conto.

In questo capitolo ho cercato di esaminare l'interazione tra multiculturalismo e globalità. È il postmoderno la logica del tardo capitalismo? Facendomi largo in questo dibattito ho lavorato attraverso il flusso tes(si)tu(r)ale dei tessuti per lasciare che quell'altro libro che ho dovuto tenere continuamente a bada mentre rivedevo questo potesse venirmi incontro. Forse avrei potuto riformulare il ponderato titolo di Jameson in questa maniera: le vittime accidentali della postmodernizzazione economica non sono i culturalisti; ci insegnano a tenere il nostro sguardo fisso sulla logica capitalista elisa della postmodernità. Il punto non può essere quello di pensare bene o male a un tempo del capitalismo. Bisogna invece che decidiate, mentre la trama del testo e del tessuto si dipanano asintoticamente, se è possibile tenere assieme la *Terza Critica* di Kant e i documenti come quelli di "Chinta" senza la versione quotidiana e corrotta del passaggio dal giudizio determinante al riflettente – primario/secondario, dati/ricerca, lavoro sul campo/etnografia, Informante Nativo/discorso maestro – che mettiamo in atto nei nostri studi e nelle nostre aule; e viceversa.[16]

Marx è stato in grado di tenere assieme *La scienza della logica* e i *Blue Books*[17]; ma anche in quel caso si trattava ancora soltanto dell'Europa; e nel farsi è andata disfacendosi.

Note

[1] Questi sono i suprematisti culturali bianchi liberali (da non confondersi né con i suprematisti bianchi *razzisti* da un lato, né con i multiculturalisti *liberal* dall'altro). Questo gruppo continua a essere assediato all'interno della nazione. "Il nostro compito è quello di combinare il dovuto apprezzamento della splendida diversità della nazione, con la dovuta enfasi sulle grandi e unificanti idee occidentali di libertà individuale, democrazia politica e diritti umani," ha scritto Arthur M. Schlesinger (*The Disuniting of America*, Norton, New York 1992, p. 138). "Il riconoscimento della complessità e della contingenza della condizione umana sottolinea dunque la necessità *politica* di un consenso morale condiviso nel mondo sempre più congestionato e intimo del ventunesimo secolo," ha scritto Zbigniew Brzezinski (*Out of Control: Global Turmoil on the Eve of the Twenty-first Century*, Scribner, New York 1993, p. 231). L'uno scrive con artificiosa fiducia nel Sogno Americano, l'altro in allarme per le sorti del mondo. Il multiculturalismo *liberal* è divenuto visibile nei piani alti del *mainstream* accademico, come testimoniano Charles Taylor (*Multiculturalism and "the Politics of Recognition": an Essay*, Princeton University Press, Princeton 1992; tr. it. *Multiculturalismo*, Feltrinelli, Milano 2001), Bruce A. Ackerman (*The future of Liberal Revolution*, Yale University, New Haven 1992) e John Rawls (*Political Liberalism*, Columbia University Press, New York 1993; tr. it. di G. Rigamonti, *Liberalismo politico*, Edizioni di Comunità, Milano 1993). Chiaramente non è possibile discutere questi libri così importanti in una nota. Qui basti dire che i tre testi hanno qualcosa di simile a una relazione con la missione civilizzatrice dell'imperialismo, presa seriamente in considerazione. La posizione di Ackerman è apertamente basata su un atteggiamento del tipo "noi abbiamo vinto, voi avete perso", e non sorprende che al convegno della Pacific American Philosophical Association del 1994 egli abbia avanzato tale posizione in giustificazione sia degli aiuti internazionali, sia dell'emancipazione delle donne nelle nazioni in via di sviluppo. Il suo libro è rivolto direttamente alle necessità del Nuovo Ordine Mondiale; *The Meaning of 1989* (pp. 113-123) è il titolo di uno dei capitoli. John Rawls, senz'altro il più astuto dei tre, riconosce i limiti del liberalismo come politica, con l'obiettivo di salvarlo moralmente e dottrinalmente come "'cultura di fondo' della società civile" (p. 14). Charles Taylor riduce il valore della sua ponderata analisi deducendo il soggetto del multiculturalismo (mi è difficile immaginarlo in un'unicità) dalla narrazione storica "europea" della comparsa del laicismo. Adesso mi rendo conto che questo sia inevitabile quando la pre-

senza di questi diversi elementi deve essere assicurata nella società civile matrice di uno stato cosiddetto sviluppato. Il ponderato libro di Duncan Kennedy (*Sexy Dressing, etc. Essays on the Power and Politics of Cultural Identity*, Harvard University Press, Cambridge 1993) condivide questa stessa caratteristica. Per lui il tempo dell'immigrazione è posto al sicuro nel passato (pp. 50-55): non può capire il tumulto della nuova migrazione economica eurocentrica. Con Rorty e Huntington abbiamo sublato l'opposizione. Di tutti questi autori, Kennedy è l'unico ad aver avuto l'intuizione che l'essere umani significhi essere chiamato dall'altro. E lo pone in un linguaggio accattivante nella sua semplicità: "le esperienze quotidiane in cui a livello locale sembra che tutto sia determinato altrove".

[2] Pierre Bourdieu, *The Philosophical Institution*, in A. Montefiore (a cura di), *Philosophy in France Today*, Cambridge University Press, Cambridge 1983, p. 2.

[3] Melanie Klein, *Envy and Gratitude*, in *Envy and Gratitude and other Works*, Free Press, New York 1975; tr. it. *Invidia e Gratitudine*, Giunti, Firenze 2012. Ovviamente in questo frangente costituisce la base per sviluppare una critica storica attiva della posizione di Rorty-Huntington.

[4] Il concetto della cittadinanza economica, con base nel mercato finanziario globale, anziché i singoli stati-nazione, come sito di autorità e legittimazione, è un concetto che si può trovare in *Losing Control* di Saskia Sassen; ed è operativo anche negli Stati Uniti. Esaminiamo il modo in cui la stampa cerca di renderlo comico. Il cittadino economico non è intrappolato nel cosiddetto processo democratico: egli semplicemente lo dirige. Ecco come ha posto la questione "James Carville, lo stratega della campagna elettorale di Bill Clinton nel 1992, [il quale] ha fatto una scoperta durante la campagna, ovvero che ci fosse una forza potente che doveva essere placata, *sebbene tecnicamente essa non votasse*". "'Quel maledetto mercato delle *obbligazioni*,' ha detto il consigliere. 'Chi poteva immaginare che fosse così potente? [...] Se mai dovessi reincarnarmi, voglio farlo da mercato obbligazionario. E a quel punto tutti avrebbero timore di me e dovrebbero fare ciò che dico'". "Mi piace l'idea del mercato come bestia ombrosa," continua l'autore, che è anche un presentatore del Public Broadcasting Service (il canale nazionale "intellettuale"): "un gigante, una sorta di drago Fafner nel *Rheingold* di Wagner, a guardia dell'anello d'oro della ricchezza". Sta addomesticando il capitale postmoderno usando un campo semiotico anteriore. Ne ho elaborato un commento in altri lavori e nella discussione della trattazione di Derrida del *Timone di Atene* in *Spettri di Marx*. Il punto qui è che nel Nuovo Ordine Mondiale post sovietico, è il capitale finanziario (le obbligazioni), piuttosto che il Mercato Mondiale (le azioni) ad aver assorbito la globalizzazione.

Come la maggior parte degli "economisti borghesi", descrittivamente corretti ma politicamente in diniego, Adam Smith ("il cui vero nome è Jerry Goodman") offusca questa questione marcando una differenza ma equiparando le due cose in significatività: "Adesso abbiamo altre elezioni. Le narici del mercato delle obbligazioni sono dilatate? E che ne è

271

dell'*altro* drago di ricchezza e potere, il mercato azionario?" (corsivo mio). Lo stesso circuito regge nella sua individuazione del momento di resistenza: "l'inaspettato". "I draghi gemelli hanno una capacità che non pertiene ai draghi: sono in grado di sapere tutto dai giornali. E tutto ciò che il resto di noi sa, loro l'hanno già digerito." L'antica metafora del drago riesce a schermare la figura postmodernista, ben più "alla moda": loro si trovano nella corsia più veloce (*Gedankenschnelle*, aveva anticipato Marx) nell'autostrada dell'informazione: il capitale elettronico. "[C]osì sono solo le sorprese, l'inaspettato, a farli reagire." Ma l'inaspettato non si limita alle vicissitudini delle elezioni presidenziali degli Stati Uniti; esso è costituito anche delle innumerevoli resistenze "locali" nei movimenti giraglobo. Questa nota può trasformarsi in una progressione infinita: il 20 settembre 1996 il programma CBS *This Morning* ha offerto uno sketch scherzoso su Linda la Supermucca, alleata con l'ormone della crescita bovino, che si colloca al fianco della Mucca Balzata sulla Luna, o la Mucca di Mrs O'Leary che ha appiccato l'incendio di Chicago (la stessa differenza, nei termini di un momento precedente: l'immigrazione irlandese che fa da capro espiatorio). Ecco "Frontiers": "le norme grossolanamente utilitaristiche che al momento guidino l'innovazione, sino a ora hanno prodotto animali da usare come fabbriche per produrre farmaci [...]. Il governo, il settore agro-industriale, il capitale farmaceutico e chimico negli ultimi venti anni si è [*sic*] mosso velocemente per creare quello che potrebbe esser definito un bio-olocausto. Coloro che sono troppo occupati a mettere in luce il problema delle scorie nucleari in seguito ai test atomici e sostengono la causa del movimento 'No Hiroshima' non dicono mai nulla sui rischi biologici, i quali non sono affatto meno terrificanti dei rischi nucleari. I cambiamenti nelle leggi sui brevetti, in particolar modo dopo il GATT, stanno fomentando tentativi aggressivi di monopolizzazione di nuove combinazioni genetiche e di cose viventi in cui vengono introdotte. L'idea, un tempo inimmaginabile, che un microbo, una varietà di pianta o una razza animale potesse essere posseduta è diventata una pratica accettata della mutata legge sul brevetto, imposta dalla nuova istituzione imperialista del WTO [...]. Non solo gli ecosistemi geneticamente ricchi dei paesi del Terzo Mondo, ma anche le cellule e i geni delle popolazioni indigene, vengono adesso percepiti come obiettivi lucrativi [...]. La sindrome da 'farmacia degli animali' (*animal pharm*) è una cosa recente in molti paesi del Terzo Mondo [...]. Chi ha bisogno dell'ormone della crescita bovino? [...]. La risposta sembrerebbe essere: le quattro principali multinazionali statunitensi – American Cyanamide, Eli Lilly, Monsanto e Upjohn – che lo stanno promuovendo in tutto il mondo" (24 agosto 1996, pp. 2-3).

[5] *Rifts in Silence: How Daring is Taught*, Note di Programma, Lambrinidis, donna forte e cordiale, è membro della "società civile internazionale". "Il suo spettacolo più recente, *Women of Tuzla: Mytography of Courage*, composto di venti testi scritti da donne bosniache in un campo profughi a Tuzla, [sarebbe stato] messo in scena ad Anversa il 12, 13, 14 marzo 1996 con il sostegno del Parlamento Europeo, il Partito dei Verdi e le or-

ganizzazioni di donne del Belgio." Ho già sollevato la questione dell'uso dell'arte come prova immediata in relazione al lavoro di Petchesky.

[6] A quanto pare, parte del materiale in prima persona nelle sue poesie è stato tradotto in terza persona. Sembra inoltre che i brani di "flusso di coscienza" nel materiale in greco siano stati tradotti direttamente come prosa poetica, mentre per le altre partecipanti non è avvenuto altrettanto. Sono grata a Ioannis Mentzas per avermi aiutata su questo punto.

[7] Ed è in tal modo che viene accidentalmente inserita nelle note di programma. Si trova a un'estremità, equivalente alle tre americane, le quali si trovano all'estremità opposta, anche loro descritte in terza persona. Nel mezzo si trovano le testimonialiste ufficiali, in prima persona.

[8] Jacques Derrida, *De la grammatologie*, Éditions de Minuit, Paris 1967; tr. it. *Della grammatologia*, Jaca Book, Milano 1969; tr. ingl. di Gayatri Chakravorty Spivak, *Of Grammatology*, Johns Hopkins University Press, 1976, p. 143.

[9] "Lavoro sul campo" per me è arrivato a significare qualcosa di diverso, lavorare nel campo per imparare il modo di non formalizzare in maniera troppo affrettata, a proprio vantaggio nell'imparare a risuonare con mentalità fondate sulle responsabilità; anziché una preparazione generalmente frettolosa per una transcodificazione accademica e semiaccademica.

[10] Nello stesso numero Shahid Hossain Shamim solleva l'importante questione della costituzione discorsiva del "bambino", ampiamente discussa nella teoria femminista metropolitana, relativamente all'ideologia della maternità. Qui si rischia la censura, temendo di essere bollate immediatamente come "fiancheggiatrici del lavoro infantile"!

[11] Per evitare accuse di ingiuria, mi affretto ad aggiungere che questa espressione è tratta da Yeats, *Easter 1916*.

[12] Questi video (*Rights and Wrongs: Child Labour*, n. 305 e 414, International Center for Global Communications Foundation) si occupano fondamentalmente del lavoro vincolato in cui, per "saldare" un debito, adulti e bambini devono lavorare in condizioni di schiavitù, con tassi d'interesse talmente brutali che a volte il lavoro si tramanda di generazione in generazione. Sono video eccellenti, nonché istruttivi per il pubblico statunitense. Il messaggio che rivolgono al cittadino in quanto consumatore è: boicotta i prodotti realizzati dalla manodopera infantile, sebbene il controllo delle condizioni di lavoro nella produzione sia pressoché impossibile. In essi si mostrano bambini che producono mattoni e tappeti. I tappeti orientali sono dei beni di lusso. E sebbene sia stato scelto ad esempio il Pakistan, certamente l'India, e poi la Cina, la Turchia, l'Iran, il Tibet, il Nepal e simili probabilmente utilizzano manodopera infantile. È altamente improbabile che il consumatore esibizionista tutto d'un tratto inizi a boicottare i tappeti o che un calo nel mercato dei tappeti possa procurare un incremento delle infrastrutture per l'istruzione dei bambini. Iqbal Masih, un bambino di dieci anni che ha cercato di aprirsi un varco nella resistenza, venne allontanato dai gruppi di resistenza locale e magicamente trasformato in un glorioso Informante Na-

tivo. Condotto a Boston, vi ricevette un premio per i Diritti Umani, recuperato dalla emittente televisiva nazionale statunitense ("Voglio diventare come Abraham Lincoln"), e poi semplicemente rispedito a casa. Scagliato in una visibilità priva di protezione, è stato raggiunto da una pallottola e ucciso. Sebbene non sia stato dimostrato che si sia trattato di un omicidio legato al commercio, la sua morte può fungere da allegoria del modo in cui la questione dei bambini sia ben distinta dallo spettacolo della benevolenza statunitense. Entrambi i video fanno da cornice per documentari prodotti dal regista svedese Magnus Bergmar. I documentari fanno riferimento alla resistenza locale, nonostante quanto dicano le donne sia tradotto in maniera inadeguata e a volte coperto dalla voce fuoricampo. (La Svezia è un paese donatore illuminato.) Il materiale che fa da cornice, commentato da un'africana-americana, in realtà si concentra soltanto sull'industria vestimentaria, cosa del tutto differente dal lavoro vincolato ("tradizionale" in alcuni paesi dell'Asia meridionale), dal momento che il lavoro è compiuto per via dell'investimento diretto estero, in condizioni di sfruttamento. (Il mio testo si occupa della micrologia del "*dumping* sociale" in modo specifico nell'industria vestimentaria in Bangladesh.) Coerentemente, il tono è quello del nazionalismo statunitense – persino il linguaggio è politicamente scorretto, adoperando "sottosviluppato", laddove l'uso riconosciuto detta "in via di sviluppo". Un picco viene raggiunto quando la presentatrice di talk show Kathie Lee Gifford si mette a piangere a favore di camera e attacca un discorso sulla propria conversione da "fornitrice di capi d'abbigliamento prodotti da manodopera infantile sotto la propria etichetta" ad "attivista del lavoro infantile" cum "garante del boicottaggio", esordendo con "sono nata in un paese meraviglioso". Al contrario, *The Small Hands of Slavery*, 1996, redatto da due anonimi intervistatori, si concentra esclusivamente sul lavoro vincolato in India e non fa mai riferimento all'industria vestimentaria. Buona parte delle fonti è costituita da accademici impegnati politicamente. (Il primo riferimento in nota è a Tanika Sarkar, i cui genitori sono stati miei insegnanti e che ha frequentato la mia stessa scuola e università in India.) La negletta "voce critica del Sud" – le organizzazioni non governative locali – viene spesso registrata e le viene assegnato il compito di aiutare e sorvegliare lo stato. La maggior parte del pamphlet, anche in questo caso abbastanza correttamente, biasima il governo indiano per la negligenza criminale verso leggi e garanzie costituzionali che si trovano già negli atti, la più vecchia delle quali risale a settantasei anni fa! Niente può porvi rimedio, è ovvio. Tuttavia quando questo eccellente libro menziona il ruolo della Banca Mondiale, una volta o due, come parte delle analisi delle ONG locali, non lo integra mai nella problematica generale degli imperativi di ristrutturazione economica indirizzati dalla banca allo stato, che ostacolano gravemente le attività di redistribuzione. E quando questo libro lo si ritrova su internet, cercando sotto la voce "*bonded labor*", lavoro vincolato (Alta Vista rimanda a ben 1.246.120 pagine corrispondenti a tale espressione), l'unico imperativo, "quel che si può fare in India", è quello di boicottare e sanzionare. Sotto la voce "Attivismo", per lavoro vincolato, una voce rappresentativa è quella costituita da "Considerazioni Etiche sulle Acquisizioni delle Multinazionali", che risulta poi essere un seminario organizzato da enti religiosi, frequentato da un gran numero di alti funzionari, gruppi di esperti e banche, tra cui la Banca Mondiale e la Chase Manhattan Bank. Nessun organo di controllo dei diritti umani si esprimerà mai sui risultati di queste istituzioni finanziarie. Il capitalismo *è* migliore della schiavitù del lavoro vincolato. Ma è lo sfruttamento l'unica via d'uscita? *Small Hands* riporta un solo caso di "risparmio comunitario e programma di credito" che "assesterà un colpo significativo al lavoro minorile vincolato". Purtroppo è questo il varco attraverso cui il credito-esca privo di riforme infrastrutturali entra nella globalizzazione, per la completa finanziarizzazione del globo; o altrimenti, esso fornisce una giustificazione per l'introduzione dei poveri del mondo nel campo del commercio, nel quale si richiede ai funzionari della microimpresa di apportare esempi di interventi sociali. [...] A questo punto citerò un brano da *Dolouti the Bountiful* di Mashasweta Devi: "ci sono persone per approvare delle leggi, ci sono persone per guidare delle jeep, ma nessuno che accenda il fuoco". Rushdie la bollerebbe come "parrocchiale". È altresì necessario sottolineare che, in contrasto con il trionfalista imperialismo morale statunitense, l'agente di giudizio rappresentato, il personaggio che pronuncia le parole citate, è Bono Nagesia, un aborigeno resistente e, come ultima istanza di giudizio dello stato criminale, c'è il corpo-lavoro della donna aborigena, la quale formula questo giudizio sull'India indipendente: "A riempire l'intera penisola indiana dagli oceani all'Himalaya, qui giace il cadavere tormentato, a braccia e gambe divaricate, vincolato al lavoro da prostituta kamiya, putrefatto dalle malattie veneree, di Douloti Nagesia, che ha vomitato tutto il sangue che c'era nei suoi polmoni prosciugati. Oggi, il quindici di agosto, Douloti non ha lasciato, nell'India delle persone come Mohan, lo spazio per piantare lo stendardo della bandiera dell'Indipendenza [...]. Douloti ricopre l'India intera".

[13] La maggior parte di questi resoconti si trova in relazioni sul campo scritte a mano. Ne ho ascoltato alcune in prima persona. Per un piccolo ma rappresentativo esempio (in bengali) si veda la relazione pubblicata in "Chinta", 5, 15 maggio 1996, pp. 16-17.

[14] "Proposal for the Provision of Primary Education for Displaced Under-Age Workers", mimeograph, Gonoshajia Sangstha, aprile 1995, p. 10.

[15] Documentazione non pubblicata, disponibile su richiesta.

[16] Bisogna riconoscere che Derrida abbia cercato una simile sutura in *Glas*, per una critica del fallogocentrismo. Ma anche il quel caso il fuoco è esclusivamente europeo. I suoi tentativi di intervenire nella globalità (*Spettri*) o di parlare per (da?) l'Algeria o come franco-magrebino devono rimanere su un altro registro.

[17] I *Blue Books* sono una serie di documenti parlamentari e di politica estera britannici così chiamati perché pubblicati, sin dal diciassettesimo secolo, con una copertina blu. [*N.d.C.*]

Le autrici

Parte prima. LA ROTTURA DEL MONOLOGO OCCIDENTALE E IL
PENSIERO DELLA DIFFERENZA SESSUALE

Luce Irigaray

Luce Irigaray nasce a Blaton, in Belgio, nel 1930. Dopo gli
studi universitari dedicati alla filosofia e alla psicanalisi, dall'inizio degli anni sessanta vive e lavora a Parigi dove aderisce, come psicanalista, all'École freudienne de Paris fondata da Jacques Lacan del quale Irigaray diventa assistente all'Università
di Vincennes. All'inizio degli anni settanta partecipa al movimento femminista aderendo al gruppo "Psy et Po" fondato da
Antoinette Fouque, una delle fondatrici dell'MLF (Mouvement
de libération des femmes). È sull'onda di tale esperienza che
Irigaray pubblica nel 1974 *Speculum. L'altra donna*. L'opera, considerata oggi come testo inaugurale per il pensiero della differenza sessuale e la decostruzione da questo avviata della tradizione filosofica e psicanalitica, determina l'allontanamento di Irigaray dall'Università di Vincennes. Negli anni successivi, Irigaray pubblicherà molti testi che avranno grande risonanza nel
dibattito internazionale. Per citarne alcuni tra i più noti, tutti
disponibili in italiano: *Questo sesso che non è un sesso* (1978),
Amante marina. Friedrich Nietzsche (1981), *L'oblio dell'aria in
Martin Heidegger* (1983), *Etica della differenza sessuale* (1985),
Sessi e genealogie (1987), *Io tu noi. Per una cultura della differenza* (1993), *Essere due* (1993), *La democrazia comincia a due* (1994),
Tra Oriente e Occidente (1994), *Le vie dell'amore* (2002), *Condividere il mondo* (2008).

Il testo da cui sono tratti i due frammenti qui antologizzati è *Speculum*, scelto proprio per il suo carattere inaugurale. Il primo è l'apertura della seconda parte del volume, dedicata all'esame dei testi portanti dell'ontologia occidentale. Viene presentato il cuore del problema: lo sconvolgimento che si produce nel Soggetto e nella sintassi che ne ha governato la costruzione – contrapposizione tra soggetto e oggetto, tra soggetto e altro, dove il secondo termine funge da materia inerte su cui il primo può erigere il suo dominio –, se l'oggetto inizia a muoversi in proprio. Nel secondo frammento l'interrogazione è la medesima anche se più incentrata sul problema del linguaggio. Problema che emerge quando una voce femminile, letteralmente inaudita, prova ad articolarsi da sé sottraendosi alle forme per lei predisposte. È qui che si rivela innanzitutto l'effetto dirompente che l'irruzione di un desiderio femminile eccedente e ingovernabile provoca nell'ordine del discorso segnato da una "u-omosessualità" dominante.

Luisa Muraro

Luisa Muraro nasce a Montecchio Maggiore (in provincia di Vicenza) nel 1940. Si laurea in Filosofia all'Università Cattolica di Milano. In seguito al suo coinvolgimento nel movimento femminista, interrompe nei primi anni settanta la carriera universitaria e insegna nella scuola dell'obbligo, in particolare nella scuola elementare, partecipando alla sperimentazione di una scuola non autoritaria insieme a Elvio Fachinelli e Lea Melandri. Nel 1975 è tra le fondatrici della Libreria delle donne di Milano, attiva ancor oggi. Dal 1976 Muraro torna all'insegnamento universitario ricoprendo fino al 2006 la cattedra di Filosofia teoretica presso l'Università di Verona, città dove negli anni ottanta dà vita insieme ad altre donne al cosiddetto Circolo di Diotima, un gruppo di riflessione filosofica intento all'elaborazione di un pensiero della differenza sessuale e del femminile.

Muraro è autrice di molti testi considerati punto di riferimento fondamentale nel dibattito italiano attorno al pensiero della differenza sessuale: da *Maglia o uncinetto* del 1981, a *Ordine simbolico della madre* del 1991. A partire dagli anni ottanta Muraro orienta la sua ricerca di genealogie femminili rivolgendosi all'esperienza di religiose e mistiche medievali. Per citare i più celebri: *Guglielma e Maifreda. Storia di un'eresia femminista* (1985), *Lingua materna, scienza divina. La filosofia mistica di*

Margherita Porete (1995), *Il dio delle donne* (2003). Tra i testi più recenti: *Non è da tutti. L'indicibile fortuna di nascere donna* (2011) e *Dio è violent* (2012).

I due frammenti successivi sono tratti da *Maglia o uncinetto*, un testo inaugurale da molti punti di vista, per i temi, i problemi che solleva e le indicazioni che offre. Al centro dell'opera, come i due frammenti testimoniano, la riflessione sul linguaggio e sullo sconvolgimento prodotto dall'irruzione di un desiderio e da una presa di parola che rompono l'ordine simbolico dominante e l'ordine sociale che in questo si riflette e si organizza.

Rielaborando la distinzione introdotta da Jakobson tra metafora e metonimia, Muraro riflette sul trionfo nella società contemporanea di quello che viene definito come "regime di ipermetaforicità". Ciò che in tale contesto si realizza è in generale uno scollegamento tra il linguaggio codificato e istituzionalizzato – quello definito metaforico –, che domina i mass media, l'insegnamento della lingua a scuola, l'agire comunicativo diffuso da un lato e, dall'altro, l'esperienza concreta, la materia viva che eccede e precede quella codificazione e che non trova accesso al simbolico, o vi fa irruzione a tratti. Tale scollegamento è all'origine di una peculiare forma di disagio della civiltà. Di una "civiltà" dove i dispositivi sociali e simbolici di controllo e di nominazione delle vite e dei corpi concorrono, per esclusione, alla formazione di un "corpo sociale selvaggio" che non trova rappresentanza né rappresentazione e che vive sotto la costante minaccia della caduta nel caos e nella follia. In questo quadro, la "rivoluzione del simbolico" che si attua attraverso la moltiplicazione e la diffusione di forme metonimiche di linguaggio, dove l'essere corpo e l'essere parola si coniugano e si confondono – come viene suggerito nel secondo frammento –, può rivelarsi quale pratica fondamentale di sovversione e di innovazione sociale.

Adriana Cavarero

Adriana Cavarero nasce a Bra (provincia di Cuneo) nel 1947. Trascorsa l'adolescenza tra Torino e Verona, si laurea in Filosofia. Dopo aver insegnato all'Università di Padova, dal 1984 insegna all'Università di Verona dove ricopre la cattedra di Filosofia politica. È tra le fondatrici, insieme a Muraro, della Libreria delle donne e una delle fondatrici, nei primi anni ottanta, del

Circolo di Diotima dal quale si distacca nei primi anni novanta. Figura di spicco del pensiero della differenza italiano, il percorso filosofico di Cavarero si caratterizza per la sua apertura al confronto con pensatrici di diversa provenienza geofilosofica e femminista. Tra i suoi testi più celebri: *Nonostante Platone. Figure femminili nella filosofia antica* (1990), *Corpo in figure, Filosofia e politica della corporeità* (1995), *Tu che mi guardi, tu che mi racconti. Filosofia della narrazione* (1997), *A più voci. Filosofia dell'espressione vocale* (2003), *Orrorismo ovvero della violenza sull'inerme* (2007).

Il testo selezionato è tratto dal testo del 1997. In quest'opera cruciale nel percorso di Cavarero confluiscono molte delle linee tracciate dalla filosofa nel suo cammino di pensiero: dalla decostruzione del mito del neutro Universale – logos, essere, Soggetto pensante – che domina in modo ossessivo e ricorrente la filosofia occidentale, al confronto con le forme di pensiero che si sottraggono a quel mito per amore del particolare, del finito di cui si costituisce l'esperienza concreta dei soggetti incarnati. È a tali forme – poesia, scrittura letteraria, racconto –, privilegiate nella tradizione più o meno manifesta delle pratiche di vita e di pensiero delle donne, che si ispira quella filosofia della narrazione che alla fine del testo qui presentato Cavarero offre come "l'unica cura per salvare il nome stesso della filosofia dalla sua sorte tragica". La sorte simbolicamente rappresentata dallo sbaglio, duplice e dalle conseguenze millenarie, di Edipo di fronte all'enigma della Sfinge. La sorte tragica in cui incorre la filosofia e che si rivela, ripercorrendo il racconto di Edipo, una tragedia principalmente maschile – quando la presa del potere avviene nel disconoscimento della verità. È la tragicità che nasce dalla scissione tra l'Uomo universale e l'unicità del sé, incarnato qui e ora nella sua irripetibile finitezza. È lo scarto che si scava tra l'ordine discorsivo della filosofia, incalzata dall'enigma del Soggetto poiché distoglie costantemente lo sguardo dal "chi" per volgerlo al "che cosa" è l'Uomo – o la Donna –, e l'ordine discorsivo della narrazione in cui si rivela l'attenzione per l'unicità di ogni sé salvata dal racconto all'altro/a e dell'altro/a.

Parte seconda. L'ALTER-AZIONE DEL SÉ: RAFFIGURAZIONI DEL-
LA SOGGETTIVITÀ NEL PENSIERO FEMMINISTA POSTMODERNO,
POSTCOLONIALE E QUEER

Bell hooks

Gloria Joan Watkins nasce nel 1952 in un paese del Kentucky,
a sud degli Stati Uniti, dove da bambina sperimenta con la sua
famiglia di neri afroamericani di umili origini un rigido regime
di segregazione. Nonostante gli ostacoli che Gloria deve affrontare per seguire la sua vocazione di scrittrice, a diciassette anni
ottiene una borsa di studio per l'Università di Stanford in California. È qui che avviene la sua formazione politica in un momento storico, la fine degli anni sessanta, dove il movimento di
rivolta studentesco si intreccia con la rivolta delle femministe,
degli afroamericani e contro la guerra del Vietnam. Gloria
Watkins vi partecipa attivamente affermando la peculiarità della propria posizione di femminista e afroamericana scegliendo
di presentarsi pubblicamente con lo pseudonimo "militante" di
bell hooks: bell come la madre, hooks come la nonna materna,
con le lettere iniziali minuscole. Nel 1981 bell hooks pubblica
Ain't I a Woman: Women and Feminism, una importante raccolta di scritti in cui esamina gli effetti del sessismo e del razzismo
sulle donne nere, mettendo in questione la pretesa universalistica del femminismo egemonico rappresentativo di fatto delle rivendicazioni delle donne bianche di classe media. Nel 1983 consegue il dottorato in Letteratura inglese all'Università di Santa
Cruz con una dissertazione su Toni Morrison e si afferma nel
dibattito teorico femminista prendendo posizione a favore di
una interpretazione femminista del postmoderno. Hooks, che
ha insegnato in varie università americane, è ora Distinguished
Professor di Inglese presso il City College di New York.

Hooks è autrice di molti scritti di teoria femminista, critica
letteraria, estetica, critica pop. In Italia, una raccolta significa-
tiva di alcuni scritti di bell hooks è contenuta in *Elogio del margine*, a cura di Maria Nadotti, 1998; nello stesso anno viene anche
pubblicato *Scrivere al buio: Maria Nadotti intervista bell hooks* e
nel 2000 un testo di hooks dedicato all'amore: *Tutto sull'amore*.

Il testo che qui presentiamo è tratto da *Elogio del margine*.
Tra i testi qui raccolti si è scelto quello dedicato a esplicitare la
raffigurazione del "margine" come spazio concreto e simbolico

in cui posizionarsi per poter esercitare pratiche di azione e di pensiero controegemoniche. Uno spazio in cui si possano tenere insieme la memoria dell'offesa e dell'ingiustizia e il desiderio di trasformazione, resistendo alle trappole dell'integrazione in un sistema di potere e di costruzione dello spazio che si fonda strutturalmente sulla creazione di margini intesi come luoghi di esclusione volti a rafforzare il centro. Tra tali trappole, tese in modo sottile e quasi inconsciamente, hooks individua quel discorso ossessivo sull'Altro, allestito nel centro da molte e molti che si definiscono pensatori critici, postmoderni e radicali. Discorso che spesso cela con "buona coscienza" la pretesa del dominatore di parlare dell'Altro al posto dell'Altro. L'invito rivolto loro da hooks è di provare a dis-locarsi e di incontrarsi nel "margine" lasciandosi finalmente *"alter-are"* dalla voce dell'altro.

Gloria Anzaldúa

Gloria Evangelina Anzaldúa è nata nella valle del Rio Grande, nel Sud del Texas, nel 1942. Dopo la laurea in Discipline artistiche conseguita all'University of Texas Pan-American, si trasferisce dal 1977 in California dove si dedica a scrivere, tenere lezioni e conferenze sul femminismo, i *Chicanos Studies* e la scrittura creativa, collaborando con diverse università statunitensi a partire dall'Università di Santa Cruz in California. Nel 1981 pubblica insieme a Cherrie Moraga, studiosa femminista di origine *chicana*, un testo che sarà fondamentale per il femminismo postcoloniale e *queer*: *The Bridge Called My Back: Writing by Radical Women of Color*, pubblicato anche in lingua spagnola. Nel 1987 pubblica il suo testo più celebre utilizzando entrambe le lingue inglese e spagnolo, oltre che riferimenti alla lingua quechua: *Borderlands. La Frontera*. Anzaldúa è morta nel 2004.

Il testo qui selezionato è tratto da *Terre di confine. La frontera*, l'edizione italiana di *Borderlands*, pubblicata nel 2006. Si tratta del capitolo dedicato a illustrare i tratti peculiari di quella nuova figura della coscienza o della soggettività che viene rappresentata come coscienza *mestiza*. La coscienza *mestiza* è la coscienza che si sviluppa a partire dall'esperienza di quanti vivono tra due o più culture o identità magari tra loro conflittuali, come possono esserlo, a causa della storia del razzismo americano, l'essere yankee, nordamericano bianco, o l'essere "di colore" o della *raza*, oppure l'essere donna, femminista, lesbica e *chicana*. Un'esperienza spesso dolorosa e lacerante, la cui elaborazione può però dar luogo a una rappresentazione di sé in cui le scissioni tra i diversi tratti della propria identità risultano risanate contribuendo a far nascere una nuova coscienza, *mestiza* appunto. La coscienza *mestiza*, una figura "quasi profetica", si rivela capace di inaugurare un modo inedito di attraversare e abitare le differenze che costituiscono ogni identità, dischiudendo nuove possibilità di vivere e di convivere.

Teresa de Lauretis

Teresa de Lauretis nasce a Bologna nel 1938. Compiuti i suoi studi in Italia, addottorandosi in Lingua e letteratura straniera presso l'Università Bocconi di Milano, de Lauretis si trasferisce negli Stati Uniti, lavorando in varie università e partecipando attivamente al movimento femminista statunitense, mantenendo peraltro legami costanti anche col femminismo europeo e italiano. Nell'accademia statunitense ha cominciato il suo lavoro occupandosi di critica cinematografica da un punto di vista femminista, contribuendo al sorgere dei *Film Studies*, una nuova corrente che si afferma nell'accademia statunitense all'inizio degli anni settanta e che presto si intreccia con i nascenti *Women's Studies*. È tra le fondatrici del celebre dipartimento di History of Consciousness di Santa Cruz, dove ha ricoperto per anni la cattedra di Storia della coscienza e ha lavorato accanto a Donna Haraway. A partire dagli anni ottanta, si annovera tra le femministe lesbiche che denunciano il nesso indissolubile tra la costruzione del genere e/o della differenza sessuale con la macro-istituzione dell'eterosessualità obbligatoria. Pensatrice eclettica, de Lauretis ha scritto e pubblicato numerosi saggi di semiotica, critica cinematografica, teoria ed epistemologia femminista *postgender*. In Italia, alcuni dei suoi scritti più significativi sono stati pubblicati nei seguenti volumi: *Sui generis. Scritti di teoria femminista* (1996) e *Soggetti eccentrici* (1999). Un altro rilevante testo pubblicato in Italia è *Pratica d'amore. Percorsi del desiderio perverso* (1997), un ripensamento del desiderio lesbico mediante una rilettura critica ed "eccentrica" di Freud.

Il testo selezionato è tratto dal saggio introduttivo di *Soggetti eccentrici* dedicato dall'autrice a chiarire il significato epistemologico e politico della raffigurazione da lei proposta della soggettività femminista come "eccentrica", ripercorrendo le tappe della "coscienza" femminista contemporanea dove individua come decisiva la svolta rappresentata dalle critiche mosse dall'interno del femminismo dalle femministe lesbiche, afroamericane e postcoloniali. È infatti a partire da quelle critiche che la riflessione femminista diventa più accorta, complessa, autocritica, radicalizzando la visione teorica, interconnessa a quella politica, del femminismo. La messa in evidenza del carattere multiplo dell'identità dei soggetti, dove l'asse del genere o della differenza sessuale, invocato dal femminismo per lottare contro l'oppressione delle donne, si incrocia con altri assi di differenza, di classe, di razza, di orientamento sessuale, parimenti implicati nel sistema dell'oppressione – così che il medesimo soggetto può occupare la posizione di oppressore e oppresso a seconda dell'asse considerato –, rende necessario inventare e ripensare raffigurazioni della soggettività femminista in cui possa emergere la consapevolezza critica del carattere equivoco e multiplo del soggetto. È in tal senso che de Lauretis propone la raffigurazione del soggetto in lotta contro il sistema dell'oppressione, come "eccentrico" in primo luogo rispetto all'ideologia del genere e/o della differenza sessuale. In questa direzione avviene la rilettura, da lei offerta nella seconda parte del frammento qui proposto, della lesbica come superamento della donna proposto da Monique Wittig.

Rosi Braidotti

Rosi Braidotti nasce a Udine nel 1954. Adolescente si trasferisce con la famiglia a Melbourne in Australia, dove svolgerà una parte dei suoi studi laureandosi in Letteratura e Filosofia. Negli anni ottanta prosegue i suoi studi trasferendosi a Parigi dove conseguirà il dottorato di ricerca in Filosofia. Dalla fine degli anni ottanta emigra in Olanda dove tra il 1988 e 2005 è tra le docenti e fondatrici, presso l'università di Utrecht, del Departement of Women Studies, Art Faculty e dal 2005 dirige sempre a Utrecht il Centre for the Humanities.

Rosi Braidotti esordisce nel dibattito filosofico femminista all'inizio degli anni novanta con *Pattern of Dissonances*, tradotto in Italia nel 1994 con il titolo *Dissonanze. Le donne e la filosofia contemporanea*, un testo, tratto dalla sua tesi di dottorato, volto a "cartografare" l'effetto dell'irruzione della riflessione femminista nella filosofia contemporanea. Già alla fine di quel primo lavoro, Braidotti riprende da Deleuze la metafora del *no-*

madismo per delineare l'esplorazione della soggettività e del tema della differenza avviata dal femminismo contemporaneo.

All'esplicazione di tale raffigurazione della soggettività come nomade e/o del nomadismo femminista è dedicato *Soggetto nomade. Femminismo e crisi della modernità* del 1995, riedito e riaggiornato nel 2002 in *Nuovi soggetti nomadi*, da cui è tratto il testo qui proposto. In esso, Braidotti presenta il progetto del "nomadismo femminista" articolandolo in tre fasi, da intendersi in modo diacronico e sincronico, che rappresentano i diversi modi in cui la nozione di differenza sessuale opera nel desiderio che muove il divenire soggetti delle donne attraverso il femminismo. La differenza sessuale appare così modulata come differenza tra uomo e donna, in cui si esprime la critica della Donna, come significante costruito in opposizione all'Uomo; come differenza tra donne in cui si afferma il desiderio da parte di donne in carne e ossa di esplorare la propria soggettività in modo diverso dalla "Donna"; come differenza interna a ogni donna che pone in atto una riflessione sul proprio essere incarnato e situato in un crocevia di differenze rispetto alle quali è necessario riconoscere la propria peculiare collocazione. Non per rinchiudersi in identità autoreferenziali, ma semmai per mobilitare e dislocare le proprie identità parziali e soddisfare quel "desiderio di femminismo" che Braidotti descrive in questo passo come ciò che libera nelle donne un desiderio di "libertà, levità, giustizia e autorealizzazione". L'attenzione per il nesso tra la riflessione "ontologica" sul soggetto e la dimensione etico-politica che quella coinvolge, prosegue in diverse direzioni nelle opere successive di Braidotti. Tra le più recenti pubblicate in Italia: *In metamorfosi. Verso una teoria materialista del divenire* (2003); *Trasposizioni. Sull'etica nomade* (2007).

Parte terza. TRA NATURA E TECNICA. QUESTIONI DI ETICA E BIO-ETICA CONTEMPORANEA

Donna Haraway

Donna Haraway è nata a Denver in Colorado nel 1944. Figlia di una madre di origine irlandese, riceve un'educazione cattolica. Dopo gli studi in biologia si trasferisce, alla vigilia del '68, a Parigi dove studia con Georges Canguilhem e si accosta all'opera di Foucault. Incontro che lascia tracce fondamentali nel suo percorso successivo. Tornata negli Stati Uniti, si avvicina ai movimenti femministi, antirazzisti e pacifisti attivi in quegli anni e partecipa alla formazione delle nuove correnti critiche di ricerca che si formano sulla scia di quei movimenti all'interno di alcune università americane. Consegue un dottorato in Biologia alla Yale University e dal 1980 inizia l'attività di insegnamento all'Università di Santa Cruz in California, dove lavorerà nel dipartimento di Storia della coscienza accanto a Teresa de Lauretis e Angela Davis. Il percorso di ricerca di Haraway è contrassegnato dal desiderio di immaginare una possibile alleanza della scienza e delle nuove tecnologie con il femminismo e i progetti di emancipazione dal sistema di dominio a cui la ricerca scientifica è per lo più subordinata. Nel 1985 pubblica il testo che la rende celebre: *Simians, Cyborgs and Women: The Reinvention of Nature*, che contiene lo scritto *Un manifesto per cyborg* tradotto in italiano in *Manifesto cyborg* (1995), una raccolta dei più significativi scritti degli anni ottanta di Haraway. È da questo scritto che sono tratti i frammenti qui selezionati. Al testo dell'85 faranno seguito, componendo nelle intenzioni dichiarate dell'autrice una sorta di trilogia, altri due testi: *Primate Visions: Race and Nature in the World of Modern Science* (1990) e *Testimone Modesta@FemaleMan©incontra_OncoTopo™. Femminismo e Tecnoscienza* (ed. or. 1997; tr. it. 2000).

Il primo dei quattro frammenti qui antologizzati è l'incipit di *Un manifesto per cyborg* ed è dedicato a introdurre il "programma" del manifesto: la costruzione di un "ironico mito politico fedele al femminismo, al socialismo e al materialismo". Tale mito è quello del cyborg che intende descrivere le trasformazioni in atto nell'organizzazione delle soggettività e delle vite determinate dallo sviluppo delle nuove tecnologie: biotecnologie e tecnologie dell'informazione. Un mito ambivalente a seconda di come lo si intende. Da un lato infatti, il cyborg descrive una realtà in fieri, senza trascurare tutti gli scenari apocalittici che si possono prospettare se le risorse tecnologiche vengono impiegate e utilizzate nella riorganizzazione della produzione e della riproduzione all'interno del sistema tardocapitalistico, rafforzandone la capacità di controllo e di dominio, il potere di visione e di sorveglianza. È ciò che Haraway illustra nel frammento dedicato a tratteggiare l'informatica del dominio o in quello sulle "donne in circuito integrato". Dall'altro, può divenire una risorsa fondamentale se utilizzato da tutti i/le soggetti/e che aspirano a liberarsi da un sistema di oppressione e a vivere in un mondo più giusto e non più guerrafondaio. Appropriandosi in modo particolare delle tecnologie dell'informazione, i soggetti in varie forme subordinati possono da un lato acquisire la capacità di decifrare i codici con cui il sistema del dominio riorganizza il reale e le forme dell'assoggettamento e dall'altro operare delle controstrategie, tessendo tra loro legami imprevisti e imprevedibili, per eludere le mosse del sistema minandolo per così dire dal basso.

Françoise Collin

Françoise Collin è nata in Belgio nel 1928. Dopo la guerra, intraprende studi di filosofia, prima presso l'Università di Bruxelles, poi all'Università di Lovanio, un importante centro di studi fenomenologici. Sono questi studi che la portano a Parigi, dove prosegue lo studio della filosofia beneficiando dell'insegnamento del più importante rappresentante della fenomenologia francese: Maurice Merleau-Ponty. Parallelamente, Collin coltiva la sua passione per la letteratura e le sue prime pubblicazioni, del 1960 e 1962, sono infatti dei romanzi. Il primo saggio che la rende nota negli ambienti intellettuali e filosofici è un lavoro tratto dalla sua tesi di dottorato, in cui Collin riesce a conciliare la sua duplice passione per la scrittura letteraria e per la filosofia: *Maurice Blanchot et la question de l'écriture*, del 1971, considerato ancor oggi un testo determinante per gli studi su Blanchot. Nel frattempo – sono gli anni dopo il '68 – Collin fa il suo primo incontro con il movimento delle donne durante un viaggio negli Stati Uniti. Al suo ritorno in Belgio, fonda, con un collettivo di donne, la prima rivista femminista in lingua francese: "Les Cahiers du Grif". La rivista, che rappresenta un documento di straordinario interesse per la storia del movimento femminista e del dibattito più specificamente teorico e filosofico, viene pubblicata a Bruxelles dal 1973 al 1978 e a Parigi, dove Collin si trasferisce a vivere a partire dagli anni ottanta, dal 1982 al 1993. Da quella data Collin s'interessa all'indagine filosofica di Hannah Arendt, considerata fino a quel momento nel dibattito francese unicamente come teorica della politica e autrice delle *Origini del totalitarismo*, opera peraltro largamente fraintesa da contrapposte letture dal forte carattere ideologico. In questo contesto, il convegno su Arendt organizzato nel 1985 da Collin, i cui atti vengono poi pubblicati con il titolo *Ontologie e politique*, può essere considerato determinante per quella Arendt-*renaissance* che attraverserà la filosofia francese nei decenni successivi e a cui la stessa Collin contribuirà in modo decisivo con il suo libro dedicato al pensiero di Arendt *L'homme est-il devenu superflu?*, del 1999. Pensatrice di grande lucidità, apertura e generosità Collin, scomparsa nel 2012, ha dedicato gli ultimi due decenni a un'intensa attività di filosofa "in relazione al mondo", producendo una quantità notevole di pubblicazioni "disperse" in vari volumi e riviste. Nel 2010 è tra le fondatrici della "Revue des femmes philosophes" dell'UNESCO. Forse anche grazie al carattere nomadico della sua vita intellettuale che l'ha portata sovente oltreoceano, negli USA e in Canada, ma anche e soprattutto verso molti paesi del Mediterraneo, Collin ha mantenuto sempre una posizione eccentrica rispetto al dibattito femminista francese contemporaneo, prediligendo alla logica delle contrapposizioni nette che l'ha talvolta caratterizzato l'esercizio di un pensiero critico pronto a dislocarsi in prospettive diverse e impreviste.

Il testo che abbiamo scelto per l'antologia è uno dei numerosi documenti di tale esercizio. L'articolo è tratto da un volume collettaneo intitolato *Genre et Bioéthique* pubblicato nel 2003. In esso, Collin prende in considerazione uno dei grandi temi dell'agenda biopolitica e bioetica contemporanea: la questione della generazione o del nascere in un'epoca in cui la tecnica rende possibile intervenire su uno dei confini fino a questo momento invalicabili dell'agire umano e in cui l'inquadramento patriarcale tradizionale è andato in crisi. Il percorso della riflessione delineato dal saggio offre una mappatura sintetica ed efficace delle domande che questo mutamento solleva sul ruolo della scienza e della biotecnologia, sul senso della riflessione femminista intorno ai temi della generazione e della maternità e sui mutamenti delle forme di parentela e genitorialità in atto. L'elaborazione di tali domande, che si rende necessaria nel passaggio del nascere dalla sfera della natura a quello della tecnica e della scelta, converge nella messa a fuoco di quello che rappresenta il lato oscuro e impensato, perché effettivamente abissale, del diritto e del patto democratico: il carattere unilaterale della "decisione" di generare, che la "naturalità" dell'inquadramento tradizionale della generazione serviva a occultare. L'accentuarsi della possibilità della scelta e quindi l'estensione della libertà umana in un dominio lasciato finora al caso e alla contingenza dell'operare della natura esige indubbiamente una riflessione sul modo in cui tale estensione può e deve essere esercitata proprio perché consente di porre in luce l'altra faccia del diritto di far nascere: l'obbligazione verso i nascituri.

Parte quarta. DIFFICILE DEMOCRAZIA. POLITICHE DEI CORPI, DIRITTI E RICONOSCIMENTO NELL'ETÀ DELLA GLOBALIZZAZIONE E DEL POSTCOLONIALISMO

Judith Butler

Judith Butler nasce a Cleveland, nell'Ohio, nel 1956. Nel 1984 consegue il dottorato in Filosofia alla Yale University con una tesi dedicata alla ricezione della riflessione hegeliana sull'Autocoscienza e sul tema del riconoscimento nella filosofia francese contemporanea. Negli stessi anni milita attivamente nel movimento gay e lesbico statunitense. Nel 1990 pubblica *Gender Trouble* (*Scambi di genere*) un testo che suscita scalpore e discussioni contribuendo ad affermare la giovane studiosa – filosofa, lesbica e femminista, come lei stessa si rappresenta – nel dibattito internazionale femminista e non solo. Qualche anno dopo pubblica *Bodies That Matter* (*Corpi che contano. I limiti discorsivi del sesso*, 1993) dove riprende e approfondisce le questioni sollevate nell'opera del novanta. Oltre alle riflessioni sul genere, come sistema binario (maschile/femminile) prodotto da norme sociali, fallogocentrismo ed eterosessualità obbligatoria, che agiscono attivamente nella classificazione dei corpi, espellendo come irreali e invivibili tutti quelli che in qualche modo le eccedono, Butler avvia, a partire dal post 11 settembre, una riflessione più ampia sulle forme della violenza politica contemporanea e su ciò che da essa è possibile apprendere. A tale riflessione si accompagna una vocazione per così dire etico-politica che traduce il desiderio di rendere giustizia a tutti coloro che in forme diverse subiscono la violenza dell'esclusione, subordinazione ed emarginazione. Tra i testi pubblicati dopo il 2000 e tradotti in italiano si possono segnalare: *Vite precarie* (2004), *La rivendicazione di Antigone* (2003) (sulla necessità di ripensare l'organizzazione sociale e simbolica contemporanea della parentela), *Critica della violenza etica* (2006), *La disfatta del genere* (2006), *Strade che divergono. Ebraismo e critica del Sionismo* (2013). Judith Butler è docente di Retorica e letteratura comparata all'Università di Berkeley in California e Hannah Arendt Professor all'European Graduate School di New York.

Il testo che abbiamo scelto è tratto da *Undoing Gender*, tradotto in italiano con il titolo *La disfatta del genere*. Il volume è una raccolta di scritti della filosofa che percorrono un po' tutti i temi della sua riflessione teorica ma anche del suo impegno etico e politico, primi fra tutti quelli legati al movimento GLBTQI (Gay Lesbian Bisexual Transexual Queer Intersexual). Il testo selezionato è tratto da un capitolo dedicato alla questione della trasformazione sociale come posta in gioco della decostruzione e del ripensamento avviata dal femminismo, in una pluralità di posizioni, della differenza sessuale e del genere. Nel frammento selezionato, Butler torna su *Scambi di genere* con l'intenzione di chiarire la posta in gioco etico-politica della riflessione teorica proposta in quel testo e del richiamo all'esperienza del *drag* e del travestitismo con cui si chiudeva l'opera del 1990.

Nancy Fraser

Nancy Fraser nasce a Baltimora nel 1947. Filosofa della politica, prima docente di Filosofia politica alla Northwestern University, poi docente di Scienze politiche e sociali alla New School di New York, Fraser elabora a partire dagli anni ottanta un'analisi critica della società contemporanea coniugando marxismo, femminismo e postmodernismo. Tale indagine la porterà a confrontarsi con varie pensatrici e pensatori contemporanei come Seyla Benhabib, Judith Butler e più recentemente con Axel Honneth, uno dei più celebri esponenti, negli ultimi decenni, della Scuola di Francoforte. Il confronto con Honneth sul tema della giustizia dà luogo alla pubblicazione di un volume, che ha suscitato dibattito e interesse, dove Fraser e Honneth espongono e confrontano le proprie concezioni della giustizia: *Redistribuzione o riconoscimento?* (2007), da cui è tratto il testo selezionato.

In questo scritto Fraser presenta il principio della parità partecipativa mostrando in primo luogo in che modo tale principio muove da una concezione bidimensionale della giustizia che tiene conto sia delle istanze della distribuzione, come nel modello della giustizia sociale, sia delle istanze del riconoscimento emerse nell'età contemporanea da parte di individui e gruppi sociali discriminati per ragioni di genere, razza, orientamento sessuale e appartenenza culturale. Nel corso del testo, Fraser mostra inoltre come l'applicazione di tale principio consenta di affrontare un problema centrale della filosofia etico-politica contemporanea – che tocca in modo particolare le teorie del riconoscimento –, quello che riguarda la possibilità di distinguere tra rivendicazioni giustificabili per il riconoscimento da quelle ingiustificabili. Volendo mostrare casi concreti in cui tale principio consente di risolvere le controversie, Fraser sceglie due questioni molto presenti nel dibattito contemporaneo: la rivendicazione di un riconoscimento paritario delle unioni matrimoniali tra persone dello stesso sesso e matrimonio eterosessuale e le rivendicazioni riguardanti pratiche culturali o religiose, come il caso del "velo" scoppiato in Francia negli anni novanta. Ciò che Fraser mette in luce nella conclusione di questo passo è come in ogni caso il principio della parità partecipativa non valga solo e tanto come principio formale e procedurale per formulare "dall'alto" leggi e sancire diritti, ma esiga invece per sua definizione una partecipazione discorsiva e pubblica di tutti i soggetti coinvolti nella deliberazione.

Seyla Benhabib

Seyla Benhabib nasce a Istanbul nel 1950, in una famiglia di origine ebraica insediatasi in Turchia in seguito alla cacciata degli ebrei dalla Spagna nel 1492. Cresciuta in una città e in una cultura cosmopolita, come lei stessa ama ricordare, Benhabib all'inizio degli anni settanta emigra, per compiere i suoi studi in filosofia e politica, negli Stati Uniti, dove proseguirà la sua attività di ricerca e di insegnamento, prima come docente di Teoria politica presso il Center for European Studies alla Harvard University e attualmente come docente di Scienze politiche e Filosofia alla Yale University. Nella sua intensa attività di ricerca Benhabib si è dedicata alla teoria femminista e alle discussioni filosofiche sul postmoderno, al pensiero di Hannah Arendt, a cui dedica l'importante monografia *The Reluctant Modernism of Hannah Arendt* (1996), alla Scuola di Francoforte, confrontandosi in particolare con l'etica del discorso del filosofo Jürgen Habermas. Un altro suo celebre testo è *Situating the Self: Gender, Community, and Postmodernism in Contemporary Ethics* (1992).

Il testo antologizzato è tratto da *La rivendicazione dell'identità culturale. Eguaglianza e diversità nell'era globale*, un volume, pubblicato in traduzione italiana nel 2005, dedicato a riflettere sulle questioni etiche e politiche sollevate nelle democrazie occidentali dal pluralismo delle culture e da rivendicazioni che si appellano al diritto tra loro conflittuali. In particolare, come emerge nelle pagine selezionate, Benhabib affronta il problema dei conflitti che possono sorgere tra le rivendicazioni di diritti "culturali" e i principi di uguaglianza e/o di parità femminile che si sono affermati nel modello liberal-democratico occidentale. Affrontando e analizzando una serie di casi concreti, come la disputa francese sul velo o casi giuridici celebri accaduti negli USA o in India – ponendo in tal modo a confronto paesi e modelli democratici diversi –, Benhabib si contrappone tanto al modello "multiculturalista" quanto a quello di un egualitarismo cieco al carattere multiplo e mobile delle differenze, quale può essere anche quello del femminismo liberale. Entrambi i modelli infatti presuppongono nozioni olistiche dell'identità – che inscrivono in modo definitivo i soggetti in un'identità culturale e/o di genere –, ignorando di fatto e di diritto la soggettività concreta dei soggetti/e coinvolti nelle situazioni conflittuali e la rinegoziazione da essi attuata tra diversi aspetti della propria identità e appartenenza. Al contrario, Benhabib ritiene che per poter affrontare tali situazioni soddisfacendo l'istanza di una giustizia democratica reale occorre promuovere una visione non olistica delle identità e un modello democratico discorsivo e partecipativo.

Rada Iveković

Rada Iveković nasce a Zagabria nel 1945. Originaria della ex Jugoslavia, Iveković si forma e si specializza come filosofa e indianista. Femminista, adotta il pensiero della differenza sessuale come uno strumento indispensabile di analisi. Da molti anni Iveković vive in Francia dove ha insegnato all'Università di Paris VIII e attualmente insegna all'Università di Saint-Étienne. Al centro della riflessione della filosofa si situa l'esame del discorso nazionalista, indagato soprattutto a partire dall'esperienza dei conflitti "etnici" scoppiati nella sua terra d'origine dopo il 1989 e ponendo in particolar modo in luce i legami e le complicità tra nazionalismo e sessismo. In italiano sono disponibili due volumi che raccolgono articoli e scritti brevi di Iveković, *La balcanizzazione della ragione* e *Autopsia dei Balcani. Saggio di psico-politica* (tr. it. di Rosella Prezzo, 1999). Per un approfondimento teorico delle analisi della filosofa si vedano i due volumi monografici: *Dame nation. Nation et la différence des sexes* (2003) pubblicato in Italia da Longo editore di Ravenna, ma in lingua francese e *Le sexe de la nation*, 2003.

Il testo selezionato è tratto dal volume *La balcanizzazione della ragione*. Si tratta di un breve saggio, scritto a ridosso dei sanguinosi conflitti che negli anni novanta hanno percorso e lacerato i paesi della ex Iugoslavia, in particolare Croazia e Bosnia. Il fuoco attorno a cui ruotano le riflessioni di Iveković è l'analisi del nazionalismo, della logica manichea mediante cui si costituisce e si afferma per esplodere nella guerra che si rivela il fine ultimo, la piena realizzazione del "sacrificio purificatore" e della promessa "salvifica" inscritta nel mito di fondazione nazionale. Se il riferimento contingente e determinato dall'attualità è quello dei nazionalismi che scoppiano all'interno dell'Europa – in quella parte, l'Est dell'Europa, che si rivela come l'Altro intraeuropeo che dopo il 1989 costringe l'Europa a ridefinire i confini della propria autorappresentazione –, Iveković sottolinea il carattere "europeo" di tali nazionalismi, ricordando come la logica dualistica e manichea sia determinante nella tradizione del pensiero europeo e occidentale – a partire dalla divisione tra maschile e femminile – e nella storia dei rapporti tra l'Europa e i suoi Altri. Coerente perciò è il confronto richiamato da Iveković con il colonialismo che del nazionalismo europeo è stato una "realizzazione" esemplare. Nella seconda parte dell'articolo, Iveković si interroga su come sconfiggere la logica manichea che determina la violenza inscritta nel sistema di pensiero coloniale e nazionalista, che torna come uno spaventoso *revenant* nei conflitti "interetnici" dei paesi della ex Iugoslavia post caduta del muro o in quelli dell'area postcoloniale indiana, attingendo suggerimenti e indicazioni dal noto scrittore della diaspora letteraria indiana, Salman Rushdie, e dallo studioso indiano contemporaneo Ashis Nandy.

Gayatri Chakravorty Spivak

Gayatri Chakravorty Spivak nasce nel 1942 a Calcutta. Dopo la laurea in Letteratura inglese conseguita a Calcutta, si trasferisce, all'inizio degli anni sessanta, negli Stati Uniti dove consegue un dottorato in Letteratura inglese. Inizia a occuparsi di filosofia europea, interessandosi in particolare alla filosofia di

Jacques Derrida di cui traduce nel 1976 per la prima volta in inglese *De la grammatologie*, un'opera fondamentale del filosofo francese. La traduzione di Spivak è determinante per l'introduzione del decostruzionismo nelle università statunitensi. Negli anni ottanta si lega al gruppo di storici marxisti indiani detto dei *Subaltern Studies*, che si raccoglie a New Delhi attorno allo storico Ranajit Guha. Con Guha, Spivak cura nel 1988 uno dei primi volumi pubblicati dal gruppo. Il saggio scritto da Spivak in quell'occasione, insieme ai saggi di Guha e l'introduzione di Edward Saïd, sono disponibili in italiano nel volume, curato da Sandro Mezzadra, *Subaltern Studies. Modernità e (post) colonialismo* (2002). Ma il testo più celebre pubblicato da Spivak sulle questioni sollevate dal gruppo è sicuramente *Can the Subaltern Speak?* (1990) ripreso e rielaborato alcuni anni dopo all'interno di *Critica della ragione postcoloniale* (1999). Spivak è docente alla Columbia University e da alcuni anni svolge attività di insegnamento presso le comunità aborigene del Bengala, il suo paese d'origine.

Critica della ragione postcoloniale è un'opera ponderosa e complessa che raccoglie e intreccia moltissime analisi di testi, fatti storici e rappresentazioni, tessendo e decostruendo continuamente i nessi tra gli "eventi", fatti e testi appunto, e le narrazioni attraverso cui vengono tramandati e in un certo senso prodotti. Il testo si propone come ricognizione delle "tracce" di quel particolare soggetto che Spivak definisce "Informante Nativo" nelle pratiche, testuali e storiografiche, responsabili della sua produzione. L'opera si articola in quattro sezioni: "Filosofia", dove il confronto avviene con Kant, Hegel e Marx, "Letteratura", "Storia", che rielabora il testo *Can The Subaltern Speak?*, e "Cultura". È da quest'ultima sezione, volta all'indagine del presente, che è tratto il testo antologizzato. Nel frammento selezionato, quello conclusivo dell'intero volume, Spivak mette a fuoco le contraddizioni in cui incorre un "multiculturalismo *liberal*", come quello proposto negli Stati Uniti a uomini e donne di nuova e vecchia immigrazione provenienti dai paesi ex coloniali, chiamati in qualche modo a coprire il ruolo dell'Informante Nativo, e le vie di espansione "corporativista e neocoloniale" promosse dal capitalismo statunitense e/o occidentale nelle sue attività transnazionali con i paesi dell'area postcoloniale. La coscienza di tale nesso sembra indispensabile premessa per poter vigilare in modo critico e autocritico sulle ambiguità della posizione o della collocazione anche degli studi culturali e/o femministi nell'organizzazione postcoloniale e globale dell'economia tardo-capitalistica contemporanea. Per chiarire l'esito di un'ambiva-lenza non chiarita, Spivak adduce l'esempio concreto di casi in cui la voce della "più povera donna del Sud", figura esemplare di subalterna nel mondo globalizzato, viene in vari modi silen-ziata e "fatta dis-dire" anche in molte proposte della "critica radicale" femminista, culturalista e *liberal* statunitense.

Indice

9 *Introduzione*
di Eleonora Missana

Parte prima. LA ROTTURA DEL MONOLOGO OCCIDENTALE E IL PENSIERO DELLA DIFFERENZA SESSUALE

69 *Speculum: l'altra donna*
di Luce Irigaray

77 *Prendere la parola, dissestare il linguaggio*
di Luisa Muraro

82 *Edipo sbaglia due volte*
di Adriana Cavarero

Parte seconda. L'ALTER-AZIONE DEL SÉ: RAFFIGURAZIONI DELLA SOGGETTIVITÀ NEL PENSIERO FEMMINISTA POSTMODERNO, POST-COLONIALE E QUEER

93 *Elogio del margine*
di bell hooks

105 *La coscienza della mestiza*
di Gloria Anzaldúa

116 *Soggetti eccentrici*
di Teresa de Lauretis

131 *La differenza che abbiamo attraversato*
di Rosi Braidotti

Parte terza. TRA NATURA E TECNICA. QUESTIONI DI ETICA E BIO-
ETICA CONTEMPORANEE

153   *Un manifesto per cyborg: scienza, tecnologia e fem-
       minismo socialista nel ventesimo secolo*
       di Donna Haraway

173   *Il lato nascosto della democrazia: la generazione tra
       desiderio, tecnica e biopolitica*
       di Françoise Collin

Parte quarta. DIFFICILE DEMOCRAZIA. POLITICHE DEI CORPI, DI-
RITTI E RICONOSCIMENTO NELL'ETÀ DELLA GLOBALIZZAZIONE E
DEL POSTCOLONIALISMO

197   *"Scambi di genere" e la questione della sopravvivenza*
       di Judith Butler

213   *Giustizia sociale nell'era della politica dell'identità*
       di Nancy Fraser

228   *Oltre la contrapposizione tra universalismo eguali-
       tario e multiculturalismo differenzialista: l'impasse
       delle visioni olistiche dell'identità*
       di Seyla Benhabib

242   *Nazioni, nazionalità, nazionalismi*
       di Rada Iveković

255   *Per una critica della cultura nell'età del capitalismo
       transnazionale*
       di Gayatri Chakravorty Spivak

277   Le autrici